李达全集

汪信砚 主编

第十三卷

人民出版社

国家社会科学基金重大招标项目
"李达全集整理与研究"（批准号：10ZD&062）最终成果

国家出版基金项目
"《李达全集》（1—20卷）的整理、编纂与出版"最终成果

目　录

经济学大纲（1935）

经济学大纲[*]

（1935）

---

* 《经济学大纲》于 1935 年由北平大学法商学院作为教材印行，因抗日战争爆发，当时未能公开出版。1948 年 1 月，生活书店将该书的"绪论"和第一部分以《先资本主义的社会经济形态论》的书名出版，署名李达。1984 年 9 月，人民出版社将该书收入《李达文集》第三卷出版。1985年 9 月，武汉大学出版社出版该书单行本，并于 2007 年 4 月将其列入《武汉大学百年名典》再版。2008 年 10 月，该书又由湖南教育出版社列入《湖湘文库》出版。——编者注

绪　　论

一、经济学的对象

（一）经济学的对象是什么

我们着手研究经济学,先要把经济学的对象作一个大概的规定。

一种科学,是与别种科学有区别的。各种科学所以互相区别,都由于它们的研究客体即对象各不相同。各种科学,都各自研究一定种类的对象,研究现实世界的特定一方面。所以科学的对象的规定,在开始研究那种科学时,是一件很重要的工作。因为,第一,我们如不把所要研究的科学的对象加以规定,就不能确定这一科学与别种科学的差别,当进行研究之时,就会不知不觉侵入别种科学研究的领域,陷入反科学的混乱。第二,科学的方法,与它的对象有密切关系。方法是客观的东西,它反映现实,反映现实本身中所固有的根本特征。因而研究一切现象的一般的科学的方法,在各种具体的对象中应用起来,就反映出这对象的特征。所以科学的对象如不规定,就不能正确地应用科学的方法,去发现对象的规律性。以上两点,是我们所以先要规定经济学的对象的理由。

然则经济学的对象是什么?

我们知道,经济学是社会科学的一种。社会科学,是以各种社会关系为对象的。社会关系,即是在社会中形成的人与人的关系。这种关系,具有重大的意义,人人都能知道。人是社会的动物,人如果离开社会就不能存在,这也是人们所知道的。但是人类的社会关系,非常复杂,有依据物质生活而结成的关系,有依据阶级或政党而结成的关系,有依据财产权而结成的关系,有依据信仰、学术等而结成的关系,还有其他种种的关系。经济学究竟研究哪一个种类的关系呢?要答复这个问题,还得要根据科学的社会学的结论,说明社会构造内部各部分的关联,借以指出经济学的对象在社会构造中所占的位置。

依据科学的社会学的指示,社会分为基础与上层建筑两部分。社会的基础,是生产关系的总体,是社会的经济构造;社会的上层建筑,是法律的政治的上层建筑与意识形态。法律的政治的上层建筑,立足于经济构造之上,而意识形态又与经济构造相适应。因而社会形态,就是处于特定生产关系总体,以及由它所生的特定政治的法律的上层建筑与意识形态之下的社会。并且这个社会,是一定历史发展阶段上的社会,是有其特殊的固有的质的社会。

这样看来,人类的社会关系,包含着生产关系、政治的法律的关系、与意识形态的关系等部门。这些部门的社会关系,成为各种社会科学的对象。意识形态的关系,是哲学、文学、艺术等科学所研究的对象;政治的法律的关系,是政治学法律学两部门所研究的对象;而生产关系即经济构造,是经济学所研究的对象。

于是我们知道,经济学的对象,是社会构成过程中的生产关系的总体,即社会的经济构造。特定的经济构造是特定社会的基础,因而研究经济构造的经济学,是其他各种社会科学的基础。

(二)劳动力与生产手段

经济构造究竟是什么? 现在来加以说明。

人类社会为要继续存在,第一件根本事情,是取得物质生活资料。要取得物质生活资料,人类首先要到外部自然界去采取并变造外部的自然物。这种到自然界去采取并变造自然的存在物的行为,就是劳动。劳动是人类求生存的第一个前提。"不要说一年,就是几个星期,如果停止了劳动,任何国民也都要死灭,这是小孩们也都知道的事情。"

劳动是人类与自然之间的物质交换的过程。劳动过程,有三个要素。第一个要素是劳动力。劳动即是劳动力使用的状态。劳动力是寄存于人类身体中的种种能力的总和,当人类变造自然物为有用物时,就把它使用出来。所以劳动力由劳动的人所代表,他的劳动,是有意识有目的的劳动,即是把所采取的自然物实行加工以供消费之用的劳动。人类社会为要取得物质生活资料,首先就要有这样的劳动。

但是单只有了劳动力,还不能向自然界取得物质生活资料。人们劳动时,决不能用一双空手去与自然斗争。他在这种斗争中,不能不使用人工的器具即劳动手段,把自己武装起来。劳动手段,是劳动过程的第二个要素。

劳动手段,是介于劳动者与劳动对象之间,传达人的活动于其对象的一物或诸物的复合体。人们利用劳动手段的机械的物理的化学的性质,改变别种物体的性状,使适合于自己的目的。

人类社会的劳动手段,是就自然物加以变造而成的。只有原始人,使用自然界所供给的现成的东西(如石子、树枝等)去劳动。至于现代人,却用自己手造的机器去工作。人类用人工的器具向自然界斗争,不仅使自己适应于自然,并且积极地使自然适应于自己。他征服自然力,变造自然力,同时又改变了自己的性质,改变了他与自然斗争的方法。因而劳动手段,也从原始的石制器具进化到现在复杂的机器了。

有了劳动力与劳动手段之后,还必须有劳动对象,才能造出物质资料。这劳动对象,是劳动过程的第三要素。

劳动对象,是劳动过程中所能加工的一切对象。劳动对象,可分为天然存在的与人工的两种。例如人们可以从水中取出的鱼,可以从原始森林中采伐的木材,可以从矿脉分割出来的矿石等,叫作天然存在的劳动对象。至于天然存在的劳动对象,经过人类的一番加工之后,就成为人工的劳动对象,又叫作原料,例如已经从矿脉分割出来而要加以洗涤的矿石即是。所以一切原料都是劳动对象,而劳动对象却不一定都是原料。劳动对象,只在它已经发生由劳动所媒介的变化时,才是原料。随着劳动手段的发展与改良,生产过程中所能加工的劳动对象,也因而发生变化。

劳动力、劳动手段与劳动对象,是劳动过程中决不可缺的要素。人类社会如要与自然相斗争,这三个要素必须互相结合起来,才能发生生产的活动。即是说,人类只有使用劳动力结合劳动手段与劳动对象之时,才能开始生产过程,才能取得满足欲望的必要生产物。

在生产过程中,劳动力出现为生产的劳动力,劳动手段与劳动对象两者出现为生产手段。

(三)生产力与生产关系

当劳动力、劳动手段与劳动对象结合为一,而参加于社会对自然的斗争时，就造出特定社会中的生产力。所以在生产过程中，劳动力、劳动手段与劳动对象，成为生产力的三个要素。这三个要素，不能互相分离而存在，它们如果各自分离地散乱地存在着，就不是生产力的要素，这是要注意的。实际上，劳动对象，如果不为活动状态中的劳动力所左右，它不是现实的劳动对象，因而也不是生产力的要素。同样，劳动手段，如果脱离生产过程，也不是现实的东西，因而也不是生产力的要素。至于劳动力，也必须常与劳动手段及劳动对象相结合。劳动力如果与劳动手段及劳动对象相分离，它就不是生产的东西，不能发挥生产力。例如现代的失业的劳动者，虽有劳动力，却不能进到工场去操纵机器，变造原料，他仍然什么也不能生产。并且，劳动力本身的发展程度，也还要由生产手段（劳动手段与劳动对象）的发展程度所规定。

所以特定社会的生产力，是人类利用劳动力去结合劳动手段与劳动对象之时所发挥出来的制造物质生活资料的能力。这三个要素，只有在生产过程中统一地、能动地结合起来，才是生产力，因而生产力并不是这三个要素的机械的总和。换句话说，生产力只有在其运动中，在生产过程中，才是现实的。

但生产常是社会的人类的生产。人们为要把一切生产要素结合为一而开始发挥其机能，人类就不仅与自然发生关系，他们相互间也不能不发生关系。人们如不互相联结，生产不会发生。人们"为要生产，必须结成一定的关系，只有在这种社会关系之内，他们才能作用于自然，才能生产"。人们在生产过程中发生的种种关系，叫做生产诸关系。

生产诸关系，含有许多种类。因为现实的生产过程，是综合的生产过程。这综合的生产过程，包含着生产过程、分配过程、交换过程及消费过程四个方面。这四种过程，在综合的生产过程中，形成不可分离的统一。因而人们在综合的生产过程中结成的生产诸关系，包含着生产关系、分配关系、交换关系及消费关系。这四种关系在综合的生产过程中，也是不可分离的统一着。

所以我们所说的生产关系，不单是指着本来意义上的生产关系，并且还包含着分配、交换及消费等的关系。为什么把分配、交换及消费等的关系，也包含于生产关系之中呢？这是因为生产是一个综合的过程，而生产、分配、交换及消费，是这综合过程中各个成分，"构成一个统一体中的各种差别"。生产之与分配、交换及消费，都有密切的相互作用，但四者之中演着主导作用而能统制其他诸要素的活动的东西,只是生产,所以我们把这四大类的关系,总称为生产关系。

简括地说来,生产关系,是在社会的生产总过程中发生的人们相互间的关系,即在生产、分配、交换及消费的过程中发生的人们相互间的关系。

(四)生产力与生产关系的统一——经济构造

生产力是什么? 生产关系是什么? 上面已经简单地说过了。现在我们更进一步去说明两者的关联。

生产力与生产关系,形成对立的统一。这个统一,是内容与形式的统一。生产力是生产关系的内容,生产关系是生产力的运动及作用的形式。如上面所说,劳动力与生产手段(即劳动手段与劳动对象),要进到生产过程中,在人们的一定联系(即生产关系)上结合为一,才能成为社会的生产力;而生产过程中人们相互间的关系,必须适应于生产力的一定发展阶段,才能成立。关于这一点,还得稍微说明几句。

如上所述,生产力是劳动力与生产手段结合为一而发挥的能力。劳动力是属于人类(即劳动者)的东西,生产手段也是属于人类的东西。因而劳动力与生产手段的结合,即是劳动力所有者与生产手段所有者的结合。

人的劳动力与人的生产手段相结合,就发挥出生产力;劳动力所有者与生产手段所有者相结合,就形成生产关系。这样看来,这两种结合实是一种结合的两个方面,前一方面是内容,后一方面是形式,而内容与形式,形成对立的统一。

劳动力与生产手段相结合的方法,叫作生产方法。这种生产方法,是与生产力的发展阶段相适应的。而人类的生产关系,又与一定的生产方法相适应。

人类在生产过程中,不断地生产出进步的生产手段,不断发展自己的劳动力,因而促进生产力不断地发展。随着生产力不断地发展,而结合劳动力与生产手段的生产方法,也随着改变。生产方法改变了,生产关系也适应于它而改变。所以生产关系本身,常随着生产力的发展而改变。形式中产生出新的内容时,这个形式就适应于新内容而改变为新形式。换句话说,生产关系,是适应于生产力的发展而发展改变的。

在说到生产关系适应于生产力的发展而发展之时,我们就不能不说到生产关系与财产关系的关联了。如上所述,劳动力与生产手段的结合,一方面是人的结合,一方面是人的所有物的结合。这两种结合,是在社会之中实现的。于是适应于生产力的生产关系,不但具有物质性,并且具有社会性与历史性。在原始社会时代,生产手段属于社会公有,劳动力的所有者与生产手段的所有者是一致的,因而人与人之间的生产关系,绝不含有敌对性或阶级性。但是进到奴隶制社会之中,生产手段归奴隶的主人所有,奴隶只是一个劳动力,这时的生产关系,是主人剥削奴隶的关系。再进到封建时代,主要的生产手段即土地,归领主所有,农民只有劳动力,不能不做领主的农奴,为领主耕种土地,这时的生产关系,是领主剥削农奴的关系。其次,进到现代即资本主义时代,生产手段归资本家所独占,劳动者失去生产手段,只剩有劳动力,不能不出卖劳动力于资本家,为资本家生产剩余价值,这时的生产关系,是资本主义的生产关系。将来,生产力发展的结果,社会主义的生产关系,又起而代替资本主义的生产关系了。这便是生产关系的社会性与历史性。

生产力与生产关系的统一,即适应于生产力的各种发展阶段的生产关系之总体,就是社会的经济构造。

(五)社会的经济构造之历史的形态

如上所述,社会的经济构造,是生产力与生产关系之对立的统一。在这个统一中,生产力对于生产关系,具有优越性,生产关系对于生产力,具有积极性。

所谓生产力的优越性,即是说,生产力是生产关系的内容,而生产关系适应于生产力而形成。因为生产力是生产关系的内容,生产关系这种形式,就必须适合于它的内容,内容如果发展了,变化了,形式必然地要随着发展和变化。正因为生产关系适应于生产力而形成,当生产力发展到一定程度之时,人们就不能不接受这已发展的新生产力而变革他们的生产关系。换句话说,生产力不断地向前发展,必然要冲破它的形式,冲破旧有的生产关系。这是生产力的优越性。

但生产关系绝不是受动的东西。生产力对于生产关系虽然占居优位,而生产关系对于生产力却是本质的东西,对于生产力具有能动的积极的作用。生产关系的这种积极性,存在于它与生产力的矛盾之中。生产关系在一定时期,能促进生产力之发展,譬如当新的生产关系(例如代替封建的生产关系而起的资本主义的生产关系)成立时,新的财产关系代表人就利用一切可能的手段,努力地发展生产力。但在另一时期,这种曾经助长生产力发展的生产关系,却障碍生产力的发展,譬如以资本主义生产关系为有利的阶级,因为要维持从来的财产关系,就不惜利用一切权力,障碍生产力的发展。不过生产关系的这种积极性也有一定限度,因为对于现存生产关系感到生存威胁的阶级,结局要推翻这种生产关系,使生产力向前发展。

生产力与生产关系的矛盾,发展到成为拮抗即敌对状态时,社会的经济构造,就发生质的转变。这是社会的经济构造所以发展的原因。

因为经济构造是生产关系与生产力的统一,所以以经济构造为对象的经济学,不但研究生产关系,并且研究生产力发展的社会形式,它指出生产力与生产关系的矛盾,暴露特定经济构造由于这个矛盾而发生发展,以及由一种形态转变到别种高级形态的法则。

二、经济学的范围

(一)历史上各种经济形态的特殊性与共通性

经济学是研究社会的经济构造,即适应于生产力的发展阶段的生产关系的发展法则的科学,这在上面已经说明了。但是生产关系,在它与生产力的矛盾的统一中,是不断地变化、发展的,即是说,特定的生产关系,发展了又消灭,而转变为新的生产关系。因而常常存在着的东西,只是历史上特定的生产关系,它的形态和特性,是与历史上特定的生产方法相适应的。

在人类的历史上,我们看到了五种质不相同的生产方法:即原始社会的生产方法、古代的(奴隶制的)生产方法、封建的生产方法、资本主义的生产方法以及在苏俄发展着的社会主义的生产方法。适应于这五种生产方法,出现了五种生产关系的体系,即五种经济构造的形态:

1.原始社会的经济形态;

2.古代社会的经济形态;

3.封建社会的经济形态;

4.资本主义的经济形态;

5.社会主义的经济形态。

历史上既然出现了五种生产关系的体系即五种社会经济形态,然则以生产关系或经济构造为对象的经济学,究竟要研究哪一个种类的经济形态呢?它或者把这五种经济形态都拿来研究呢?如果经济学要把这五种经济形态都拿来研究,它们的发展法则是相同的呢?或是不相同的呢?或是它们有一个共通的发展法则呢?这是关于经济学的范围的问题,也是关于广义经济学与狭义经济学的区别的问题,同时又是关于科学的经济学与非科学的经济学的分界的问题。

历史上各种经济构造的形态,以生产力与生产关系之特殊的一定的结合为特征,以两者间的矛盾之特殊的一定的形式为特征。因而各种特殊的经济形态,各有其固有的特殊性,各依从于其特殊的法则而发展。换句话说,各种经济形态,各有其特殊的发展法则。

历史上各种经济构造的形态,当然有一些共通的标帜,共通的规定。但我们如要依靠这些共通的标帜,共通的规定,去认识历史上的一个现实的经济形态,却是不可能的。我们能够说资本主义的经济,和原始时代的经济,是依从相同的法则而发展的吗?我们能够说社会主义经济与资本主义经济是依从相同的法则而发展的吗?这种见解,只有想把资本主义看作万古长存的个人主义经济学者们,才当作金科玉律去崇奉。实际上,每一种历史的经济形态,都有其固有的特殊发展法则。当一个阶段上的经济形态,发展到一定高度而转变到次一阶段之时,就开始受另一种发展法则所支配。各阶段上的经济形态的发展法则所以各不相同的原因,从根本上说来,是由于物质生产力的不断地发展。因为人类一旦获得了新的生产力,生产关系就随着改变,而支配这新生产力与新生产关系的新发展法则,就代替过去的发展法则而支配新的经济形态了。所以适合于一定经济形态的法则,决不能适合于别种经济形态。即是说,无条件的适合于一切经济形态的发展法则,只是一个抽象。

不但各种经济形态各有其特殊法则,并且从一种经济形态到他种经济形态的转变法则,也是特殊的东西。例如从原始的经济形态到古代的经济形态、从古代的经济形态到封建的经济形态、从封建的经济形态到资本主义的经济形态、从资本主义经济形态到社会主义经济形态的各种转变的法则,也都是特殊的法则。这些转变法则的特殊性,根源于各种经济的特殊发展法则,即根源于各种生产方法的特殊性,即根源于生产力与生产关系的特殊性。例如由资本主义的经济形态到社会主义的经济形态的转变法则,与由封建的经济形态到资本主义的经济形态的转变法则是各不相同的。后者的转变,是封建形态中孕成了的资本主义的生产力与封建的生产关系相冲突的结果;前者的转变,是现代社会中发展了的生产力与资本主义的生产关系相冲突的结果。两者的特殊性,在法国革命与俄国革命中,具体地表现了出来。

如上所述,历史上的各种经济形态的发展法则的特殊性,以及顺次由一种形态推移到次一形态的转变法则的特殊性,是科学的经济学所要集中其注意力的焦点。只有个人主义的经济学,为了讴歌资本主义,才去抹杀各种经济形态的特殊性,把资本主义的法则说成一切经济形态永久不变的法则。例如正统派的经济学者,把原始时代的猎人的弓箭和渔夫的钓竿看成资本,把他们看成资本家,想借此证明资本这东西是从初民时代即已存在,因而在千万年以后也是长存的东西。因此他们所视为万寿无疆的资本主义经济的法则,就被当作通用于一切经济的时代的永久法则了。

(二)广义经济学的意义

然则历史上各种经济形态中,究竟有没有共通的一般的法则呢?科学的经济学认定这种一般的法则,在各种经济形态中确是存在的。但是这一般的法则,是各种形态的特殊法则抽象得来的。例如说,生产力与生产关系的矛盾,是社会的生产力的发展的最一般的法则。生产力的这种一般的发展法则,对于各种经济形态都是共通的东西。各种经济形态的发生发展和消灭,都受这一般的法则所支配。任何经济形态,都含有生产力与生产关系的矛盾,它是这个矛盾的统一,由于这矛盾的发展而发展,而转变为新的形态。这便是一切经济形态的共通的一般的发展法则。但是这一般的法则,在各个特定的经济形态中,显现出特殊的姿态,特殊的相貌。我们想要全面地理解一个形态的真相,必须具体地研究这个形态,把捉其特殊的丰富的内容,树立一般与特殊的正确关系,才能发现这一形态的特殊发展法则,才能把捉住具体的真理。真理是具体的,抽象的真理绝不存在。

历史上各种经济构造既然是依从于特殊法则而发展,经济学的任务,就不能研究某种固定了的、现实上不存在的经济构造,而是要研究历史上可变的经济构造,这是很明白的。因此,经济学的任务,在于暴露各种经济形态的发生、发展及其转变的特殊法则。"所以经济学,在其自身的本质上,是历史科学。它所处理的东西,是历史的材料,即不断变化的材料。经济学首先研究生产及交换的各个发展阶段的特殊法则。"

科学的经济学,就其范围来说,可分为广义经济学与狭义经济学两种。

广义经济学,研究历史上各种经济构造的发生、发展与没落及其互相转变的法则;狭义经济学,单只研究商品——资本主义经济的发生、发展及没落的法则。这种狭义经济学,并不是完全离开广义经济学而独立存在的科学,而是广义经济学的构成部分。

我所讲授的这部经济学,是广义的经济学。我的研究所以要采取广义经济学的立场,不仅是具有纯理论的意义,并且还具有实践的意义。因为广义经济学,并不仅是为了求得经济学的知识才去研究一切经济构造,而实在是为了求得社会的实践的指导原理才去研究它们。即是说,我们不是为理论而理论,为科学而科学,而是为了经济上的实践才研究经济学。

广义经济学中最重要的部分,是目前世界中两种经济体系——资本主义的与社会主义的——之研究,尤其是资本主义经济之研究。

(三)资本主义经济研究的必要

为什么说资本主义经济的研究最为重要呢? 这有下述三点理由。

第一,现时世界上居支配地位的还是资本主义社会,多数人被资本主义社会的发展法则支配着。要从资本主义社会的必然飞跃到未来社会的自由,就必须暴露资本主义社会的发展法则,然后才能顺着这个法则,从事于这个飞跃的实践。资本主义社会是人类社会经历了几千百年的发展过程而完成的最进步的历史的组织,它受资本主义的生产方法所支配。若果理解了资本主义社会中所表现的各种社会关系的范畴,理解了这些社会关系的编制,同时可以洞察过去一切已经没落了的各个社会形态。同时,我们又可以理解大众所生活着的资本主义社会组织,是历史的过渡的暂时的东西,绝不是永久不变的东西。它又和它的成立发展曾是必然的一样,它的没落,它的向高级社会的推移,也是必然的。所以资本主义社会之肯定的理解中,同时又含有它的否定的必然没落的理解。这即是资本主义社会的发展法则之理解。

第二，资本主义社会的生产诸力，在历史上是很进步的东西。适应于现代很进步的生产力而成立的社会关系是很复杂的，因而反映了这很进步的生产力和很复杂的资本主义社会的发展法则，就具备了过去各种社会的发展法则所未有的特殊性。我们必须理解资本主义社会发展法则的特殊性，才能理解过去各种社会的发展法则（即对社会的全面的理解），才能使那批判资本主义社会的主体获得在资本主义社会中的阶级意识，而从事于从必然到自由的飞跃的实践。

第三，资本主义社会中直接生产者阶级与非生产者阶级的对立，随着社会的存在之往前发展，日趋于普遍而尖锐。这个对立的扬弃，必然就是无阶级的人类社会，而在这个对立的扬弃过程中，一切阶级都要被扬弃，因而资本主义社会也必然被扬弃。而负担着批判资本主义社会的历史的使命的主体，必然是在资本主义社会中因其内在的必然而被否定的阶级，是必然要否定这个否定的阶级，是被逼迫着要否定"自己的否定"的阶级。但是他们要扬弃自己，就不能不扬弃自己的生活条件，要扬弃自己的生活条件，就不能不扬弃资本主义社会中一切非人的生活条件，因而扬弃一切阶级差别和阶级的对立。

所以关于资本主义经济的发展法则的暴露，在目前实是"人类的最高问题"。

（四）社会主义经济研究的必要

在目前的世界中，与资本主义经济体系相对立的东西，有社会主义经济体系。社会主义经济体系，是在占地球六分之一的地面上成立的。广义经济学，在阐明了资本主义经济的发展法则以后，必须进而研究社会主义经济的发展法则。

社会主义经济与资本主义经济的对立，在我们面前表现得十分明了。我们看到，在资本主义社会中，经济的总危机，正在表现为政治的总危机了。社会的阶级的矛盾，已经普遍化，尖锐化了。自从前次世界战争终结以后，各帝国主义国家为了恢复资本主义经济，曾经尽了最大的努力，截至 1928 年，虽然也得到暂时的稳定，但到了 1929 年的秋季，笼罩全资本主义世界的世界大恐慌就爆发了。工业、农业、金融等一切经济部门，都被卷入恐慌的旋涡中。无数的工厂停工,无数的农场减少生产,无数的银行和商店倒闭,无数的工人被解雇被抛弃于街头。这是从来所未有的大混乱。各帝国主义国家,为了脱离大恐慌的难关,曾企图试行种种的手段,想出了种种的经济统制的计划,希图解决生产与消费的矛盾,但结果仍是徒劳。虽然在1934—1935年,各国因为废除金本位,实行通货膨胀,扩大海陆空军事工业等,也曾呈现过暂时恢复的现象,但是距离1929年的经济发展的水准,却是相差很远,并且昙花一现,那种暂时的恢复也消失了。直到现在,足有七年之久,经济的破绽,更是有加无已,帝国主义列强除了诉诸第二次世界大战,把世界重新宰割一番之外,再没有别的途径。但这个途径,却明明是一条死路。

转眼去看另一个世界——社会主义世界,究竟是怎样呢?在那里,完全出现了相反的现象。苏俄自从实行新经济政策以后,经济发展的速度很快,社会主义要素逐步地克服资本主义要素。在第一个五年计划实施以后二三年,工业社会化的范围扩大,农业的集体化已普遍于全境,资本主义要素的富农已被清算,社会主义的基础工事逐渐完成,直到1930年苏俄已经进入社会主义时代了。从那时以后,社会主义经济日益繁荣滋长,第一个五年计划很迅速地在四年之内完成,现在第二个五年计划也快告竣了。在那里,一切工场都在加速度地生产着,工人失业的现象早已绝迹,大众的生活水准日益增高。这一切现象为什么完全与资本主义世界相反呢?要答复这个问题,我们不能不研究苏俄社会主义经济的法则。不但在理论上,并且在实践上,都得要知道社会主义经济的法则。只有理解了这种法则,担负改造经济形态的使命的人们,才能得到行动的指导。

但在这里,却发生了一个问题,即社会主义经济的发展有没有法则呢?关于这问题,苏俄的经济学界,曾经有过很大的论争。布哈林一派主张社会主义经济没有发展法则,因而不需要研究它的经济学。他们说,经济学是单只研究商品——资本主义经济的发展法则的,"资本主义商品社会的告终,同时是经济学的告终"。他们以为在资本主义经济中,价值法则发生盲目的作用,它是离人类意识而独立的,因而人与人的关系采取物与物的关系的形态。所以商品经济中的生产关系,极其复杂而暧昧,必须有一种经济学去分析它的本性,究明它的法则。至于非商品社会,生产关系不采取物的关系的形态;这种生产关系的构成,是人们的意识作用的结果,极其单纯而透明,不需要特别的科学去研究它。所以对于社会主义经济(即非商品的经济),只要有记述科学和应用科学就可以包括它,此外无须作理论的研究,因为它没有规律性。像这样主张社会主义经济没有规律性的见解,是非常错误的。这种错误,现在已经订正了。

社会主义经济是有规律性的。一切的经济形态,都是生产力与生产关系的对立的统一。生产力与生产关系的矛盾,在任何经济形态中都存在。这种矛盾采取什么形态?生产力向着什么方向,用什么速度发展?因而生产关系如何适应它而改变?这些问题,在社会主义经济中仍是存留着。不过这些法则,在商品社会中,是自然的发生作用,并支配着人类;但在非商品社会中,经济法则,都是通过人类意志而实现的法则。这在社会主义经济中,其更是这样。但经济法则,虽通过人的意识而实现,而它的本身仍是客观的存在着。所谓经济计划,就是依据于人们所发现的经济法则而订定而实施的。为要发展计划经济,就必须尽可能地去认识经济法则,所以苏俄的现在的经济学界,最注重于社会主义经济的法则之理论的研究。苏俄社会主义经济法则之理解,是后进国家的大众所不能忽视的。

(五)先资本主义经济形态研究的必要

广义经济学,不单是研究上述两种经济体系,并且还要研究先资本主义的诸经济形态——原始的、古代的及封建的经济形态。因为先资本主义的经济形态的遗物,在现代的全部世界中,到处都存在着。在现实上,我们看到,世界有许多后进的民族,现在还在原始的、古代的或封建的经济形态中生活着。并且,那些先资本主义经济形态的遗物,在资本主义经济形态中,还当作一种经济制度存留着,而错杂地被编入资本主义的生产关系之中。甚至在社会主义经济的初期时代,也还有那些遗物存在。所以,为要全面地理解世界经济的各种形相,为要具体地认识资本主义的经济形态,都不能不研究先资本主义的经济形态。

为要详细的说明这一层,还得要把经济形态和经济制度的差异的问题,加以解释。经济形态,即是社会的经济构造,它由特定的生产方法所规定。我们已经知道,历史上经济形态的发展,顺次经历了五个不同的阶段。但各种经济形态,都是继承先行的经济形态的积极的结果发展起来的,因而先行的经济形态的遗物,在一定时间的限度以内,仍在后继的新经济形态中当作旧时代的经济制度残留着。例如原始经济的遗物,遗留于奴隶制的经济形态中;往后奴隶制的遗物又连同原始的遗物一并遗留于封建的经济形态。到了现代,封建的遗物又连同奴隶制的、原始的遗物而在资本主义经济形态中遗留着,变成为各种错杂的经济制度,而处于资本制的生产方法的支配之下了。所以各种经济制度,能在特定经济形态中杂然并存。不过那些代表旧时代的经济制度,受新时代的生产方法所支配,而变成被支配的东西、附属的东西了。

在现实的历史上,我们看到,资本主义经济在封建经济的母胎中孕成以后,就逐渐地克服封建的手工业及手工农业的经济,以至于最后竟然把封建社会改变为资本主义社会,而未经克服净尽的手工业及手工农业,虽然受着资本主义的统治,却依旧还有生存的余地。所以现实的资本主义社会中,杂存着旧时代的各种经济制度。我们为要具体地全面地理解资本主义经济,理解手工业及手工农业的崩溃的倾向,理解农民手工业者所以要反抗资本制的社会的根据,就不能不研究先资本主义的经济形态。

先资本主义的经济的遗物,并且在过渡期的经济中,也还存留到相当的时期。现实上,我们看到,苏俄在1917年革命的当时,资本主义经济,与先资本主义经济互相交错着,社会主义经济还不曾存在。自从把资本及土地收归国有,并依据社会主义原则实行经济改造以后,社会主义的生产才开始发芽。最初的时候,大的资本主义企业虽被推翻,而小的资本主义企业,以及手工业和手工农业的生产,仍存留了十余年之久,直到第一个五年计划实施以后,这些旧时代的经济的遗物,才被克服,被清算,被改革为社会主义。这些都是我们所亲见的事实。所以我们为要理解先资本主义的经济如何被改造,被推进至社会主义的过程,也不能不研究先资本主义经济。

目前整个的世界,除了苏俄以外,其余全部都处在资本主义的支配之下,这是我们所知道的。但是在资本主义宰割之下的、拥有12亿人口的许多殖民地的落后民族,却仍然过着先资本主义时代的经济生活。这许多落后民族的落后经济形态的崩溃倾向(即发展法则)究竟怎样? 它们能有什么有希望的出路? 它们为要找到出路究竟要怎样去努力? ——这些问题,都属于广义经济学研究的范围。

（六）中国现代经济研究的必要

最后，广义经济学，还必须研究中国现代的经济。

为什么要研究中国现代的经济呢？要答复这个问题，先得说明我们为什么研究经济学的问题。我们不是为了研究经济学才研究经济学，而是为要促进中国经济的发展才研究经济学。但研究经济学的我们，是现代的中国人。我们不仅生活于现代的资本主义世界，并且生活于资本主义世界中的现代的中国。我们研究经济学，能够只知道注意于世界经济，反而忽视了中国的经济吗？我们能够说中国现代的经济，和欧美各资本主义国家的经济一样，因而认为没有研究的必要吗？这种谬误，稍有现代常识的人们都是知道的。

"经济学，对于一切国民，对于一切历史的时代，都不能是同一的东西。"这个理由，我们在前面已经说明了。谁都知道，目前的中国，是国际帝国主义的殖民地，是资本主义列强的附庸。单就这一点来说，已经可以理解中国经济的特殊性。

中国现代的经济，不是原始的或奴隶制的经济，不是社会主义的经济，也不单纯的是封建的或资本主义的经济。中国现代的经济，虽然处在前面所说的经济形态的历史的发展过程中，却不能成为一个阶段上的独立的经济形态。大体上说来，中国现代的经济，还停滞在由封建经济到资本主义经济的过渡状态中，但是深深地烙上了国际帝国主义殖民地的火印。

中国经济，在五口通商以前，即大约在 1840 年以前，还是封建的经济。自从五口通商以后，资本主义一步一步地侵入中国经济的领域，撼动了二千年来根深蒂固的旧社会的基础。从那个时期起，中国开始变为各帝国主义者销售商品、采集原料及投出资本的场所了。中国旧有手工业及农业经济，就以加速度地步骤崩溃下去。大约从前世纪末叶以来，帝国主义者利用一切不平等条约，在中国境内陆续设立资本主义的工场及银行，直接剥削中国的劳苦群众，宰制中国的金融命脉，于是大规模的、直接和间接的、经济的和政治的侵略中国的过程，便很快地发展了。另一方面，中国的民族资本，也在这过程中形成，而民族资本主义工业也开始成立了。民族资本的工业，在满清末年到民国初年之间，由于技术的落后与资本的薄弱，不能与帝国主义国家的工业相竞争，直到第一次世界大战发生以后,才稍有一点起色。因为当时欧洲各帝国主义国家卷入了战争的旋涡,没有东顾余暇,对于中国经济的压力稍见松懈,国内的市场,除了日美等帝国主义的商品以外,还有民族资本主义商品扩大的地盘,所以民族工业能够成就空前的发展。但是这种繁荣终不能长久保持,大战终结以后,欧洲各帝国主义挟着极大的威力,猛烈地榨取东方殖民地与落后民族,以期医好在大战中所受的创伤。结果民族工业受到莫大的打击,首屈一指的纺织工业逐渐衰落下去,其他各工业更不待说了。尤其是从这次世界大恐慌发生以后,中国不久也卷入旋涡之中,而帝国主义列强,又用尽种种可能的方法向中国加强榨取,使中国工农业陷于总破产的状态。更厉害的事情,邻接的帝国主义者,希图独吞中国,猛烈的经济侵略与凶狠的领土侵略,双管齐下,中国北部都处于它的控制之下。整个中国的生存,都有朝不保夕的危险。中国的殖民化的程度已经日益加深了,处在现状之下的中国人民,究竟应当怎样去图存呢?!

就中国经济的现状稍微观察一下,就可以看出三个互相交错的过程:帝国主义侵略的过程、民族资本萎缩的过程和封建农业崩溃的过程。这三个过程中,第一过程占居统治的地位,这是不待多言的,第二过程已是第一过程的附属物,第三过程虽然被第一第二过程所统治着,却仍然表现顽强抵抗的力量,仍在困苦状态中挣扎着。换句话说,封建的手工农业虽被压榨着,而占全人口总数百分之七十以上的中国农业,却仍依靠这种农业的生产而生活。这种状况是现代各帝国主义国家所没有的。所以现在的中国经济,是处于帝国主义宰割之下的、工农业陷于破产状态的经济。这种经济,可以说是国际资本主义殖民地化的经济。在这种特殊的经济状况下挣扎着的中国国民,究竟应怎样寻求自己的生路呢? 这不仅是一个经济问题,而是整个中国自求生存、自求解放的问题。要解决这个问题,必须有正确的客观的理论做实践的指导,才能成立民族解放的战线,才能进行民族解放的工作,才能提起中国经济改造的问题。但要获得那种客观的正确的指导的理论,就必须把捉住一般根本路程上的经济的进化之客观的法则,同时具体地考察中国经济的特殊的发展法则,以期建立普遍与特殊之统一的理论。"一切国民,都将到达于社会主义,这是一个必然性。但它却并不是一切都精密地循着同一路线而到达于社会主义的。"这种必然性的实现,因为各个国民的经济的政治的种种特殊性,就会刻印着各自的特色。

从来的中国的经济学,或者只是研究资本主义经济,或者并行地研究资本主义经济和社会主义经济,但对于中国经济却从不曾加以研究。这些经济学专门研究外国经济,却把中国经济忽略了。我认为这是一个严重的错误,是极大的缺点。因此,我主张广义经济学,除了研究历史上各种顺序发展的经济形态以外,还必须研究中国经济。只有这样的研究,才能理解经济进化的一般原理在具体的中国经济状况中所显现的特殊的姿态,特殊的特征,才能得到具体的经济理论,才能知道中国经济的来踪和去迹。这是我之所以主张我们所研究的广义经济学必须研究中国经济的理由。

总括起来说,把经济构造作为对象的经济学,要研究那种与生产力的特定发展阶段相适应的特定生产关系的运动法则,即暴露历史上各种经济形态的发生、发展及其转变到次一形态的特殊法则,并阐明现代中国经济的特殊性。

习题一

一、经济学对象的规定,究竟有什么意义?

二、劳动过程的三要素的意义如何?

三、何谓生产力? 何谓生产关系?

四、生产力为什么不能在生产关系以外存在?

五、何谓生产力与生产关系的统一?

六、社会的经济构造之意义如何?

七、历史上顺次发展的经济形态有几种?

八、狭义经济学与广义经济学的区别如何?

九、广义经济学为什么要研究先资本主义的诸经济形态?

十、广义经济学为什么要研究资本主义的及社会主义的经济体系?

十一、我们所研究的广义经济学为什么要研究现代中国的经济?

第 一 部

原始社会古代社会及封建社会的经济形态

第一章　原始社会的经济形态

第一节　氏族社会以前的经济

一、人类社会的起源

（一）人类的起源

人类社会的经济史，当然从人类发生的时候开始。依据生物学、考古学、人类学及历史学的研究，人类是由高等猿猴进化而来的。人类社会出现于地球上，到现在已经历了几十万年之久。

由猿猴到人类的转变，是在劳动的长期发展过程中完成的。劳动的发展，是人类社会的基础，是由猿猴到人类社会的转变的基础。在某种意义上说，劳动创造了人类本身。

高等猿猴中的一个分支，在其劳动活动的过程中，由于运动的更新的种类和形态，使得前肢的活动特别发达起来，变成了人类的两手；同时，与手相联系的人类有机体的其他部分也发达了。由于直立步行及其他种种作用，头脑便发达起来。人类两手劳动的活动之复杂与分化，引起脑髓的发达。在劳动与脑髓及思维的发达上，人类的言语，取得重要的意义。但言语的起源又与劳动有密切关系。

所以人类两手的发达，引起头脑的发达，引起意识与言语的发生。这一切都是劳动的产物。同时，思维又作用于劳动与言语，而促进其发展。于是完成了人类的出现，同时，人类的社会也出现了。

这样说来，劳动创造了人类本身，同时创造了人类社会。但这里所说的劳动，是属于人类形态的劳动，是与器具的制造同时开始的。而能够制造器具的动物，只有人类。福兰克林说，人是制造器具的动物。这个定义是很正确的。

所以人类本身以及人类的历史,从造出人工的劳动器具的最初一刹那开始。这一刹那,是由猿猴到人类的突变的一刹那,同时也是人类社会发生的一刹那。

依照达尔文的见解,现在的猿猴,不但不制造器具,并且也不能制造。在自然的环境之中,实际上,猿猴不制造器具,有时也只是拾取地上的石片或攀折树枝偶然利用而已。但最近佛尔加喀列氏曾经进行一个有兴趣的实验。他把一个黑猩猩关在大笼中,拿一个果实挂在笼内上部黑猩猩取不到手的处所,另外又拿两根棍棒分开的摆在地下。黑猩猩为了取得那个果实,知道把两根棍棒联结起来。这种行为,和制造人工器具的概念相仿佛。依据同样的道理,当人类远祖高等猿猴向自然界取得食物时,是能够制造人工器具以达到其简单的生产上的目的。例如,他拿一块石头碰在别块石头之上,把石头裂开,选择一端尖利的石块,用手拿着,来切取植物或小动物,当作食料,或者利用这种石块作为防御敌人的器具。这种行为的无数次的重复,便成为经验,刻印在头脑之中,就形成劳动的优势。在这样制造最简单石器的最初一刹那间,猿猴突变为人类了。

(二)人类社会出现的四时代

人类出现于地球上的绝对年代,是没有方法可以确定的。但人类出现的相对的年代,依据地质学、考古学、古生物学及人类学等科学的诸结论,却可以推定出来。

地质学把地球及生物的历史,划分为四个大时代:(一)始生代,(二)古生代,(三)中生代,(四)新生代。人类是在新生代出现的。新生代分为第三纪与第四纪。那种与猿人有关系的人猿类,出现于第三纪的末期(即鲜新世)。而猿人是在第四纪的初期出现的。

第四纪又划分为四个冰河时代:即第一冰河时代,第一过渡冰河时代;第二冰河时代,第二过渡冰河时代;第三冰河时代,第三过渡冰河时代;第四冰河时代。冰河时代以后,称为地质学上的现代。

依据考古学上的发现,人类最初的远祖是猿人,即所谓辟得康人(Pithecanthropus)。辟得康人出现于第一冰河时代。其次到第二过渡冰河时代,出现了海德堡人(Homo Heidelbergengis);到第三冰河时代,出现了内安得塔尔人(Homo Neanderthalensis);到第三过渡冰河时代与第四冰河时代,出现了所谓"被发掘了的智人"（Homo Sapiens）。从此以后，地质学上所说的现代的人出现了。

再依照物质的文化演进的程序说来，大概可以划分为下述几个时代。

1.木器时代；

2.石器时代；

3.金石器并用时代；

4.金属器时代。

最初的木器时代，在考古学的发掘上，并无证据。不过据一般学者的推测，人类在制造很粗野的原始石器以前，必有用木枝组成原始木器的事情，只是这种木器的化石，不能保存到现代而已。这种推测虽有理由，却无考古学上的证据，所以我们追溯人类的技术的原始，只能从石器时代开始。

石器时代，又可以划分为旧石器时代与新石器时代两个阶段。旧石器时代，从猿人时代所使用的曙石器时期开始；新石器时代，从地质学上的现代人最初使用石斧之时开始。这里就上述各项列表如下（下表根据波卡洛夫等《世界史教程》编列）。

代	纪	时　　代	人类的体型	技术发展时代	距离现在的年数
新生代	第四纪	第一冰河时代		旧石器时代	500000
		第一过渡冰河时代	辟得康人		475000
		第二冰河时代			400000
		第二过渡冰河时代	海德堡人		375000
		第三冰河时代	内安得塔尔人		175000
		第三过渡冰河时代	被发掘了的智人		150000
		第四冰河时代			50000
	现代	冰河时代以后	现代人	新石器、金属	25000

二、先氏族社会的生产诸力

（一）旧石器时代前期的技术

本章我们所研究的原始社会，是从人类发生时起至阶级发生时为止的长期的时代。在这长期时代中的原始社会,可以划分为两个小阶段,即先氏族社会与氏族社会。

先氏族社会,是采集经济与漂泊生活的阶段,大约与旧石器时代相适应;氏族社会,是半土著的农牧经济的阶段,大约从新石器时代的初期开始。不过技术进化时代的划分,还不能完全地反映出原始社会的经济制度之变化。因为经济关系的基础中,不单存有劳动器具的材料,还须加上连人类本身也在内的物质生产诸力的总体。因而这里我们所划分的先氏族社会,也只是近似的与旧石器时代相一致。

旧石器时代,又可按照各地所发掘的石器的演进的程序,划分为前后两期。先说明前期旧石器时代的生产力的状况。

前期旧石器时代,分为前齐尔安期、齐尔安期、亚齐尔安期及摩斯特里安期四个小阶段。

由动物状态进化而来的原始人,最初只使用极原始极幼稚的劳动器具,几乎完全为自然所左右,原始人最初只使用用树枝组成的木器,和用敲打燧石做成的曙石器。直到第二过渡冰河时代,才有前齐尔安型、齐尔安型及亚齐尔安型的石器出现。这种石器,是就石块施以打制的技术而成的。这种石器,可以切断球根类、果实类和肉类,主要的用以取得直接充用的食物。从前齐尔安期起,人们已知道用树枝编成小屋居住了。

齐尔安期石器中最有特征的东西,是用石和木制的手槌。这种手槌,可以做剥、削、切、打等工作。这时的人类似予还生活在森林之中。

亚齐尔安期的石器,也以手槌为特征,不过比较简单轻巧一点。这时的手槌为扁平三角形,好像可以用做枪尖,而开始猎取较大的动物了。

往后进到摩斯特里安期,石器制作的技术比较进步,已有加上尖刃的石器了。这种石器,有削皮器和尖端器。削皮器附有木柄,可以剥去动物皮;尖端器可以穿孔,可以削物。这表示着人们已能实行狩猎生活了。

属于这时期的人们,已开始知道用火了。最初用火的痕迹,是在与第三冰河时代相当的地层中的发掘物之上看出的。火是解放人类的手段。火能烧烤食物(食物的数量因而增加),温暖身体,防卫猛兽,锻制器具,猎取野兽。由于火的利用,人类的生活大有改变。并且熟食能缩短消化过程,变化头盖骨的颜面部和齿部,因而当作生产力看的人类本身也改善了。

这时人们的住所,大都是在能避风寒的石岩上用树枝造成的小屋,或者用火把猛兽从洞窟驱逐出去,占领这种洞窟居住。又,这时人们已经知道穿衣了。这种衣服是用兽皮做成的。因为摩斯特里安期的石器,能够从野兽身上剥下毛皮,拿来缠在身上取暖,借以抵抗第三冰河时代的严寒。

生产的技术,从摩斯特里安期的石器更前进一步,就进到了后期旧石器时代。

(二)旧石器时代后期的技术

后期旧石器时代,又分为奥里奈西安期、苏流特里安期、玛克达特里安期及亚几里安期四个小阶段。

奥里奈西安期的石器技术,比较从前进步,多半是用打制了的细长石片做成的。这种用细长石片制成的石器,能制造猎器,又能把木材和兽骨制成器具。石器有木柄,并附上枪尖。还有削皮器和在兽骨上加工的雕刻刀,还有附柄的尖头器和穿孔器,以及种种骨器。骨器的出现,是这个时期的特征。

奥里奈西安期的技术,表示着狩猎经济已经变得复杂了;器具的形态的分化,表示着狩猎者与单纯的采集者之间,已有相当的分化;而猎得的动物,已经供作各方面的利用了。

这时期当作生产力看的人类,也比较聪明了。所谓"发掘了的智人",是在这个时期出现的。这种智人,与现代人的肉体模型相近似。头脑与手足,已具有完全的组织,比较前一时代的内安得塔尔人已大有进步。人类此时有音节分明的言语发生了。

其次,进到苏流特里安期,狩猎更加完全化了。这可由石制的精巧枪尖去辨认的。这种枪尖,是形如月桂树叶的两端齐整的尖石片,两面都经过加工,均有较宽的扁平的裂齿。这种枪尖的制造,经过了长期的熟练才成就的。

到了玛克达特里安期,猎具更加完备。骨器更进步更复杂了。石制的枪尖,都用骨器代用。由于骨制钩针的出现,表示着这时的人已经知道捕鱼了。最可注意的事,是这时骨器之中的穿孔的缝针。这种缝针的出现,表示着人们已知道用兽皮缝衣了(这时还不知道织布)。

最后,在亚几里安期,地理的与气候的条件,很和现代相近,寒冷气候变得温和了。这时的燧石器的式样大概和从前相同,但石器的形式改小与形式的统一,表示着制造技术的进步。这种石器,能节省劳力和材料。

从亚几里安期更前进一步,便是新石器时代。新石器时代,比较旧石器时代,生产力虽大有进步,而这种进步,是在旧石器时代准备起来的。往后我们讨论新石器时代的生产诸力时,必须注意到这种关联。

(三)狩猎——采集经济中所表现的生产力的发展

先氏族社会的技术发展的情形,前面已经简略地说明了。现在再就狩猎——采集经济的发展,指明先氏族社会的生产力的发展。

"由动物界分化出来的人类,带着由动物进化而来的痕迹,踏进历史的领域。他们是半动物的状态,非常粗野,没有抵抗自然的能力,也不觉到自己的力量,因而是像动物一样的贫弱。"这种原始人群所使用的劳动器具,不外是粗糙带刃的石器尖头的木棒。因为技术的幼稚,还不能猎取较大的动物。他们的生活方法,主要的还是采集自然界所供给的现成的自然物。当时的人们,多住在热带地方及其附近的森林中,大部分是生活在树上,吃的东西是果实、木根、球根类、小动物、昆虫、小鸟等。他们捕食大动物,是很少有的现象。狩猎带有偶然的非组织的性质。人们常常捕捉带病的动物、落到自然陷阱中的动物以及离了群的动物。他们搜集了食物或杀害了动物,或发现了死动物,就当地吃掉。

往后,由于狩猎工具种类增多,狩猎在这时期带有经常的性质。人们并且知道捕鱼,采集也变得复杂。于是取得食物的基本方法,就变为狩猎,而采集只成为女子和儿童的工作了。经常的狩猎,得到许多的毛皮,因此,人类渐次知道穿衣了。

原始社会生产力发展的最重要步骤,是火的发明。火的作用,在解放人类的意义上,比蒸汽机发明的作用还要大。

旧石器时代的人们,还不知道贮藏物品。人的存在,主要的受自然的富源所左右。狩猎如有所得,便举行飨宴,大吃一顿;食物缺乏时,就有饿死的危险。这在现代落后诸民族中,也可看到。所以先氏族时代的经济,可以称为采集经济。人们还不曾想到用完成的形式,去取得自然所给予的东西,以再造他们消费的资料。

三、先氏族社会的生产关系

（一）原始人群

在前氏族时代,当作生产力看的人类本身,处于未发达的状态。生产力发展之极低的水准及人类对自然斗争的力量的薄弱,使原始人不得不结成集团,而营集团劳动与集团分配的生活。在这种集团中,没有指导者或指挥者,一切事情都是共同决定,所以社会本能,尽了不少作用。结婚是不存在的。对于性的关系,实行自由性交。这时,作为经济和法制之单位看的家族,还不存在。

在生产力极不发达的阶段之下,这种群集不能很大,但也不能太小。

随着技术和经济的发展,人类共同生活的形态,也变得复杂了。比较巩固的结合,代替了以前的完全散乱零碎而很小的集团。这些团体,在取得食物时,为要得到较大的机会,便分成了小的集团。小集团结合的人数,不过百人,各小组是由十人到二十人组成的。离原始人群很远的澳洲土人的群,平均由四十人至六十人而成。南美的波托苦多人、喀剌哈里沙漠布须曼人以及暹逻岛的吠陀人等狩猎种族,都组成小群,其范围超过上述之数不远。因为狩猎及野生果实的采集,一次不能养活许多人,甚至凡由数十人结成的群,往往在共同饮食上感到困难,不得不分成小群。例如在热带地方的夏天,若进到气候干燥的季节,就分成小群,个别地采集自己的食物。进到雨期,食物多了,各小群再结合为一个大集团而漂泊。

随着时代的进行,石制器具比较复杂化,于是依着过去技术的经验,原始人也能猎取较大的动物了。如栖息于第四纪的草原或森林中的野马、猪、赤鹿、驯鹿、麋、麝、野牛、原始牛、古象和犀等大型动物,都成为原始人猎取的对象了。于是狩猎渐渐变成与采集不同而具有重大的意义。从狩猎变为主要的生活手段以后,原始人群就变为原始共产的人群,组织也比较以前紧密了。他们不是无计划无秩序地流浪于森林或河川流域。他们由漂泊生活,渐渐转到暂时的定居生活;一个血族与别个血族之间的界限,也比较严格了。血族的集团,在其狩猎的区域中,土地及其他自然物,属于集团公有。一集团中的人员,在其所属的地界内从事狩猎和采集,一旦越出界限,就会引起集团与集团之间的战斗。因而集团中的人员,与他所属的集团紧密地结合着,绝不能离开他的集团而生活。

（二）性别与年龄别的分工

由于狩猎的发生，由于生产诸力的稍见发展，原始人群开始了性别与年龄别的分工。少壮的男性担任狩猎，老幼妇女担任采集自然物及其他工作。这样的分工，对于先氏族社会给以重大的影响。

女子为家庭经济所束缚，专以采集为务，并于所采集的植物，实行加工和调理。这种工作，需要不少的劳力，因而规定了女子在原始生产中的任务，同时规定了她们在原始共产主义社会中的地位。因为在一切狩猎种族中，纵然从事狩猎，也还要依存于生产物的采取。例如在不知农业的印第安种族中，他们的主要食物由女子所采取。因为他们居住的地方，野兽很少，狩猎所获，只能供作副食品。所以女子在当时社会生活中，演着主要的任务。

随着两性间的分工之后，在原始社会内就发生了年龄性别的分工。本来，当使用原始的劳动工具，对于它的制作无需特别的熟练时，这可由群的全体成员去制造。但是，由于技术的复杂化，而劳动工具的制作需要相当经验与特别熟练时，于是不能加加狩猎的老人，便专司劳动工具或武器的制作，而年轻及体质较强的人，便从事狩猎，女子仍从事采集。于是生产力就由这种分工而向前发展了。

生活上具有许多经验的"老人"，比较集团中其他的人们，权威较大。一切社会事业，例如集团狩猎的组织、对于近邻种族群的反攻、犯罪人的处罚、庆祝和祭典等，所有这些事业，都由老人们决定。他们在实行不十分复杂的集团政策之时，也许尽了指导的任务。

（三）当作生产关系看的婚姻关系与家族关系

前氏族社会与氏族社会，有一个共通的特征，即生产关系与血统关系有密切的联系。在这种社会中，婚姻关系与家族关系，是生产关系的侧面。因为"劳动越是不发达，劳动生产物的量以及社会的财富越是有限，社会制度越是受血统关系所支配"。这就是说，原始社会中劳动的社会化以及自然物占有的程度，还在幼稚的状态，血统关系在社会生活上演着莫大的作用，成为生产者之间的关系的基本形态。所以人们"在其生活的社会的生产上"所成立的劳动关系，出现为血统关系的形态。

依据莫尔甘和恩格斯的研究,原始社会的婚姻关系,采取如下的顺序的发展阶段。

1.杂婚;

2.血族群婚;

3.半血族群婚;

4.对偶婚;

5.一夫一妻制。

所谓杂婚,是最初的婚姻关系,即原始群之中,一切男子属于一切女子、一切女子属于一切男子的那种婚姻关系。由杂婚进到血族群婚,亲子间、祖孙间的性交已经禁止,而多类兄弟姊妹,自然的成为一群的夫妇,所以叫做血族群婚。由血族群婚更进一步,是半血族群婚。同胞兄弟姊妹已禁止通婚,甲族的兄弟与乙族的姊妹或乙族的兄弟与甲族的姊妹,成群结婚。这种半血族群婚,是族外婚姻的开始。由半血族群婚更进一步,是对偶婚。这时男女通婚的禁制,逐渐推广,群婚生活已成为不可能,而一氏族的男子不能不赘婚于乙族女子之家。这就是对偶婚。由对偶婚再进一步,是由通奸和卖淫所补充的一夫一妻制。这时原始社会已经崩溃,那种一夫一妻制,实是文明社会中的婚制。

原始时代的男女关系演进的过程,反映了原始社会的生产关系的过程。在原始群的时代生产力几等于零,分工尚未发生,男女老少一同为采集食物而漂泊,生活与动物相差无几,所以这时的两性关系,必然是杂婚。往后生产诸力,性别与年龄别的分工发生了。狩猎的男子群与采集的女子群,互相为而劳动,互相交换其劳动生产物。在这种基础上,男女两群发生经常的群婚关系。还有长老者与幼少者的分工,也都各分担一定的劳动,与少壮的男女互相交换其劳动生产物。基于这种分工,那种血族群婚,必然是年龄相差不甚远的同血统的男女的群婚。像这样的婚姻关系,很显明的是一种生产关系。

先氏族社会的婚姻关系比较进步的东西,是族外婚的半血族群婚。因为这个时期,生产力比较有一点进步,原始人的生活,已由漂泊无常的状态进到暂时定居的状态。他们在天然食物供给丰富的地方,可以暂时的寄住一些时候,而各种分离的原始群之间,各占有一定的狩猎动物采集食物的地界,一族不能侵入他族的境界以内。在这个时候,各族为要扩大自己的经济势力,只有扩大亲族的关系,才能进到他族的境界之中,所以这时候各族都限定自族男子到族外去结婚,借以扩大亲族的——经济的关系。青年狩猎者取得进到妻子领土的权利,把猎得的东西交给妻族,借以取得食物。这种规则实施的结果,各个人都能养活别人,并用别人的劳动生产物来养活自己。因此,各个人都固结于一定的集团,完全依靠集团才能取得食物,而个人更不能脱离集团而独立生活了。

族外婚姻,还含有互相交换劳动力的意思。甲族的男子入赘于乙族的女子,乙族的男子入赘于甲族的女子。各族所失去的劳动力,因取得他族的劳动力而得到补充,各族的经济利益也可以保全了。这种族外婚姻的经济的意义,不但与上述半血族群婚相适合,并且还与对偶婚相适合。

上述三种婚制,表现着先氏族社会的生产关系的侧面,至于对偶婚,却表现着氏族社会的生产关系的侧面。后来文明时代的一夫一妻制,那是与私有制的生产关系相适应的。

由半血族群婚制更进一步,是对偶婚。由对偶婚而结成的氏族,是氏族社会的经济单位。这一层留待下节说明。

第二节　氏族社会的经济

一、氏族社会的生产经济

(一)由先氏族时代到氏族时代的推移

氏族社会,是先阶级社会的后期发展阶段。氏族社会的质,与先氏族时代的质,并没有飞跃的变化。两者的差异,只是同一的质的发展程度的差异。因为氏族时代的生产方法,与先氏族时代的生产方法,同是平等的生产方法,主要的生产手段(如土地及其他自然物),都属于集团公有。所以两者的差异,只是生产力发展程度的差异,而不是生产力的质的差异。

由先氏族时代到氏族时代的推移,就劳动手段方面说,是旧石器时代到新石器时代的推移;就经济性质方面说,是采集与狩猎经济到生产经济即农业与牧畜经济的推移;就生产关系的一个侧面之血统关系说,是集团婚家族到对偶婚家族的推移。

在先氏族社会中,采集和狩猎的对象,都只是自然界所供给的天然的对象。就原始人说来,土地是他们的生活必需品的粮食仓,也是他们的劳动手段的武器库。土地把石子供给他们,他们要用这些石子,做种种采取食物的工作,并把石子做成种种的劳动手段。土地把野兽、鱼类和球根果实供给他们,他们就猎取并搜集这些东西做食物。所以原始的狩猎者和采集者的特征,就是占有现成的自然物和剿灭自然的资源。他们还没有发达到应用劳动使自然物再生产出来的程度,即是说,还没有达到农业和牧畜的程度,即是没有进到生产经济的阶段。

自从新石器及金属器的出现,劳动力较高度的发展,农业和牧畜才发生了。

由狩猎——采集经济到生产经济的推移,在原始社会中,经过了几十万年的岁月。在生产经济时代,首先出现了农业与牧畜。这种生产经济,使人们得到经常的食物的资源,造出手工业发生的可能性,从此剩余生产物也发生了。于是社会生活的全部秩序发生变化,新的习惯与制度也发生了。

由狩猎——采集经济到生产经济之间,存有一个过渡期。新的生产经济之发生,与漂泊集团的定居,有密切的关系。这种定居的处所,大概是食物供给比较丰富的地方,如河川、湖沼、海岸及其他禽兽丰富的处所。这种定居在最初是暂时的,后来才变为永久的。原始人这种暂时定居的生活,是由渔猎——采集经济到生产经济的过渡期的生活形态。

(二)氏族社会的生产诸力

原始人的生活上的进步,到了新石器时代,当作生产力看的人类本身,已经显著的进化了。这是可以由 25000 年前的地层中的发掘物来证明的。现在再分别说明新石器时代及其以后的技术。

氏族社会的秩序,从新石器时代开始到私产与阶级出现之时为止。氏族社会中的技术,不仅是使用新石器,以后还使用过各种金属器。

原始人的经济所以能有显著的进步,一方面固然由于气候变化(冰河时代终结)的结果,另一方面是由于制造器具的技术进步的结果(这是有主导作用的东西)。因为冰河时代终结以后,气候变得温暖,动植物更趋丰富,水中鱼类也增加起来,人类取得生活资料的活动领域就逐渐扩大了。

新石器时代制造石器的技术的基本模型虽与从前一样,但一切石器都使用研磨的技术,这却是一个特征。用研磨技术制成的石器,比较以前更为锋利而精巧,如石斧、石锯、石刀、石锄、石铲之类,都是可以供作伐木、垦地之用的东西。此外,骨器、木器、骨针、钓钩、弓、箭等类东西也出现了。这些器具不但使狩猎容易实行,并且也便于栽种植物。陶器也是在这时出现的。在河川海岸方面,用上述器具造成的木筏、船舶等也出现了。同时住居方面,也由洞窟和茅屋变成小土屋,而建筑技术方面也有了显著的进步。

从新石器时代更进一步,便进到铜器、青铜器的时代。原始人的发明和改良,在旧石器时代,往往经过几万年或几十万年的间隔,但进到新石器时代以后,技术上的发明和改良,就比较的能在短期中成就。据一般学者的研究,欧洲新石器时代的开始,大约在纪元前 12000 年;铜器的出现,大约在纪元前 8000 年;青铜器的出现,大约在纪元前 5000 年。这种年代的推测,虽有考古学上的发掘物作根据,但也不一定是一般的东西,例如中国的青铜器时代属于殷代,而从殷代到现在,至多也不过 4000 年。

青铜器时代以后,是铁器时代。氏族社会所属的时代,从器具的演进的时代说来,大致在铁器出现以前。不过,器具演进的时代,不一定能反映社会经济形态的变化,在青铜器时代,也能产生出奴隶经济。这里我们也只是说,氏族社会的阶段,大约近似的与新石器至青铜器的时代相一致。

氏族社会的生产诸力的发展,表现于农业、畜牧业及手工业的发展过程之中。下面再分别说明这些生产经济部门的发生及发展的过程。

(三)农业的发生和发展

一般学者,认为农业发生的基本条件是定居,这当然是正确的。但我们要知道,由流浪的生活形态向定居生活形态的推移,虽是农业发生的基本条件之一,同时,促进农业发生的各种前提(如采集的复杂化)之出现,也可以强烈地助长人类的定居生活的实现。

狩猎者和采集者的流浪群的活动,也不是无计划的偶然的漂泊。他们常常在各种植物或动物存在的地方,经营暂时的定居生活,因而渐次地促进了农业的发生。譬如北美西北部海岸印第安的若干种族,长久定住于野生稻生长的湖水附近,他们采取稻粒时,留下一部分作野生的播种。在澳洲土人中,也有禁止拔去结实的球根植物的习惯。马来半岛的流浪种族巴济济人,当其移动时,常将食物的果实带到远方去,把它散播,以助长新植物的成长。这些现象,明显地表示在流浪采集者之间,播种是怎样发生,和采集经济怎样地渐渐变成生产经济。换句话说,这就是说明播种和耕种已经在漂泊生活的采集的过程中准备着,也就是说明采集之渐次的复杂化,产生人类的漂泊集团的定居,以及定居的农业之出现。

但是,我们不能在漂泊的生活形态与定居的生活形态之间,划定严格的界限。并且在漂泊的采集变成复杂的时期,各种族群停滞在食物丰富的一定地方的,也颇不少;又在农业初期,漂泊生活的传统习惯,还不至完全消灭。

一般地说来,农业的出现,是以定居的生活为前提。但是,也有不营定居生活而经营农业的种族。譬如菲律宾群岛的马诺卑人,就不过定居的生活,这是因为他们的农业方法的缘故。在那里,土地非常丰饶,加以人口稀薄,他们就是经常不停滞在一个地方,亦无不可。他们宁愿有时在这里有时在那里去施行播种。这是因为土地肥沃,可以收回百倍的产物。这种栽种的方法,当然是原始耕作方法。他们砍掉大树,放在太阳下晒干,后来用以烧火。他们的收获是很大的,一个地方枯竭了,就移到另一个地方去。狩猎群为易于猎获野兽而焚烧森林或草原,这是烧田耕作或采伐农业的先驱。

(四)牧畜的发生和发展

当原始的农业由块根的埋植转变到种子的散播,由用掘土棒转变到用锹,更后由用锹进展到用犁或耙时,我们又可看到牧畜的发生和发展。这恰如采集的复杂化产生农业一样,狩猎的复杂化便产生了家畜。

考古学者,在丹麦知兰岛的玛克列摩瑟大沼,发现了新石器时代初期人类的住所。当时的人经营狩猎和渔业。在这住所附近,还发现许多野兽骨。这些野兽骨之中,杂有犬骨。据考证,这犬骨是驯犬之骨。犬的驯化,也许是偶然的。但犬一旦与人类同栖,它就成为最初的家畜了。小规模的畜牧,开始是由于娱乐而驯养动物。这是在暂时的定居之时开始的。狩猎者活捉了小的野禽和野兽,带到家中驯养,供小孩们的娱乐,是常有的事。这便是牧畜的起源。例如缅可卑人和马来半岛的尼格利陀人,常把狩猎时活捉的小猪带到自己的住所,放在特别的围圈里养活着,等到长大了才屠杀。新几内亚北部的巴布亚人,把小猪或瘦猪,放在村子的围场里,等到它长大了以后才杀吃。这种发展的途径,恐怕不仅对于猪类如此,对于其他家畜也会是这样。所以,人们对于肉食的要求,以及对于兽皮兽毛和角牙的要求,是人们驯养动物的原因。但家畜之广泛的发达,及其发达的必要条件,是定居的生活。到了定居以后才出现了犬以外的其他家畜,如豚、鸡、羊等,最后才驯养马和牛。

由于家畜的驯养或畜群的饲养,人们从来梦想不到的富源发达了,而且崭新的社会关系也建立了。在各种生产之下,动产之渐次的积蓄,正由家畜开始。但是,对于家畜的共有,很快地便和私有相交替,所以在原始共产主义的崩溃过程中,家畜的出现,发生了一定的作用。

农业和牧畜的发达,激烈地变化了人类的经济生活和社会生活。随着经常的剩余物产生,人类就惯于贮藏物品,经济本身就巩固起来,同时劳动生产力也增大了。男性和女性的相互关系,也发生了变化。男性在发达了的农业和牧畜经济上,占得了指导的地位,而在农业上曾经尽过重大任务的女性,地位反而降低,往后更变为男性的隶属者和无力的补助者了。

农业和牧畜发生以后,狩猎和捕鱼,仍然存在,不过退居比较次要的地位而已。

二、氏族社会的生产关系

(一)集团生产和集团分配

氏族时代经济构造的基础,是由土地共有而发生的共同的居住和集团的生产。土地的共有,造出了"集团生产与占有之自然的基础",同时,集团的生产与占有,就形成氏族社会的生产关系的基本特征。集团生产和集团分配的共产主义,和所有方面的共产主义相适应。"在最古代的共同体中,工作是共同进行的。共同的生产物,除了为再生产而存留的部分外,依必要而渐次分配。"在许多原始民族中,我们到处看到平等的分配生产物的情形。

氏族时代的特征,是农业和牧畜的发生。而农业和牧畜的发展,便促进生产手段的发展,同时便由石器转变到金属器具,而手工业也随之发达了。这样,在氏族时代,便见到原始共产主义社会的生产力之异常的发展,但是,在这个阶段,生产的水准,还需要原始共产主义诸关系的维持。

现在我们先举出原始农业的共同劳动的情形的实例。

原始社会的研究者玛达莱,描写了巴布亚人的原始耕种的情形。他说:

"二三个以上的男子,排成一列,把器具深深地插入土中,每掘一次,便掘起大的土块。如遇硬土,就在一块地方挖两次,才能把土掘起来。女子随在男子后面,跪在地上,手里拿着竖棒,打碎掘起的土块。年龄不齐的小孩,跟在她们后面,用手平土。男女和小孩便是这样的耕种。当锄完土地之后,女子用小棒在地上挖成小坑,实行散播种子或插秧。"由此可见最简单形式的共同体,是共同耕种的。像这一类的例子很多,这里不必一一列举。

其次,再举一个捕鱼的例子。

据《世界原始社会史》一书所说:"在澳洲的大河中,当河水浅而且清时,四五十个土人的渔人群,用六英尺多长的尖锐的木锸捕鱼。他们围成半圆形,手拿着木锸下水,在水里停留很久。⋯⋯他们在一小时中,可以捉到七八尾十五磅以上的大鱼。"原始人共同捕鱼的方法,不仅澳洲土人是这样,就是北美印第安的渔业种族,也实行这种方法。这种捕鱼的方法,表示了原始社会的经济的性质。

狩猎的方法,尤其捕捉大兽的方法,和捕鱼的组织,非常类似。"一般地说,狩猎,是协业的最初的形态。"加里福尼亚半岛的印第安人,常用火把包围动物,把它们驱逐到没有火而有猎师潜伏的地方,共同杀戮。或在树林中张挂绳索,并设置栅栏,共同把动物逐到陷阱或圈圈之中。这都是最普遍的共同的狩猎方法。这种协业的狩猎方法,在澳洲土人中也同样使用,规模还要广大。此外,伊洛葛土人,也同样使用这种方法。这是狩猎时共同劳动的情形。

关于住宅,也是如此。恩格斯说,易洛魁的长形住宅的经济,是"几个家族的共产主义的经济"。易洛魁人中的辛尼加族的长形住宅,长 96 英尺,宽17 英尺。在婆罗岛,有长达四分之一英里的住宅,能容 1000 人。不消说,只有在卓越的有组织的集团劳动之下,才能够用原始的石斧建造这些庞大的建筑物。由于建筑时之协力及其集团的使用,便必然的成为集团所有。

关于共产主义的分配情形,可以在公共仓库及食物的共同使用上看出来。据莫尔甘研究,在易洛葛土人中,"凡是由狩猎、捕鱼或农业所得的东西,无论谁都把它放在共同仓库里,族人便依共同贮藏而过活。通常各住宅每四个房间有一个炉灶。炉灶放在廊下的正中,没有烟筒。各家屋的经济,都由主妇指导。各炉灶的每日食品准备妥当之后,由主妇按照各家族的要求分配食物。"还有,玛卞族的土人,也是共同住居于大家屋之中,他们以共同捕鲸而互相结合。他们在家屋中央放一个大炉灶,共同烹煮食物而分食。像这类的实例,不胜枚举。

就上述各项看来,氏族时代的生产过程,基本的生产手段的土地是归集团所共有的,属于一个集团中的人们,共同居住于大家屋之中,在共有的土地上实行协作的劳动,而劳动生产物都实行着共产主义的分配——这样的氏族社会的基本生产关系,便形成了原始共产主义经济。

(二)当作生产关系看的氏族的血统关系

前面说过,在原始社会中,血统关系是生产关系的侧面,所以我们在这里说到氏族社会的生产关系时,不能不说明氏族的血统关系。

氏族是从原始群分化出来而以一定的血统关系为基础而构成的人类共同体。氏族的发生,始于半血族群婚时代,但血统意识比较分明的氏族社会组织,是在生产经济发生、巩固的定居生活形成以及共同的劳动形态成立以后才出现的。

氏族的发展,采取由母系氏族到父系氏族的顺序,即是说最初的氏族是母系氏族。

母系氏族与父系氏族,是原始社会的一定发展阶段(即氏族时代)上发生的基本的社会组织,她是原始社会的生产诸力发展的结果,又表现生产关系的一定形态。她的经济的基础,是农业或畜牧业的经济,有时是高级阶段上的渔猎经济。

氏族的社会组织,可以看作生产的集团。氏族中的血统关系,在其经济基础上,即是集团的生产。这集团的生产,是氏族中一切习惯、传统及财产继承等的现实基础。氏族是劳动力的分配的统制者,而氏族共同体的经济方向,也规定氏族的形态。

母系氏族,是有母系传统的。母系的传统,具有经济的意义。在半血族群婚时代,父子的血统关系不能分辨,一切子女都由母性抚养,所以当时人们"只知有母,不知有父"。当时女性担任采集工作,一切食物的调理及其他家计,都由母性主持,因而自然地形成了母系的传统。往后进到定居生活的生产经济时代,家内的共产主义经济日趋复杂,其任务也日益加重,由于氏族的共有财产的继承及其他公共职务的继承等事,就产生了经济集团的人员的血统计算的要求。而这一类的任务,自然地由母性去担任,因而子女们在经济上隶属于母性了。于是女子中心的对偶婚姻,代替了从前的半血族群婚,而一族的男子们就入赘于他族,劳动力的分配也因此得到调节了。

在母系氏族形态中,母性的地位显然是很优越的,但是男性的任务也很重大。例如,比较进步的伐采农业、牧畜及高级的渔猎等事,大都是由男子去操作,因为这时的母性为着家计上的负担、子女的养育等任务的加重,不能胜任那些要费大体力的工作。所以由女性发明并发展的农业,往后便变为男性劳动的领域,而女性的社会地位,就开始降低,经过一定时期之后,母系的传统转变为父系的传统,即母系氏族转变为父系氏族了。

氏族的根本意义,在于它是具有游牧或耕种的共通领土的独立的经济单位。氏族人员的血统关系,在创造统一的经济上,具有首要的意义。所以氏族是社会的——经济的组织。最巩固的氏族联络,存在于游牧民族中。因为游牧民,依其经济生活的诸条件,必须常常和自己的远族在一处。在农业民族方面,到了人口增加而土地不足之时,氏族的一部分就移居他处。他们的经济封锁性,引起了氏族联系的分裂。不过这种分裂,是在氏族社会的生产力发展以后才出现的现象,后面再加以研究。

我们在前面已经指出了:原始共产主义社会有三个基本特征,即适应于生产力的低级水准的集团的生产、生产手段的共有以及原始共产主义的分配。氏族社会的生产关系,包含着这三个特征。这样的生产关系,在氏族社会的共同体中反映了出来。在氏族共同体之中,一切人员都是自由人,相互间有保守自由的义务;在人权关系上是平等的(因为经济上平等)。他们结成一种与血统关系相适应的同胞关系。自由、平等与博爱,在这里虽没有明文规定,然而这些却成为氏族组织的根本原理。

第三节　原始社会的经济之发展及其崩溃的过程

一、原始社会的基本矛盾之发展

(一)原始社会的基本矛盾

在前节之中,我们已经很简单地说明了氏族社会的生产关系之一般的特征,现在我们更进而说明氏族社会的生产关系,即原始社会的经济构造之发展及其崩溃的倾向。

原始社会发展的原动力,是生产力与生产关系的矛盾。所以原始社会的发展,也和后来的各种形态的社会的发展一样,表现于生产力的发展之中,表现于与生产力的发展相适应的生产关系的发展之中。

人类在其刚从动物状态脱离的一刹那,就开始创造自身的历史。人类为创造其自身的历史,不能不努力取得物质的资料而生活,这是第一个生存条件。第一个欲望满足之后,又生出新的欲望,因此创造出生产所必要的新条件,这是第二个生存条件。还有人类本身,也必须继续的生产及再生产,这即是人类本身的繁殖,是人类本身的生产及其表现的家族。家族是最初的唯一的社会关系,但到后来,由于复杂的欲望,产生新的社会关系,而人口的增加之产生新的欲望与否,就只有附属的意义。历史发展的那三个方面,并不是三个不同的阶段,而是从人类的历史开始以后即已一同存在的三个方面。若果把这三个方面再简括的说起来,人类的历史的发展的原动力,即是人类的生活及生命之生产与再生产。

人类的生活与生命之生产与再生产,表现为生产力与生产关系的矛盾之发展。

原始社会的生产力之发展,表现于分工之中。分工不仅是生产力发展的动因,并且是生产关系发展的动因。但在刚刚脱离了动物境界的人类看来,他们的生产力极其幼稚,因而不能不形成漂泊的原始群,专门采集自然界现成的东西而生活。他们之间的结合,是极其松懈的。往后石器的制作有了进步,他们渐渐能够经营狩猎生活,开始发生了性别与年龄别的分工了。由于这种自然的分工,他们就开始经营狩猎——采集生活,而劳动生产物就比较从前稍微丰富。因而当作生产力看的人类本身的性质,也渐渐的进步了。因而这时的人类的劳动力与当时已经取得的生产手段相结合而发挥的物质生产力,就逐渐发展了。与生产力这个发展阶段相适应,就形成了比较紧密的生产关系。这种生产关系,即是由于性别与年龄别的分工而结成的劳动交换关系;在血统关系上表现出来,即是血族群婚、半血族群婚的家族关系。生产力发展更进一步,那种家族关系,就推移于氏族关系。

以上只是就先氏族社会的发展过程来说的。先氏族社会的生产关系，是原始共产主义的诸关系（由集团的生产、集团的所有、集团的消费与血族关系而成立的）；这种生产关系促进了生产力的发展，而生产力的发展，又改变他们的生产关系（由杂婚到血族群婚到半血族群婚的家族关系之变迁）。

但是在先氏族社会中，我们可以看到生产力的低级阶段与集团的生产之矛盾。这种矛盾，因为生产的个别化的倾向而得到解决。所谓个别化的生产，是说原始群由无分工状态进到自然的分工状态，由杂婚进到群婚的状态，表现了生产的个别化的倾向。这种分工，这种生产个别化的倾向，是促进生产力发展的动因。

生产的个别化能促进生产力的发展，促进生产关系的发展。生产个别化，在氏族社会中，渐渐地变得与集团的占有相矛盾，到了一定的社会条件出现之时，就成为私有财产与阶级出现的前提，因而促使氏族社会的崩溃。

（二）社会的分工之发展

先氏族社会中，只有性别与年龄别的分工。这种分工，是自然的分工。自从进到氏族的时代以后，社会的分工便发生了。第一次的社会的分工，即是农业与畜牧业的分工。随着生产技术的进步，由于人们所定居的土地的差异，农业与畜牧的专门化便发生出来。农业是在森林河谷地方发达的，牧畜是在草原地方发达的。农业经济与畜牧经济的差别，引起了农业民族与畜牧民族的生活形态的差别。游牧民为了饲养家畜，不能不追逐水草地而营生活，他们当然还保存着狩猎的习惯。他们组成大群，由肉类的经济进到乳类的经济，财富就增加起来。这种财富，最初属于氏族，往后才属于个人。农业与定居相结合，耕种的土地，最初属于氏族共有，往后才变为私有。

在第一次大分工之后，又发生了第二次的大分工，即手工业从农业与畜牧业分化出来了。这种手工业，最初是陶器业，其次是纺织业，再次是金属工业等。在从前，劳动的器具极其原始而素朴，任何人都能制造，往后器具逐渐变得复杂而精巧，如不是熟练的富有经验的人就不能制造。这是专门的手工业出现的原因。不过这种专门的手工业，在最初隶属于氏族共同体，还不能独立营生。至于单靠做手工业而取得生活资料的事情，那是后来才实现的。

第一次大分工出现以后，发生了交换的可能性。说到交换，在先氏族社会中,也不是绝对不能发生的。例如在澳洲,适于制作石器的石材、赭石、麻醉性植物等,绝不是各种地方都有的。这些东西当然是由交换得来的。又如长于制造投掷石枪的种族与长于制造石斧的种族相遇时,各把所有的器具相交换,如 1 把斧＝2 支石枪之类。不过这种交换,是极其偶然的事情,并且互相交换的东西,还不能说是商品。

自从农业与畜牧业分化以后,农业与畜牧两共同体相遇而彼此都有剩余的产物时,是能互相交换的,如 1 只羊＝5 斗米之类。但这种交换,在最初也只是偶然的。经过了相当的长时期之后,交换才带有比较的经常的性质。这种交换,是生产力发展了的结果,同时交换也能刺激生产的发展。譬如说,这两个共同体如能多生产一些剩余生产物,就能多换得一些别样的食物。随着共同体之间交换的频繁,互相交换劳动生产物的共同体,可以由两个增加到三个或四个以上,并且拿出交换的生产物,也可以在农产畜产以外,添加一些鱼类、器具类等。

但氏族社会中的交换,最初在共同体相互间实行,至于共同体内部的交换,却是私有财产发生的过程中出现的。

基于上述的情形,生产个别化的倾向,随着社会的分工的发展而愈加扩大了。因而个别化的生产与集团的占有间的矛盾,也随着发展起来,表现出生产力与生产关系矛盾的程度了。但两者的矛盾,在这时还不曾发展到拮抗或敌对的状态。

(三)个别化的生产与集团的占有之矛盾

由于社会的分工之发展,就引起生产个别化的倾向之发展。生产个别化的倾向发展到一定程度时,就至于与集团的共有财产相矛盾。于是生产力与生产关系的矛盾,出现为个别化的生产与集团的占有之间的矛盾。而这种矛盾的发展,加速氏族社会的发展速度,终至于引起氏族社会的崩溃。以下就这一层作一个比较具体的说明。

前面已经说过,氏族社会的生产关系的基本特征,是集团的协业的生产,主要生产手段(土地)的公有,与劳动生产物共产主义的分配。但氏族社会的生产关系本身中,存有内的矛盾,即生产力与生产关系的矛盾。就氏族社会的农业共产主义共同体来说,农业的生产是集团的生产,是原始的协业的生产。

但这种集团的生产,是劳动生产力的低级发展阶段之下实行的。这种原始协业的集团的生产,与现代工场中的集团的生产,实有天渊之别(现代工场中的生产,与生产力的高级发展阶段相适应)。换句话说,氏族社会那种集团的生产与当时幼稚的生产力之间有不相适应的一面,因而是潜藏着矛盾的。所以从氏族制度产生的农业共产主义,从最初起就含有上述的矛盾,即含有自己的否定。这种原始的农业共产主义,无论在什么条件之下,只有向着否定自己的方向发展,即向着自己消灭的方向发展。

我们已经知道,原始人由漂泊无常的狩猎——采集经济推移到定居的农业经济,原是历史发展的必然的表现;原始人之组成为农业共产主义共同体,也是自然的必然性的产物。因而原始人用幼稚的生产技术实行集团的生产,依血统关系而团结其所属的各个人,这并不是他们头脑中发展的产物,而是自然的必然性逼迫着他们不能不经营那种原始共产主义的生活。所以随着劳动生产力的发展,从前那种逼迫着人们去经营共产主义的必然性的盲目作用就逐渐衰弱,原始人在生产体系中就逐渐得到某种独立的可能性,即生产的个别化的可能性。于是幼稚的生产力与集团的生产的矛盾,就在生产的个别化之中得到解决。

生产的个别化的倾向,是在分工的发展过程中显现的。这种倾向,在性别与年龄别的分工中,已经发生,到了社会的分工出现,才开始发展,并随着社会的分工之发展而加强。分工以技术的发展为前提。随着分工的发展,氏族共同体经济中各部分的作业,就逐渐分配于比较有专长的人去担任了(如农业方面及手工业方面的分工合作等)。这种生产的个别化,是在共产主义的生产关系之中实行的,而个人的劳动生产物,仍不能不归属于氏族共同体,再由共同体实行共产主义的分配。在这种场合,就发生了个别的生产与集团的占有的矛盾。这种矛盾,是氏族社会崩溃的种子。

生产的个别化,又产出个人的私有财产的萌芽。因为原始社会的生产与分配虽是共产主义的,而个人所使用的器具(又如随身衣物),因为各人所惯用的缘故,是归属于使用人所私有的。随着生产的个别化的倾向之发展,这种私有的倾向就扩大,而私有物的种类也增多了。这样的私有财产,是氏族的共有财产的对立物,因而形成了个人的私有财产与集团的共有财产的矛盾。

生产个别化的倾向之发展,能引起氏族共同体的分裂。因为生产的个别化的结果,在氏族共同体之中,形成许多经济的细胞,即大家族及小家族。社会的分工,采取各家族间的分工的形态。于是从来的性别与年龄别的分工,由社会的分工所代替,而女子的劳动逐渐由男子的劳动所代替。于是各家族之间,有的主要从事农业,有的主要从事手工业(不过农业与手工业并没有完全分离),显出了家族间的分工形态。但家族间的这种分工,在最初还只是分任氏族共同体的共产主义经济中的一部分的作业,其劳动的生产物还交给共同体,从共同体领取消费所必要的东西。这是个别的生产与集团的占有的矛盾的另一形态。这种家族间的分工,是后来的私有财产发生的地盘。

由于生产个别化的倾向之发展,引起了上述种种的矛盾。这些矛盾发展起来,就促进原始共产主义的崩溃。

二、氏族社会的崩溃

(一)私有财产的发生

由于生产个别化的发展与家族间的分工形态之发生,就引起从前共产主义分配方法的变更。在从前,分配的原则,是按照各人的需要而实行的,即是按照人口的多少及年龄的老幼等的原则实行分配的,但到后来,生产的个别化的倾向已经发展,各个人对于某一部分工作的成绩的优良,势必至于得到共同体的公认了。譬如进步了的狩猎氏族中,如有几个个人能够发挥特别优良的猎术,猎取较多的动物,这几个个人的成绩,就能博得大众的赞许。但是这种赞许,不能使他们长久地为团体而特别牺牲,同时团体也必得对于这些有特别成绩的个人给以物质的报酬,才能刺激他们去努力发挥手腕,以期猎取较多的动物。在农业共同体中,这种事实的发生,也是必然的。因为这是促进生产的发达的一种动因。这种刺激各个人努力生产的分配方法,往后就变为社会习惯。到了家族间的分工形态出现以后,这种习惯,就逐渐变为新的分配原理,因而按照劳动以实行分配,而不像从前那样按照需要而实行分配了。

在基本的生产手段即土地的共有之下,那种按照劳动实行分配的方法,是能够发生的。换句话说,土地虽归共同体所共有,而共同体的全部生产物却可以不实行共产主义的分配。共同体的全部生产物,除了维持共同体的公共机关所必要的部分以外,其余是按照各家族的生产的成绩实行分配的。固然,分配方法的这种变更,也许经过多年的酝酿,但个别化的生产与集团的占有之矛盾,必然要促使共产主义的分配方法之变更。

但在土地共有的条件下出现的、按照劳动分配的方法,一经实行之后,立即在社会上产生重大的影响。这就是引起土地以外的私有财产的发生,即土地共有条件下的各家族的私有财产之发生。因为按照劳动实行分配的结果,能够刺激各家族去努力从事于生产,以期能够分受较多的生产物。于是各家族所分受的消费财产就有多寡的不同,各家族人员的消费的程度,也能因消费人数的多少而有差异。这样一来,各家族的私有财产便发生了。

牧畜之发生,与各家族的私有财产之发生,大有关系。各家族的"动产之蓄积",多由家畜开始。因为在这种时代,家畜的饲养,不需要集团的操作,反而强有力地助长了生产过程的个人化。于是家畜的私有,逐渐代替了家畜的共有。例如牛、马、猪、羊及鸡鸭之类,每一个家族都能豢养。这类家畜的豢养,对于农业的经营甚为有利,而家畜的繁殖,就增大了家族的私产。所以一般学者都认定家畜是原始共产主义崩溃的原因之一。

由于各家族的私有财产之发生,分工就在私产制之下进行了。私产制之下的分工的发展,促使各家族的剩余生产物转变为商品。于是交换就不仅在氏族共同体相互间实行,并且也在氏族共同体内部各家族间实行了。每个家族都能把自己的剩余生产物交换他家族的别种剩余生产物,以满足自己的需要了。这种商品交换的发生,又能够促进分工的发展。农业生产部门中可以分成米、麦、蔬菜、瓜果及其他种种独立的各部分的分工;手工业的生产部门,可以分为陶业、纺织业、器具业、建筑业、矿业等独立的各部分的分工。各家族可以各做一种专门产业,可以拿自己的专门的生产物换取自己所需要的别的商品来生活了。于是一切的生产物,都当作个人的私有的生产物来生产,其中的一部分,用来满足自己的需要,他一部分用来满足他人的需要(即为交换而生产)。所以最初的分工,不能使生产物变为商品,而能使生产物变为商品的前提,实在只是私有制之下的分工。

私有财产发生以后,各家族之间必然发生富裕和穷乏的差别。穷乏的家族如要向富裕的家族求取什么物质生活资料,当然不是没有条件的。这就是附有利息的借贷。于是贫富的差别,在一定条件下变为债务人与债权人的差别。

由上面所述的看来,原始社会中生产力的低级水准与集团的生产关系的矛盾,逐渐地发展起来,产出生产个别化的倾向。这生产的个别化的发展,引起个别化的生产与集团的占有之矛盾。这种矛盾发展到一定的阶段,就发生质的变化,转变为它的反对物,发生出社会的生产与私人的占有的矛盾。这种矛盾,是私有制之下的各个阶段上社会之根本矛盾。

(二)氏族共同体的崩溃过程

各家族的私有财产的出现,就引起氏族共同体的崩裂。在家族的私有财产发生之时,基本的生产手段即土地,还是属于氏族共同体所共有的。在这种场合,各家族的私有财产与共同体的共有财产,处于对立状态。这种对立的发展的结果,私有财产便腐蚀了共有财产,因而促使氏族制度的消灭。以下我们说明这个过程。

由于生产技术的发展与生产个别化的发展,劳动生产力就逐渐地增高了。劳动生产力的发展,引起集团的生产方法与分配方法的变更,因而引起私有财产对于共有财产的否定。

就农业的氏族共同体来说。农业共同体,在最初时候,共同体全部人员,都使用石器(如石锄之类)共同耕种所占领的土地。这时的农业,是伐采农业,即是把原野的森林烧毁,开垦出农地来耕种。他们还不知应用肥料,只知利用自然的肥沃程度,一年一年地耕种,等到地方枯竭之后,才另行开垦新土地来耕种,把原来耕种的土地荒弃。例如巴宁格土人,每隔二三年开垦新耕地耕种,使旧耕地休息,借以恢复其地力。这样依次进行下去,直到后来,才再行耕种从前所荒弃了的、肥沃程度恢复了的土地。这时的耕种、播种、收获等事,都是共同经营的,所得的农产物也是按照需要实行分配的。往后新的农具以及金属器具(最初是铜器,其次是青铜器,最后是铁器)出现了,基于多年的经验,人们的农业生产技术也进步了。于是从来要靠共同体全部人员的努力才能耕种的土地,现在可以由比较少数的人们去耕种了,因而共同体的耕地面积也比较以前扩大了。到了耕地面积不能扩大时,就不能不把荒弃的耕地的重新耕种年限缩短。例如伊拉瓦其河流域的土人,旧耕地要荒废二十年至四十年之久才重新垦种,而卡伦土人却只把旧耕地荒废三四年,这是表明农业技术进步,而土地利用的次数也增加了。后来的三圃农法或轮流耕种法,就是照这样演进而来的。

由于灌溉、施肥、深耕等技术的出现,农业上的劳动生产性进步了。原始的单纯协业的集团的生产过程,渐渐地引起个别化的倾向之发生。农业方面的生产个别化,促使农业共同体分解为许多小的生产的集团。这些小的生产集团,就是上面所说的那种大家族和小家族。例如巴宁格人的各农业的村落,由几个家族组成,每一家族住有三四对夫妇;又如巴凯里人的一个部落,由三个大家族组成,住有四十人。像这类属于一个共同体的各生产集团,一旦各自分离以后,共有的土地的耕种方法,首先就要改变。即是说,共同体所共有的土地,不能不按照各生产集团的生产能力,用一定的方法,分配给他们去耕种了。例如曼坦土人,荒地的垦种,由村落全体协力而行,而其他土地的耕种,却分配给各大家族实行。像这样把土地分配给各家族耕种,集团的耕种方法已经变为个别的耕种方法。至于土地所有权,仍归共同体。各家族所得的农产物,在最初虽归共同体按照一定方法分配,但到后来,就不能不按照劳动去分配了。

其次,共同体分配土地给各家族耕种的年限,在最初是三年,往后逐渐延长至四年、五年、十年、二十年,最后就不再行分配了。各家族所分得的土地,最初是有一定的界限的,如墨西哥湾印第安土人,各大家族都把所分受的土地用一条草地或木标圈围起来。这种地界,往后就变为各家族的私地的境界了。

各家族所分受的土地,最初是属于共同体所有的,往后因为各家族的私有财产的差别、劳动生产性程度的差别等条件,分配的年限一再延长,最后各家族把所分受的土地,据为私有,不再交还公家去实行重新分配了。从此,农业共同体所公有的土地,除了山林、荒地、牧地等之外,其余都变为各家族的私有物了。

于是,技术的成长、生产的个别化、生产过程的分离等,就毁坏了原始共产主义的基础即集团的财产。因而原始社会就崩溃了。

(三)土地的私有与阶级之形成

由于分工的发展,女性的劳动,逐渐移到男性劳动的领域,而男性在经济上的地位就逐渐增高了。男性经济势力增高以后,女性就逐渐退居于男性的补助者的地位,因而产生了家族制度之革命的变化,即父系氏族代替母系氏族而起了。于是,婚姻关系就逐渐变得以男性为中心而实行了。于是氏族共同体,由于父系氏族的构成上的各种特征,现出了较新的姿态,但氏族制度的基本特征,在私有财产和阶级没有发生以前,依然是和从前一样的。因为制度的变化,并不与阶级的冲突相联系,但氏族制度崩溃的先兆,在这时已经潜伏着。

由于技术的进步与分工的发展,劳动生产性大大地发展了。农业与手工业各部门的剩余生产物比较从前也显著地增加了。各家族的生产的发展,都感到了劳动力的缺乏。而供给劳动力的源泉,是氏族时代的那种猛烈的种族间的战争。战争的结果,一方胜利,一方惨败,而惨败种族的人民,就变为胜利者的俘虏。这种俘虏,在从前生产力不发展的时候,不能有剩余生产物养活他们,并且也不需要他们的劳动力,所以对于他们只有施行残酷的毒杀。但是到了现在,对于劳动力的需要增大了,所以得到俘虏,就把他们养活起来,使他们从事于生产上的劳动。于是这样的俘虏,就变为最初的奴隶。于是主人与奴隶,出现为历史上第一次的社会的大分裂。

奴隶是各家族的私有物,他们和家畜一样,成为所谓父家长的私有财产。但最初的奴隶,也是当时家族的构成分子(也和家畜成为家族的构成分子相同),家长之利用奴隶劳动,主要的还是生产自家所需要的生产物。这就是所谓家长制之下的奴隶制。

另一方面,各家族长的财产多寡的差别,变成贫富的差别,债务人与债权人的差别。各家族长在血统关系上虽很亲密,而在财产关系上却很疏远。财产关系,逐渐地变成斩断血统关系的利刃。因而私有制度,便摧毁了氏族制度。同一血统的兄弟们,分裂为贫富两个阶级了。

随着私有制之下的分工的发展,商品的生产与交换就发展起来。到了媒介商品交换的货币那东西出现以后,社会上又发生了新的分业即商业。而专营商业的商人,就成为社会的寄生虫而出现,并促使氏族制度的崩溃。

在土地变为各家族的私有物之后,贫人向富人借贷,就用土地做抵押了。贫人无力还债,土地就被富人没收。至于无土地的贫人借债的抵押品,就只有用儿女去充当了,到了无力还债之时,儿女就被富人没收为奴隶。于是从前只用他族人做奴隶的,现在也可以用同族人做奴隶了。

总起来说,氏族社会发展到这种阶段,私产制确立了,商业与货币出现了,利息的借贷流行了,土地的所有权及抵押权也都盛行了。这些事实的必然的结果,财富就迅速集聚于少数人,贫困就集中于多数人。穷人多而做奴隶的人也增多,于是强制的奴隶制度就成立了。

氏族社会发展到这个阶段,氏族制度就迅速崩溃。诸氏族与他种族混居,奴隶、主人与外方人杂处,人与人之间的生产关系既然大生变化,社会的编制也大生变化。利害关系的冲突,削弱了亲族关系的情谊,氏族组织之团结力松懈下去,各个人谋利益的自私心紧张起来,而血统关系的纽带,决不能结合他们。社会显然地分裂为奴隶与主人、穷人与富人对立的社会。于是氏族社会的经济形态告终,而奴隶制的经济形态代兴了。

习题二

一、人类的起源与劳动的关系如何?

二、人类社会最初时期的生活状况如何?

三、先氏族社会的经济的特征如何?

四、先氏族社会的生产关系与婚姻关系,有何关联?

五、原始人由漂泊生活到定居生活的转变过程如何?

六、采集——狩猎经济与生产经济的区别如何?

七、农业如何发生?

八、畜牧业如何发生?

九、氏族社会与先氏族社会的区别如何?

十、氏族社会的生产关系之特征如何?

十一、交换如何发生?

十二、私有财产如何发生?

十三、阶级如何发生?

十四、简述原始经济崩溃的过程。

第二章　奴隶制的经济形态

第一节　奴隶制经济形态的发生与发展

一、奴隶制的形成

（一）奴隶制发生的前提

奴隶制的经济构造，是最初的阶级社会的经济构造。奴隶制的社会，是在原始社会的母体中孕育起来的，它否定了原始社会，并把社会推进到较高的发展阶段。

奴隶制的经济构造之发生，有两个前提：第一个前提，是原始社会末期中发展起来的生产力水准的增大。生产力增大的结果，劳动生产性被提高起来，因而利用俘虏为生产的奴隶一事，就变为有利。因为要利用奴隶来做工，必须具备两种东西：一是奴隶的劳动手段及劳动对象；二是维持奴隶困苦生活的资料。所以在奴隶制成立以前，先要使生产的发展达到某种程度。换句话说，即农耕家族中原始的分工，一到财富发展到一定阶段时，就能吸收家族以外的人们的劳动力。生产发达起来，人类的劳动生产力，除了维持本身生活所必要的资料以外，还能有多余的生产物。这时，既有可以维持较多劳动力的生活资料，又有可以使用这些劳动力的工具，于是劳动力便取得了价值。而这种过剩劳动力的来源，便是战争。战争所得的俘虏，在以前是被屠杀或烹食的，到这时便把他们用来做奴隶了。

第二个前提，是农村共同体内部发生的财富的不平等。在这种关系上尽最重要任务的，是儿子对于父亲财产的继承权。由于财产的继承，就加强各个家族的意义，牺牲其他家族，而使财富集中于某些家族之手；同时，同一家族的分子，也发生了分化的现象。这种财富上不平等的继续增大，终至破坏了大家族。社会有了贫富的区别,贫者因向富者借贷而不能清偿之时,债权者就有借没债务者为奴隶甚至击毙的权力。于是破产的家族,就变成了奴隶制的来源。

（二）希腊奴隶制的形成

奴隶制在其发展过程中,最初是"家长制的奴隶制"。这是一团自由人和非自由人,在家长的父权之下,组成一个家族的制度。所以"家长制的奴隶制之本质,是非自由人的同化与父权"。奴隶是家族中最下层的分子,家长本身也要从事肉体的劳动。当时奴隶较少,他们多被用在家内经济方面,所以对于奴隶的剥削,带着比较和缓的性质。

但是,奴隶的使用,增大了家族生产的可能性和范围,产生了以交换价值为目的的商品生产。随着生产力的扩大,引起了手工业与农业的分离和商业的发达。最后,原始共同体的家内经济,便被破坏,而第三种分工便发生了。即产生了不参加生产物的生产而只从事生产物的交换的商人。

于是,在富裕的家族中,奴隶便从补助的生产力转变为替自己主人创造剩余生产物的基本生产力了。因此,对于奴隶的剥削,也采取了非常残酷的形态。过度劳动,达到可怕的程度。强制劳动,在这里是过度劳动的公认形态。

以上是从原始社会到奴隶制社会的转变过程,也就是社会开始分裂为主人与奴隶、剥削者与被剥削者的过程。

奴隶制经济构造的例子,在西欧 2000 年以前的希腊和罗马,成就了最高的发展。我国殷代的社会,也有奴隶制存在的痕迹。奴隶制是社会发达过程中所必经过的阶段。世界任何民族的历史,都曾通过了各种各色的奴隶制的阶段。现在我们可以举出典型的希腊罗马的奴隶制发生的过程来说明。

约在纪元前 1200 年到 1000 年的希腊经济组织,是自然经济,居民的主要生活,是农业和牧畜。手工业和商业,都不大发展。这时的商业,还在腓尼基人手中。在希腊人之间,还没有货币,各人的财富,用家畜的多少和土地的广狭来估量。这时的社会秩序,是氏族制到奴隶制的过渡。家族带有父家长的性质。经过相当期间,这种制度,就发生了变化。交换的发达,手工业及商人的出现,增大了商品的需要,扩大了生产的范围。于是人们不仅在家内经济使用奴隶劳动,在手工业的工作场,也广泛地使用奴隶劳动,以制造商品了。譬如在希腊的工商业地方,奴隶劳动,广泛地被用于经济活动的一切领域,即用在家内经济、手工业、矿业和运输业等。此外，商店营业员、会计师、公私事务员及奴隶监守等职务，也多由奴隶去充任。希腊各国相互间无数战争的结果，俘虏转变为奴隶的人数逐渐增多，加以商人在希腊殖民地（即在巴尔干半岛北部及黑海沿岸各地）又贩卖了许多奴隶。奴隶的人数增多以后，奴隶生产也扩大了。于是，奴隶制的基础便建立起来了。

（三）罗马奴隶制的形成

罗马，最初是和许多其他希腊及意大利共同体相似的一个共同体，罗马人民，都从事于农业和牧畜。在这个时代，人民分为几个集团，即较旧的贵族（Patricians），与在人格上隶属于贵族的库里恩特斯，以及没有政治权利的平民（蒲列布斯）。父家长制的贵族的家族，保存着氏族的制度。国家的土地，属于贵族的全共同体。各家族长，都从这共同的土地取得必要的土地。世袭的土地，只限于小块的园圃。库里恩特斯是从他们的主人（贵族）领受土地，但须对主人履行一定的义务以为代价。平民是土地所有者，各家分别经营农业。

随着时间的进行，罗马及其各地方的经济，都起了变化。因为希腊人和腓尼基商人的侵入罗马，刺激了罗马的商业，加以罗马人在台伯河（Tiber）口得到自己的港湾，对外商业的交通更为便利，所以手工业和商业便发达起来，而货币经济便形成了。这个时候，还出现了专营商业的居民阶层即骑士，他们和氏族的贵族冲突。平民也开始要求政权，经过坚决斗争之后，对于氏族的贵族得到了政治的平等。这样就奠定了新秩序（奴隶制）的基础。同时由于罗马征服附近各族，把被征服地的共同体人民卖为奴隶，更加促进奴隶生产的发展。

在罗马，奴隶劳动的使用，比希腊更为普及。但是，因为罗马是农业国，所以奴隶劳动，用在手工业方面的较少，而主要的是用在农业、矿业方面，或充当家内仆役等。

从原始社会到奴隶制社会的转变，并不是自然发生的，也不是和平进行的，而是以革命的方法推动的。

如希腊罗马史料所载，这个革命的主力，首先是基于分工和贸易而富有起来的非氏族贵族的家族；其次是在氏族贵族的压迫之下破产了的许多小生产者。这两者互相结合,对于氏族的贵族实行了革命的反抗。结局,在纪元前7—6世纪,氏族制度就被革命废除了。

革命成功的结果,是人们可以自由处理财产,可以把财产转给族外人,人民之地域的分配代替了聚族而居的生活,并引用合法的处罚,禁止借款者用人体做抵押的放款。所有这些革命的方法,都给氏族以严重的打击;并且对于大奴隶生产的发展,造成有利的前途。

所以,虽说参加反对氏族的革命斗争的,不只是新起的奴隶所有者,还有大批小地主,但得到胜利的实益的,却是奴隶所有者。

氏族的贵族消灭以后,一般小生产者也因为他们不能和廉价的奴隶劳动相竞争而破产了。于是奴隶制生产的基础,就越发稳固了。

二、奴隶制经济构造的特征

(一)当作经济范畴看的奴隶

奴隶制发生的历史过程,上面已经简单地说明了,现在进一步说明奴隶制经济构造的特征。

在说明奴隶制经济构造的特征时,首先要说明的,是奴隶的特质。奴隶是一个自然人,只有在一定关系之下,他才变成奴隶。恰如纺织机器就是纺织棉纱的机器,只有在一定关系之下,它才变成资本。所以,奴隶是一种经济的范畴。

当作经济范畴看的奴隶,首先是一种财产,是物品,是商品。奴隶制下的奴隶,与现代社会的劳动者根本不同的地方,就是:在后者方面,看来好像是自由的,因为他一次一次地出卖自己的劳动力,并且购买了他的劳动力的人,不能把他的本身转卖别人。而奴隶却是一次把身体卖给别人的,他是一个主人的所有物,他只被认作一个物品,而不是社会的一员。所以,"奴隶的劳动,不是工资劳动即自由劳动。好像牛马没有出卖它们的劳动于农夫一样,奴隶并没有把他的劳动卖给奴隶所有者,而是把自己本身和自己的劳动一起并且一次地卖给奴隶所有者。所以奴隶本身,是一种商品,而劳动力不是他的商品"。因此,"奴隶的买卖,形式上是商品的买卖"。

照这样,奴隶在流通过程中,当作商品而出现。这时,奴隶本身与他的劳动力合在一起,成为一个商品。

然则奴隶在生产过程中的任务怎样呢?在生产过程中,奴隶的任务,是二重的:一方面,奴隶是生产手段;另一方面,他是劳动者。

在奴隶制之下,直接生产者本身,变成了生产手段。换句话说:即直接生产者本身,是劳动的客观条件,所以,在奴隶的方面,生产手段也被剥削了。

奴隶在生产过程中,尽了固定资本的任务。"在用现金购买奴隶的奴隶所有者看来,奴隶劳动的收益,不过是代表买入奴隶时所投下的资本的利息。"因为"奴隶所有者购买劳动者,和他购买牛马是一样的。他买入奴隶时,失去一部分资本,而这些资本,由于奴隶市场中新的投资,就被收回了"。照这样看来,我们知道,在现代社会,劳动家畜是一种固定资本;同样,在奴隶制之下,与劳动家畜被同样看待的奴隶,不消说,也是一种固定资本了。

"在奴隶制之下,投于购买劳动力的货币资本,尽了固定资本的货币形态的任务。在雅典人看来,由奴隶所有者直接在产业上使用奴隶或间接出借奴隶于其他产业使用者所造出的利得,是借贷货币资本的单纯利息。这恰如在现代的生产中,产业资本家把剩余价值的一部分和固定资本的磨损部分,当作他的固定资本的利息或收回部分来计算,是一样的。"所以,"在奴隶制之下,劳动者具有一种资本价值即购买价值。并且当租用他时,租用人必须先要支付购买价格的利息,以补偿资本每年的磨损部分。"

依照以上所述,可知奴隶是生产手段,是替奴隶所有者造出利息的"固定资本"。

但是,他方面,无疑义的,奴隶又是劳动者,即是与生产手段(与奴隶本身不同)结合才能开始生产过程的直接生产者。"奴隶是'能说话的工具'(instrumentum vocale),与'半有声的工具'(instrumentum semivocale)的动物或'哑巴工具'(instrumentum mutum)的死的劳动工具不同。但是,劳动者本身感觉到他们和动物或劳动工具不是同类,他们是人。"当作劳动者看的奴隶,是用别人的劳动条件来劳动,不是独立的劳动。

"在奴隶经济中,当作奴隶的代价而支付的价格,不外是从奴隶榨出的预想的且被资本化了的剩余价值或利润。但是,为购买奴隶而支出的资本,不属于靠它去从奴隶榨出利润或剩余价值的资本,而是相反。它是奴隶所有者让出的资本,是由他在现实生产上所处理的资本中扣除的部分。这如同为购买土地所投下的资本,不属于农业者一样,为购买奴隶而支出的资本,也是不属于奴隶所有者的了。最好的证据,是当奴隶所有者或土地所有者再出卖其奴隶或土地时,当初投下的资本,便可以再收回来。奴隶所有者只是购买奴隶,并未给他以剥削奴隶的能力;他投入奴隶经济本身的其他资本,才给他这种能力。"所以,当作劳动者看的奴隶,只有同奴隶所有者的生产手段结合起来,才能替自己的主人创造剩余价值。

总之,当奴隶变成每年再生产的要素,并且在"正常的"市场流通中出现时,他才具有价值,才是造出利息的"固定资本"或"不变资本"。当他被人购买而在再生产上具有必要的劳动力时,他就尽了"可变资本"的任务,而造出"剩余价值"。最后,当奴隶只是由于单纯的征服而被占有的"自然物"时,他就没有价值,只出现为独占的所有之对象,作为补充的附属物,借助资本以造出"地租"。这样,我们在古代奴隶制中,看到主观的及客观的劳动条件之最初的未分化的统一。

(二)奴隶劳动的剥削形态

奴隶制经济构造的主要特征,就是:奴隶没有生产手段,并且不能处理自己的劳动,如上所述,奴隶根本在人格上就隶属于奴隶所有者,奴隶所有者用超经济的方法,迫使奴隶工作,并力图在最短期间,从奴隶身上榨取最多的生产物。

"所以,奴隶经济的格言,就是,在最短期间,从人类家畜(human cattle)榨取最多的劳动,便是最有效的经济。"这就是奴隶所有者榨取的根本原则。

对于奴隶的剥削方式,普通有两种:第一,奴隶所有者,在自己本身的经济中,直接利用奴隶劳动;第二,购买奴隶,专供别人雇用。在希腊和罗马,有许多奴隶所有者,本身不经营任何产业,他买好奴隶之后,是以一定价钱和期限贷与需要者。例如在希腊,当5世纪时,大奴隶所有者尼基,专门从事奴隶的"租赁"。在使用奴隶劳动的拉维利昂的国有银矿中,仅尼基个人,就有1000多个奴隶,专供开采矿山的各企业家雇用。

使用奴隶劳动最多的是雅典。"最盛期的雅典全部自由民,连妇女和儿童在内,约为 90000 人,此外便是 360000 男女奴隶和 45000 被保护民——外国人及被解放者。所以每一个男市民,至少有 18 个奴隶,和 2 个被保护民。多数的奴隶,都是在手工工场中,在监督者的严厉监视之下工作。"

在意大利,主要的采用奴隶劳动的生产部门,不是工业,而是农业。"在意大利,从共和制末期以来,差不多全领域的大私有地(Latifundium),通常都以两种方法来利用:第一是牧场,在这里,牛羊驱逐了居民,不过对于牛羊的照料,只需要很少的奴隶;第二是庄园,这是一部分为了所有者的奢侈,一部分为了向都市市场贩卖,而利用大批奴隶,以经营大规模的园艺。"

奴隶的工作场,在希腊,大都是小规模的,普通只能容纳 50 人;较大的企业,也有可以容纳 100 个奴隶劳动者的。奴隶的工作时间很长,饮食很坏,监督者拿着鞭子指挥他们工作,往往因一点小过失,就把奴隶处死。

纪元 2 世纪以后,罗马的大私有的增多,奴隶所有者,利用廉价的多数奴隶,耕种土地。在大私有地上耕种的奴隶数,多到数千人。奴隶们被分为若干队,都带着铁锁,在残酷的监督者的鞭笞之下,在极苛刻的条件之下去工作。"这种监督工作,在立足于直接生产的劳动者与生产手段的所有者之对立的一切生产方法之下,是必要的。两者的对立愈大,这种劳动者的监督所尽的任务也愈大。所以,它在奴隶制度之下,达到了最大的限度。"

奴隶工作场的组织,是很原始的。奴隶使用粗陋的简单的器具去工作。奴隶所有者不把复杂的器具交给他们,因为他们愤恨主人,愤恨过度的劳动,往往故意把做工器具毁坏,或者对于器具漠不关心,所以他们的主人只能给以粗劣耐用的器具。因而奴隶制社会的生产,是不能改进的。

此外,关于家内经济所使用的奴隶的地位,我们可以在纪元前 2 世纪有名的罗马政治家兼地主的加特传记中看出来。"加特私有多数的奴隶,这是从俘虏的年少者中买来的,即被他购买的奴隶的年龄,必须像小牛小马一样,能够易于养育和训练。在他的奴隶之中,除了他本人或他的妻子使用之外,谁也不准走到别人家去。如果有人质问奴隶:加特做些什么事情? 奴隶是完全不知道的。奴隶在家里,不是做工,就是睡觉。当加特看见奴隶正在酣睡之时,他就非常满意,因为他以为这样的奴隶,比醒得快的奴隶老实,并且睡眠充足的奴隶,比睡眠不足者,适于劳动。……当他宴请友人或同事时,如果认为那个奴隶在食物的准备或服侍上不周到,在吃饭以后,便立刻用皮鞭抽打犯罪者。他不断地在奴隶之中挑拨是非,因为他知道,奴隶的一致,对他是最大危险。当奴隶作了重大的犯罪行为时,加特就认为有在全体奴隶面前裁判的必要;并且裁判完毕,便处以死刑。"

中国殷代的生产事业,也都是用奴隶劳动去经营。据甲骨文及易卦爻辞所载,如奴、仆、役、臣、妾、奚、竖、媒、姘、俘、小人、僮等,都属于奴隶阶级。至于奴隶所有者,大都是贵族、工商业者一流人。奴隶劳动的领域,是农业、手工业及畜牧业等,也有为贵族服役,或学习歌舞,或参加战争,甚至被用为祭祀的牺牲。

在奴隶及奴隶所有者之外,还有所谓"畜民"。这种"畜民",与希腊的贫穷自由民和罗马的平民相似。

(三)奴隶制经济的自然性质

奴隶所有者的经济,在其本质上是自然经济。这种经济的基础,是奴隶所有者利用直接的肉体的强制占有奴隶的劳动。因为"奴隶市场,不断地由战争海上掠夺来供给劳动力的商品"。

"资本主义的方法,与奴隶所有者的制度不同,前者是以'自由意志的'贩卖为媒介,而后者,剩余劳动是由直接的强制榨出的。"所以,奴隶制与资本制是不同的。在资本制之下,生产以劳动力的商品化为基础;在奴隶制之下,劳动力不是商品,只有奴隶本身是商品。

在奴隶制支配之下,资本关系,常出现为散在的、隶属的东西,决不出现为支配的东西。所以一般地说来,奴隶制的基础,与资本主义的生产方法的概念,是矛盾的。在奴隶制的生产方法之下,自由的工资劳动的关系虽已存在,然而这只是孤立的散在的萌芽,在数百年之间和奴隶并存着,直到历史条件成熟时,才发展到资本主义的生产方法。

在资本制之下,商品—货币关系,包摄着全经济生活,即一切东西都是商品。在奴隶制之下,"生产物的大部分,没有进入流通,没有走进市场,这些不是当作商品生产出来的,因而没有变成商品"。所谓"在古代的生产方法中,生产物向商品的转化,以及当作商品生产者的人们的存在,只不过尽了一种隶属的任务"。

那时的货币虽然也发生了重大的作用,但它决没有贯彻于一切经济关系。例如在罗马帝国,当货币经济达到最大的发展时,现物税及现物支付等,仍然占在支配的地位。而货币制度,只在军队上成就了相当的发展,但绝没有普及于劳动的全领域。

所以,在奴隶制之下,市场的作用很少。奴隶所有者购买大批奴隶,在自己的经济上利用,增进自己的资产,有时可以不依靠于市场。所以,奴隶所有者的经济,尤其是农业经济,在某种程度上,带有自然的性质。即是说,人们只买进自己经济中所没有的制品或原料,卖出自己所不能消费的生产品。

(四)大奴隶生产的优越性

在奴隶制之下,奴隶劳动的利用虽普及于一切经济活动的领域,但同时自由民的自由劳动,也是很普及的。我们在希腊罗马的工农业等经济部门,也看到大规模的自由劳动,即许多小生产者的自由劳动。不过这类自由劳动,随着历史的发展,在质与量的方面,只显出很小的作用。古代社会的指导的剥削形态,仍是奴隶制。

随着奴隶制经济的发展,自由的工农业者的劳动,就失其意义。因为发展了的大奴隶生产,比较独立的小生产,仍旧具有许多优点:第一是奴隶劳动力之相对的低廉;第二是奴隶劳动之野蛮的榨取;第三是奴隶制生产规模之相对的宏大;第四是奴隶制生产的单纯协业的效力较大,并可以节省生产费;第五是大生产对于商业资本与高利贷资本的依赖性较小。大奴隶生产,因为有这些优点,所以能压倒独立的小生产,使小生产者大众逐渐陷于破产的境地。小生产者大众破产以后,他们首先转变为贫民,最后转变为流氓无产者。

古代罗马的平民,最初是依照自己的计算耕种自己的土地的自由农民。后来他们渐渐被剥削,而同时这种促使他们和生产手段及生活资料分离的运动,就引起了大土地所有及大货币资本的形成。于是在这里,一方面出现了除劳动能力以外别无所有的自由人;他方面出现了获得一切财富(以剥削劳动)的所有者。那么,以后怎样呢?罗马的普罗列达里亚没有变成工资劳动者,而是变成了怠惰的暴民,即比北美南部各州"贫穷白人"（poor white）的道德水准还要低下的流民（mob），同时，形成并繁荣起来的，不是资本主义的生产方法，而是奴隶的生产方法。

总而言之，奴隶制秩序下手工业企业的发展，以及大土地私有的形成，一方面，引起大奴隶生产的形成，他方面，引起特殊的流氓无产者——憎恨劳动的流民阶层的形成。

（五）奴隶制下农业的地位

在古代社会，有许多地方，工业的发展虽然很高，但农业仍然占支配的地位，并且给予全社会关系以独特的印象。"在定居的农业民族中，好像在古代的或封建的社会一样，当定居的农业占支配地位时，工业及其组织，甚至与它相适应的所有形态，都多少带着土地所有的性质。这时的社会，或者像在古代罗马一样，完全依存于农业；或是像在中世纪一样，在都市或都市关系上，模仿农村的组织。""在土地私有所支配的一切形态中，自然关系，也是支配的。"恩格斯认为农业是"全古代社会"的经济的主要部门。他说："古代的共和政治，是基于农业都市；罗马帝国，是基于大土地私有。"甚至在手工业比较发达的希腊，在纪元前5世纪末及4世纪初，土地所有，也尽了极大的任务。

大土地所有，一方面，是古代生产方法的最重要的前提之一；同时，另一方面，它本身又是奴隶制的手段，即大农业制度，造成了阶级的对立——奴隶所有者与奴隶的对立。因为只有在大所有（尤其是土地）的形态之下，才能造出奴隶劳动之广泛适用的可能性；但是，他方面，也只有在奴隶劳动之大众的应用之下，才能形成古代社会的大土地所有。因为只有在这种条件之下，土地的耕种才能有利。

在奴隶制的生产方法之下，近代意义的地租，是不存在的。那时，地租和利润，还没有分离，因为土地所有者同时也就是资本家。"在这种场合，土地所有者与生产手段的所有者因而是劳动者（生产要素之一）的直接剥削者，是合而为一的。同样，地租和利润，也是合而为一的，剩余价值的种种形态的分离，还没有发生。这时，表现于剩余生产物之中的劳动者的全部剩余劳动，是生产手段（土地与直接生产者本身）的所有者，直接从奴隶身上榨取出来的。这全部的剩余价值，在资本主义的观念支配着的地方，它就被认为利润；在资本主义的生产方法以及与它相照应的观念形态尚未存在的地方,它就出现为地租。"

三、商业资本与高利贷资本在奴隶社会中的地位

(一)商业的发达及商业资本

我们知道,商业在奴隶生产的发展中,曾经发生不少的作用。因为大奴隶生产的发达,就发生了多量的剩余生产物,奴隶所有者不能不把这多余的生产物,投到市场换成货币或买进其他必需品。因此,商业便发达起来了。在古代希腊罗马,商业成就了极广泛的发展。

希腊的自然条件(例如不甚丰富的土地、金属、黏土、大理石等),迫使希腊人不能不从事国外贸易。那时,主要的输入品是谷物。譬如当 5 世纪时,在雅典的比列斯湾,每年输入谷物的价值,达到 150 万元之多,占该港输入总额的 40%。谷物以外,还有木材、家畜、蜂蜜、鱼类、树胶、食盐、毛皮、象牙等物品。不消说,奴隶也是输入的一大项目。单只雅典一处,每年就输入三四千奴隶,其价值约为三四十万元。

输出方面,在这里,葡萄酒、橄榄油及种种手工业制品,即武器、日常用具和奢侈品等,占居第一位。在 5 世纪后半叶,比列斯一年的交易,达 500 万元,合计希腊全体的总贸易额,约达 1 亿元之多。当时对外贸易的发达,可以想见。

希腊各都市的国内商业,也很发达。各都市中设有市场,这是由贩卖一定商品的"市"(即鱼市、菜市等)组成的。交易的进行,多半是在大道或小的天幕里面,也有常设的店铺。农民也在市场上出卖自己的生产物。在市场的空地或附近市街上,建立有各种的工作场。市场之中,还有兑换商人的交易所、供给劳动力的自由劳动者和奴隶的队伍。此外,为了维持市场秩序和度量衡的齐一起见,还设有特别的管理人。

罗马在 1、2 两个世纪中,因为各地方都统一于一个帝国之下,助长了各地方间交换的发达。叙利亚的麻织物、吉尔的紫色染料、亚历山大的布和玻璃、高卢各地的呢绒等,都变成了全罗马帝国的珍贵品。罗马商人,甚至和印度、中国结成贸易关系,从中国输入生丝、铁及其他商品。

由以上所述,可知奴隶制社会中商业的作用不少。但是,商业本身,只能对于既存的生产组织,多少给以解体的影响,而不能造出任何新的生产方法。因为商业影响于旧生产方法的力量大小如何,首先依存于旧生产方法的坚定性与国内的制度。并且新生产方法之代替旧生产方法而起,这件事并不依存于商业,而是依存于旧生产方法本身的性质。

商业及商业的发展,一方面,对于大奴隶所有者的大私地,和手工业的奴隶所有者的工作场,给予了创造剩余生产物的可能性,促使奴隶所有者去加紧剥削奴隶;另一方面,商业的发展,逼迫小生产者们隶属于商人,或者因而没落。这是商业的寄生虫的作用。

(二)高利贷资本的发展及其作用

大奴隶生产与商业的发展,又引起了货币与高利贷资本的发生与成长。货币与高利贷资本,在希腊罗马尽了重大的任务。譬如希腊的银行业,就是从上述兑换商人的活动发展起来的。因为希腊的政治上极端分裂的结果,以至存在着多种的货币制度,因此,在交易上便感到极度的困难。商人需要有一种通货能够很容易地和其他物品相交换!而兑换商人就来满足这种需要。他们在市场里设置交易所,以适应外国人或经营外市贸易的商人的需要。他们握有大量货币的交易所,兼营高利贷事业。后来交易所更加发展,除了经营不动产、船舶、货物等抵押放款外,并从事金钱的保管及汇兑业务。交易所的财产,达到极大的规模。譬如纪元前 4 世纪的被解放者(买回自由的奴隶)伯逊银行,约有 14 万元的固定资本,仅存款一项,即达 10 万元以上。此外,经营大信用业务的希腊寺院的活动,也颇值得注意。寺院常常把信士们所施舍的金钱蓄积起来,积成大量金额,贷给希腊政府,其利率普通为 10%—12%。在商业信用中,增高到 20%—30%。

货币资本与高利贷资本,在罗马成就了非常高度的发展。因为罗马是个以小土地私有为主的农民国家,在发展的货币经济的条件之下,小农业常常需要货币,并且不得不在奴隶制的条件之下,向高利贷者借款。当时的债务法,是很乱暴的,凡是不能还钱的债务者,就要被卖为奴隶,甚或杀死。在这种基础之上,高利贷——土地所有者的大财产的发达,自是当然的事情。此外,包揽租税制度的采用,更加促进罗马支配者的大量财货的蓄积。罗马的大货币资本家,都争着把自己的资本,投放于包揽租税的事业。富豪们用贿赂取得了包揽租税的权力。这些包揽人,支出一定的金额,取得在各地方利用军队力量去强征租税的权力。因此,包揽租税人,便在各处大规模地经营高利贷事业,并且任意剥削人民。他们又是银行家,同时经营存款和放款的业务。在包揽租税及高利贷业的基础之下,罗马的经济生活,就带有非常浓厚的投机的性质。在罗马,拿土地、房产、奴隶及包揽租税公司的股份等做投机事业的人,是很多的。

高利贷资本的发展,"并不能改变生产方法,但和寄生虫一样侵蚀生产方法并使其趋于灭亡。它吸吮生产方法的膏血,使它在极可怜的条件下完成再生产。所以对于高利贷的憎恶,很普及于古代世界。在那里,生产者对其生产条件的私有权,就是政治关系的基础、公民的政治独立性的基础。"

这种高利贷资本,使奴隶所有者隶属于自己,并且剥削小生产者。高利贷资本,使奴隶所有者走上尽量剥削奴隶与小生产者——农民与手工业者——的道路。因为奴隶所有者被高利贷资本吸取的利息愈多,他对于奴隶与小生产者的剥削也愈大。

在奴隶制社会中,商业——货币的关系虽然很大,但生产方法的基础,仍然是自然经济的性质。所以,只要奴隶制还占在支配的地位,虽然奴隶所有者受高利贷资本的支配,而生产方法仍旧是不变的。

其次,还有一事要指明出来,就是:奴隶制经济所生产的大部分生产物,都在那种经济部门中消耗,尤其是农业经济。出卖的东西,首先是剩余生产物的余额。

若说在资本主义条件下,统治的趋势,是生产的扩大与生产的消费之成长,那么,在奴隶经济条件下,统治的趋势,便是所谓非生产的消费。奴隶所有者,不把生产物的大部分用在生产的支出方面,而用在消耗(如奢侈品、大纪念物的建筑、豪华的宴会、宗教事业)等方面。所以这些奢华的生活,都与剩余生产物之不生产的消费一事相关联。

因此,奴隶制社会的商业——货币关系的发展水准虽高,作用虽很重要,但奴隶制的生产方法,主要的是自然的生产方法,至于商业和货币的关系,仅有次要的作用。

第二节 奴隶制经济形态的崩溃

一、奴隶制经济的矛盾及其发展

（一）奴隶制经济的矛盾

如上所述,奴隶制的生产方法,曾经推动了生产力的向前发展。

奴隶制的生产,比较原始社会的生产和小生产者的生产,都具有很多优点,特别是造出了农业与手工业之间的广大的分工。这是奴隶制社会所以高出原始社会的地方。

但奴隶制的经济,是一种没有出路的经济,当它一旦发展到最高顶点时,就开始走入崩溃的过程了。

奴隶制经济形态的基本的矛盾,是奴隶制社会的生产关系与生产力之间的矛盾。奴隶制社会的生产力,是继承原始社会的生产力发展而来的;奴隶制的生产关系,是适应于这种生产力而成立的。在奴隶所有者对于奴隶的剥削形态中,由于奴隶劳动的单纯协业的扩大与农业及手工业间的分工的扩大,所以当时的生产力,能够成就相当的发展。换句话说,奴隶所有者,利用已有的低级的劳动生产性,使用多数的奴隶,从事于农业、手工业、畜牧业等部门的生产,极残酷地榨取奴隶劳动,取得大量的剩余生产物。因此,生产力在奴隶制社会的前半期,能够发展到相当的高度,奴隶所有者,才能专靠奴隶劳动的结果维持生活,而致力于政治、文艺、哲学等精神的劳动,造出奴隶制社会的灿烂的文明。

但奴隶制社会的生产力,在奴隶制的生产关系中,发展到所能到达的顶点时,就与这种生产关系相冲突。即是说,奴隶制的生产关系,障碍着生产力的发展。我们已经知道,奴隶制生产的特殊性,是奴隶劳动之单纯的协业,而这种单纯协业,又以奴隶劳动的低级生产性为基础。由于奴隶劳动的低级生产性,才能使大生产的奴隶制生产发展起来;同时,单纯协业本身的发展,又依存于奴隶劳动的低级生产性。所以在奴隶制生产方法之下,生产力发展的范围,比较上原是很狭小的。

奴隶制社会的生产力的第一个要素,是当作劳动力看的奴隶。奴隶只是能够说话的工具。他们和囚犯一样,过着动物一般的生活,在主人的鞭笞之下,做种种过度的生产的劳动。他们不但不能受教育,并且连物理的劳动能力也都不能恢复,所以当作劳动力看的奴隶本身,永久不能有进步,即永久停滞在半动物的状态。生产力的第二个要素,是奴隶所使用的劳动手段。这种劳动手段,也是没有改善的可能的。奴隶也是人,他们迫于主人的压力而劳动,当然不能为主人竭尽忠诚,去加紧工作。他们泄愤的唯一的方法是故意毁坏做工器具并实行怠工。所以主人总是把粗劣耐用的器具交给奴隶使用。在这种社会中,绝不能希望有技术的改良。因为主人绝不愿发明精巧复杂的器具给奴隶使用,并且就是有了那样的器具,奴隶也不能使用它们。所以奴隶劳动,在根本上原是阻塞技术的进步的东西。被当作动物看的奴隶使用着永不改良的器具去劳动,他们的劳动生产性,必然是很低级的。奴隶所有者们,在那种条件之下,只能适应于奴隶劳动的低级生产性,才能扩大对于奴隶的榨取。但这种榨取原是有一定限度的。一旦达到这个限度时,那样的榨取便渐渐地减少,终至于引起社会的崩溃。

奴隶制经济的这种基本矛盾,可以说是奴隶制的剥削关系与由这种剥削的本质所产生的奴隶劳动的低级生产性之间的矛盾。这个基本矛盾的发展,分化出其他各种的矛盾,形成奴隶制崩溃的各种原因。因而毁灭奴隶制经济的东西,原是奴隶制本身。现在再把这层意思详细地说明于下。

(二)奴隶制经济的矛盾的扩大

第一,奴隶制社会的基本的阶级的分裂,是奴隶与奴隶所有者两大集团。一切的奴隶所有者都是靠剥削奴隶的劳动而生活的。但在奴隶所有者阶级中,也有许多阶层,即各种大小规模的奴隶生产的经营者的等级。如上面所说,大规模的生产压倒小规模的生产,因而小生产者就逐渐陷入于破产的状态,以至丧失其生产手段(奴隶也在其内),而为大奴隶所有者所吞并,因而形成大土地的私有。破产了的生产者,变成了浮浪的无产者。他们却是自由民或平民,或"畜民",是公民,即是特殊阶级。他们不愿为别人做奴隶所做的下贱的劳动,而仰给于国库来生活。他们不事生产,专做虚耗国帑的食客。于是,这一方面的劳动生产力就逐渐减退了。于是,踏在奴隶身上的上层阶级中,形成了富裕自由民与贫穷自由民、贵族与平民、贵族与"畜民"的对立,因对立而演出长期的斗争,因斗争而削弱了生产力。

第二,奴隶制生产的技术是永无进步的,这在前面已经说过了。至于当作劳动力看的奴隶本身,在这种社会中变为生产力最主要的要素。为要谋奴隶生产的继续与扩大,当然不能等待奴隶的自然生殖,而不能不另求奴隶的来源。奴隶的来源,除了奴隶市场以外,就是对于异族人的掠夺。为要掠夺异族人做奴隶,就不能不诉诸战争的手段。所以古代希腊和罗马各民族间的战争,主要的目的,是在于猎取奴隶。中国殷代也有同样的事实。殷代的奴隶,多是被征服的异种民族,如"廊人"、"羌人"、"人方牧"、"土方牧"、"奄奴"、"邶奴"、"臣吕方"、"俘馘土方"等名称的奴隶,都是当时被征服的异种民族。殷代"卜辞"中所载猎取奴隶的战争也不少。奴隶所有者的国家,就变为猎取奴隶、榨取奴隶、掠夺异族的强暴的机关了。

由于实行猎取奴隶的战争,就消耗了从奴隶身上榨取得来的剩余生产物。并且,多数服兵役的小生产者,也要在战役中破产。战争之破坏生产力,这是很明白的。

第三,奴隶制社会的剩余生产物,大都消耗于不生产的方面。大奴隶所有者过着极其骄奢淫逸的生活,他们把生产物的大部分用在奢侈品、大建筑、豪华的宴会或宗教事业等方面。这些都是不生产的消费。随着奴隶所有者的豪奢生活的增高,生产的奴隶也都被利用于消费的方面。多数的奴隶,或者充当贵族邸宅的奴仆,或者充当专供贵族娱乐的工具(如罗马的数千奴隶所组成的竞技场之类)。于是用在生产方面的奴隶的人数也逐渐减少了。并且,大土地所有者对于农业的经营,因为土地增大的结果,使用的奴隶数目增多,而监守奴隶、鞭笞奴隶的人数也随着增多。这种监守奴隶的人,是由奴隶中选用的。在奴隶劳动的低级生产性基础上形成的这种劳动组织,显然不是生产的。这一点,表现了大土地的奴隶生产的非生产性。

第四,奴隶所有者的国家,在生产力日趋衰退的倾向中,为要维持奴隶制的存在,不能不从经济的掠夺转变到政治的掠夺,即是用武力掠夺异种民族的土地与人民,维持奴隶制的生产,维持自己的存在。掠夺战争的结果,便是都市的破坏、土地的荒芜、男子的剿灭与妇女儿童的奴隶化(这种奴隶不能做生产的劳动)。于是奴隶阶级的人数逐渐减少,而奴隶制就不能维持。

第五，奴隶制社会生产力的衰退的结果，转变为商品的剩余生产物就日益减少。并且，随着都市的零落，交换的市场缩小了，商品的流通缩小了，货币经济也萎缩了。于是形成经济萧条的状况。

从上述各点考察起来，我们可以知道，奴隶制经济崩溃的原因，实是奴隶制社会的基本矛盾发展的结果，因而使奴隶制经济崩溃的东西，实是奴隶制本身。

（三）奴隶制的崩溃

奴隶制经济构造的内的矛盾，表现为各种形态的阶级斗争。主要的阶级斗争，是奴隶与奴隶所有者的斗争，即是奴隶的暴动。奴隶的暴动，在古代社会的历史中，是常见的现象。

罗马在纪元前 187 年，发生了第一次的奴隶暴动，其地点是亚巴那。暴动的结果，奴隶被钉死于十字架的人数，达到 7000 余人。第二次奴隶暴动，在纪元前 134 年至 132 年，发生于西西利岛，参加暴动的人数，前后有 70000 人。第三次的奴隶暴动，在纪元前 101 年至 100 年，也是发生于西西利岛。从 1 世纪起，奴隶的暴动，继续了六十余年，直到罗马帝国成立，皇帝才利用军事权力，把暴动镇压下去。但到了 2 世纪以后，奴隶暴动又重新发生，不久又被扑灭了。中国的殷代，也有奴隶暴动的痕迹。如《易经》、《萃·初六》爻辞所载："有孚不终，乃乱乃萃，若号，一握为笑，勿恤，往无咎。"这是说明贵族剿灭暴动的奴隶的事实的。在古代，奴隶因为不堪主人的虐待，所以常常成群的暴动起来，但结果他们横被惨杀，而奴隶所有者也因此丧失大宗的生产的劳动者，而奴隶制社会的生产力就因此而更趋于衰萎了。

奴隶不是更高级的生产方法的担负者，不能指导生产力对于生产关系的反抗。他们的暴动，带有盲目的性质，又是乌合之众，缺乏组织能力，所以他们没有领导这种运动转变到别种路线上去的觉悟和力量。换句话说，奴隶的叛乱，只是缩短奴隶制社会的生命，还不能终结奴隶制社会，不能创造新社会。

其次，消灭奴隶制社会的斗争，是奴隶所有者各阶层之间的斗争。这在希腊是贫自由民与富自由民的斗争，在罗马是平民与贵族的斗争。这两个阶层，都是古代国家权力的组织者；他们的斗争，是猛烈的政治斗争。这种政治性质的斗争，是促使古代奴隶所有者国家崩溃的大原因。例如，罗马的平民的叛变,削弱罗马国家的力量,因而引起罗马的灭亡。又如,中国殷代的末年,所谓民众的叛乱,也是这种性质的斗争。《商书·微子篇》所说:"小民方兴,相为仇敌。今殷其沦丧,若涉大川,其无津涯。殷遂丧越至于今。"这就是表明平民叛变因而倾覆奴隶所有者国家的事实。所以古代社会的阶级斗争,以互相斗争的两阶级共同崩坏而告终。

(四)由奴隶制到隶农制的推移

于是我们不能不更进而提出下述的问题:即奴隶制经济形态如何转变为封建经济形态的问题。

当奴隶制社会的生产力日趋衰退时,奴隶所有者阶级的一切物质的精神的文化,就开始没落了。一切利用奴隶劳动去经营的大作坊的手工业与大私有地的经济,都已不能得到利益了。这种大奴隶生产,不能造出从前那样的大宗剩余生产物,因而商品的供给逐渐减少,货币经济也逐渐衰退,各地方商业上的交通也逐渐切断了。于是社会出现了一般的穷乏的现象。人口减少,都市零落,于是艺术、文学、哲学、科学等一般的精神文明,也随而逐渐地消失了。于是,"古代奴隶制的繁荣期,已经过去了。无论在大规模的农业中,或大都市的手工工场中,都不能造出较多的利益"。于是,社会的经济,又复归到较低级的阶段的农业,即复归到低级技术的小规模的农业。在奴隶制文明消失的时期,那样的小规模的农业经营,反而变为唯一有利的形态。这也是经济发展的必然的倾向。

在罗马时代的末年,许多大土地所有者,都把自己的大私有地,分割为许多小块,交给奴隶们自己耕种,并给以某种程度的经济独立,从他们征取一定的劳役地租或现物地租。于是奴隶们得到一半的解放,而转变为大地主的隶农了。此外,这种小块土地,也有租给自由的小所有者去耕种的。但这种租地耕种的小所有者,不能离开所租种的土地,还须缴纳一定的劳役地租或现物地租,于是,这种自由的小土地所有者,也被束缚于土地,而转变为隶农了。像这样的隶农制,在罗马的末年,已成为普遍的社会现象。这种隶农制,即是农奴制或封建制的先驱。

中国殷代的末年,也有过和这相类似的制度。如所谓"殷人七十而助",就是说明地主们把土地分给农奴耕种,从他们征取所谓"什一税"的地租。

从上面所说的看来,奴隶制经济向封建经济的推移,是一种必然的倾向,因而封建制的经济,绝不是凭空地在奴隶制经济的废墟上突然生长的。

(五)由奴隶制到封建制的转变与民族的征服

可是,从奴隶制到封建制的推移,还必须有一种别的动力。这个动力,可说就是民族的征服。在奴隶制社会中自然发生的隶农制的基础之上,再加上某种民族征服的模型的铸造,就有转变为封建制的可能性。但我们并不是说,封建制完全可以用民族的征服来造成,这是要加倍注意的。

民族的征服这件事实的本身,不能造出新的生产方法。民族的征服对于生产方法的关系,大概可以分为三种倾向。第一,征服民族,比较被征服民族,如果有进步的生产方法,征服者就依据自己的进步的生产方法,改造被征服民族的经济。第二,征服民族所有的生产方法,比较被征服民族的生产方法是落后的东西,征服民族的经济就只有与被征服民族的经济相同化,而只以榨取被征服者的贡税为满足。第三,如征服者与被征服者的生产方法,都处在同一的阶段,那就会发生综合前两种倾向的新倾向。这第三的新倾向,不外是由征服民族依照自己的战斗的军事组织,影响于被征服民族的原有的生产力。所谓封建制,是由这第三的倾向形成的。日尔曼民族征服罗马民族以后所形成的封建制,中国周民族征服殷民族以后所形成的封建,大体上与上述第三倾向相近似。

日尔曼民族的文化,虽然比较罗马民族的文化落后,但当罗马文化衰微之时,两民族早已互相交通,互相杂处了。当时罗马新生的隶农,有许多都是日尔曼人。同时日尔曼民族自己的经济中,也发生了隶农制。等到日尔曼民族征服罗马民族时,日尔曼民族就依据从来的军制的战斗的组织,把所占领的土地分封于国王的亲贵和功臣,使他们变为封建领主。因而从前在奴隶制社会萌芽了的隶农制,再加上这种军事的战斗组织的色彩,就发展而为农奴制即封建制了。所以日尔曼民族胜利的事实本身,并没有产生任何新的生产方法。日尔曼人战胜罗马帝国的事实,的确很迅速地发展了封建的趋势。但这种趋势,在罗马帝国与日尔曼民族之间早已发生、发展了。

中国周代的封建制发生的过程,也有约莫相同的情形。周民族在最初是殷民族所统治着的比较落后的民族,当殷民族有隶农制(即所谓"七十而助"

的"什一税")之时，周民族也有同样的现象。殷代的末年，周民族的经济发展的水平，也赶上了殷民族。但周民族的军制的战斗组织，比较殷民族却是很特殊的东西。周民族征服殷民族统一"天下"以后，周王就把土地分封于亲贵功臣，使他们变成领主，因而使隶农制发展为农奴制，"殷人的七十而助"就变为"周人的百亩而彻"了。

二、近代的奴隶制遗物

（一）近代的奴隶贸易

奴隶制的经济消灭以后，而奴隶制的残余，经过长期的封建时代，直到资本主义的黎明期，又曾经复活起来。这样复活起来的奴隶制，是由各先进资本主义国家实行的，而被当作奴隶的人们，都是落后的民族的人民。

在资本之原始的蓄积时代，欧洲的西班牙、葡萄牙、荷兰、英吉利等国，都用野蛮残暴的方法，征服新发现的土地，掠夺后进民族的土地及财产，剿灭土著的居民。许多的人种和种族，都被它们剿尽杀绝，而它们的财产、它们的资本，就是以数百万土人的鲜血凝聚起来了。所以资本之原始的蓄积的历史，实是满含着血腥的历史。

直到资本主义的生产方法出世以后，这些国家的资本家们，感到劳动力的需要，就开始猎取后进民族的土人们，作为他们的生产的奴隶了。尤其殖民地的土地的开垦、矿山的开采与农业的经营，最需要奴隶的劳动力。因此被俘虏的土人转化为奴隶，并当作商品买卖了。

大约从 16 世纪初年起，葡萄牙、西班牙与英吉利等国，都开始实行奴隶狩猎与奴隶贸易。所谓奴隶狩猎，就是到处捕捉殖民地的土人，当作奴隶去买卖。这种事业，都经各国政府所公认，并以国家的武力做后盾。关于奴隶的贸易，各国政府都用法律规定。奴隶贸易的独占权，在西班牙最初由国王授给廷臣，廷臣又把这独占权卖给特许商人。在英国詹姆士一世时代，这种独占权，由国王以一定条件卖给两个奴隶贸易公司。在 1713 年之时，英国对于美国的奴隶贸易，成为安娜女王的特权，宣称为王政中最有利益的买卖。但在另一时代，英国普通的人民也能够从事于奴隶贸易。

关于奴隶买卖的数字，达到非常可惊的程度，在 1680 年至 1700 年之间，非洲黑奴贸易公司经手买卖的黑奴,达16万人;由其私人企业经手买卖的,约30万人。又在1700年至1786年之间,输入于加玛地方的黑奴有61万人;在1680年至1786年之间,输入于美洲及西印度群岛的英领殖民地的黑奴,有213万人,每年的平均数为20万。据另一记载,各国在非洲猎取的黑奴,在1000万以上。

奴隶贸易所以这样发达,是由于这种买卖特别有利。如《世界史教程》所述:"由黑奴买卖所得的利润,不下50%,通常达到150%以至200%。据某个报告,1692年所揭示出的数字,用29200利维尔购买的奴隶,卖价为240000利维尔"。

(二)当作产业组织看的奴隶制

奴隶的劳动,大都被利用于殖民地的农业及矿业方面。18世纪以前美国南部的黑奴劳动的利用范围之广大,在历史上是很有名的事实。在美国的南部,奴隶制变成了一种产业的组织。美国南部诸州,土地辽阔,沃野千里,最适宜开办大农场,种植烟草、棉花及甘蔗之类。但南部诸州,气候比较炎热,白人劳动者不能在这种气候下劳动,所以在这里开垦的农业资本家,只有利用价廉而艰苦耐劳的黑奴的劳动,这是黑奴所以充斥于南部诸州的原因。南部的农业资本家们,在上述的条件之下,开办了许多大规模的烟草、甘蔗及棉花的大农场,利用大批的奴隶的劳动,收得了大宗的额外利润。至于北部诸州,因为地质及气候适宜于栽种谷物,却不适宜于利用奴隶劳动。所以北方的农业经营,多采取自耕农制度,农民和自己的家属一同在自己的农场劳动,他们都有经营农业的必要的知识,并努力为自己的利益而劳动。这一点,也是北方诸州反对奴隶制度而至于引起南北战争的原因。据各种书籍的记载,非洲黑奴被贩入于美国去的人数,大多数是在南部诸州劳动。南方诸州的黑奴人数,在16世纪时约有90万人,17世纪时约有275万人,18世纪时约有300万人。

那种当作产业组织看的奴隶制度,在其他各国的殖民地,也都很流行,这里不必一一列举。大概地说来,各资本主义国家最初开辟殖民地之时,都实行了奴隶制度。但如前面所述,奴隶制是阻塞技术的进步的东西,各资本主义国家之利用奴隶劳动,也只限于在开垦殖民地的肥沃土地时,才是有利的。若果需要熟练的比较有知识的劳动的生产部门,奴隶的劳动就不能利用。所以到了生产技术更向前发展之时,即到了产业革命实现之时,奴隶的劳动,就不能像自由劳动者的劳动那样能够创造较多的剩余价值了。

正统派经济学创始者亚丹斯密说过,自由民的劳动比较奴隶的劳动,价格还要低廉(他把劳动力的价格,混为劳动的价格,因而隐蔽了剩余价值的榨取的事实。这是正统派经济学的虚造)。这句话的意思,就是说资本家与其利用奴隶的劳动,反不如利用自由劳动者的劳动,能够得到较多的剩余价值。因为资本家购买奴隶做工,要花费很多资本。这些资本是用在不生产的方面的。并且还要供给奴隶的衣食住(虽然是很可怜的),他们有病时不能工作,还要施以医治。奴隶如果死亡,购买奴隶的资本就完全损失。并且,市场的情形变动无常,好景气之时,需要加工制造商品,因而就需要较多的劳动力,当然不容易临时添购奴隶;到了不景气之时,就要减少生产,因而就有一批奴隶的劳动不能利用,而不做工的奴隶仍旧要养活。这一切弊端,在利用奴隶劳动时,都不能避免。至于自由劳动者,到处都有,资本家可以招之使来,挥之使去,并且还要他们遵守一定规则,为他生产一定额的剩余价值,否则便实行解雇,他们便有饿死的危险。所以资本家使用自由劳动者,比较使用奴隶,当然更为有利,这是自明的事情。18世纪末叶到19世纪中叶,各资本主义国家所以陆续实行奴隶解放,其根本原因就在这里,并不是站在什么人道主义的立场。

就今日世界的情形说,奴隶制的遗物,在许多落后的民族中仍旧残存着。特别是就帝国主义与殖民地民族的关系来看,殖民地人民,实际上变成了帝国主义者的奴隶。全世界有12亿的殖民地的人民,都被帝国主义者当作奴隶榨取着。我们中国的5亿人民,就处在这样的奴隶状态,在目前我们中国民族的最重要的使命,就是要从这种状态中解放出来。

习题三

一、试说明奴隶制发生的前提。

二、奴隶在生产过程中的任务如何?

三、奴隶与自由劳动者不同之点安在?

四、奴隶所有者剥削奴隶的原则及其所采取的形式如何?

五、试说明奴隶制经济的自然性质。

六、奴隶制的大规模的生产,对于小生产占居优越地位,其意义如何?

七、奴隶制社会中高利贷资本的作用如何?

八、奴隶制经济比较原始社会经济进步,其理由如何?

九、奴隶制社会的生产力发展到一定程度时,就开始衰退,其原因安在?

十、摧毁奴隶制经济的东西,是奴隶制本身,其意义如何?

十一、在奴隶制经济崩溃过程中,产生了隶农制,其原因如何?

十二、在由奴隶制经济转变为封建经济的过程中,民族的征服也成为一个推动力,其意义如何?

十三、近代资本主义初期,也曾盛行奴隶制的生产,这种奴隶制的生产与古代社会中的奴隶制的生产有无差别?

十四、近代社会的奴隶解放之经济的原因如何?

十五、试举出现代社会中奴隶制的遗物而说明之。

第三章　封建的经济形态

第一节　封建经济的形成及其一般特征

一、封建经济的形成

（一）由奴隶制到封建制的转变过程

历史上继承奴隶制的经济构造而起的,是封建的经济构造。封建的经济,对于奴隶制的经济,是比较进步的历史形态。因为奴隶制经济,是一种没有出路的经济,当发展到一定阶段时,就必然地转变到封建经济。关于这种转变,可以把古代罗马的历史事实,作为范例来说明。古代罗马的末期,主要的生产手段的土地,已为贵族的大地主所兼并,小所有者的平民已经没落,而变为靠国库赡养的寄生者,那不堪虐待和剥削的奴隶们,又因不断地背叛而横受主人的毒杀。结果,奴隶制的经济,因为奴隶的劳动力的缺乏,因为奴隶劳动阻止了技术的进步,便大大地崩溃下去。在这种情形之下,就发生了农奴制度。

3世纪之初,罗马皇帝与贵族所属的领地内,特别感到所需要的劳动力的缺乏,领地的所有者,开始把土地租给隶属于自己的小佃户"科劳士"(Colonus)去耕种。这种"科劳士",就是负债的小所有者,他们对于领主担负义务的劳动并缴纳现物地租。这种制度,到3世纪中叶,已推行于罗马全境。往后,地主的政府,为抑制"科劳士"规避纳租等义务,禁止他们迁移他处或放弃耕地,使他们变成农奴。这种制度,不但适用于农民,并且对于都市的居民也同样适用。譬如政府为了增加租税收入,还把手工业者束缚于一定的土地之上,后来甚至把一切居民都束缚起来,凡属都市和农村的各种居民,都必须受正确的登记,对国家履行一定的义务。这一切居民的农奴化,就引起了财产集中于一人手中的过程及多数居民的贫穷化。所以,在这过程中,奴隶制度已经转变为封建的农奴制度了。但是,我们要知道,普及于中世纪欧洲各地的封建制度,在日尔曼侵入罗马以前,已经普遍地存在着,并不是日尔曼人用政治力量创造出来的,日尔曼人不过在这种制度之下,把所占领的罗马土地实行封建的分割而已。

(二)日尔曼人侵入罗马与封建制的形成

纪元前数世纪,日尔曼人定居在欧洲的北部和中部。到了纪元前 2 世纪末叶,日尔曼人便和罗马帝国发生冲突,侵入罗马帝国的版图,但为罗马国境坚固的城塞所阻,未能前进。日尔曼人因为移住各地之故,不能保存自己旧有的氏族性质。氏族制已经消灭,氏族财产渐渐变为个人财产了。从前一切土地,都归氏族共有。牧场、森林、草地和水源地,归各家共同利用;其他耕地等,都按照各家族的利用能力与要求,分配于各家族使用。现在,这种氏族的结合,由别种结合所代替了。除了共有的不可分割的公地仍旧保存外,宅地和耕地,都归各家族长所私有了。在这种结合中,不但有用自己本身的劳力来耕作的小地主,同时还有掌握大所有地的大地主。大土地所有者,租借土地于奴隶、佃农或其他隶属自己的人们,向他们征收租税。这时的租税,是用自然物支付的。大土地所有者就拿所收的租税,豢养酋长、武士和家臣。土地的不平等,是日尔曼人社会的阶级分化的条件。因此,产生出军事领袖的土地贵族,他们取得政治的优势,变成了支配的集团。

日尔曼人原是定居的农业民族,早就知道耕种谷物了。但是,他们的农业,非常粗笨,还没有超出轮耕制的阶段。这种轮耕制的低度生产性、土地的缺乏及自然的灾害(水灾、旱灾),驱使日尔曼人不得不向南移动,去寻求新的土地了。

住在伊比利半岛附近地方的日尔曼人,同多数的旧居民同化了。日尔曼人占领了罗马的边境地方之后,就在这些地方,形成了带有经济的社会的和政治的特殊性的封建关系。

纪元 4 世纪,罗马帝国内所形成的政治经济制度的基本要素,在新建设的日尔曼各国的条件之下,完成进一步的发展。罗马的社会经济构造与日尔曼的社会经济构造之同化及其相互作用,促进了西欧封建经济的形成。

（三）周民族征服殷民族与封建制的形成

中国的封建经济构造,始于周代,周民族最初散布的区域,当为现在甘肃西部和陕西东部。在公刘时代,农业已很发达,畜牧业似退居次位,手工业已相当发达。如《诗经》所说:"乃场乃疆,乃积乃仓,乃裹糇粮,于橐于囊";"度其隰原,彻田为粮";"执豕于牢,酌之于匏";"其绳则直,缩版以载";"百堵皆兴,鼛鼓弗胜"等语,即是明证。

最初周民族似与殷民族不生关系。后来,往东扩大领地,才渐渐和殷民族相接触,成为殷代的一个属地。《诗经》所说,"古公亶父,来朝走马,率西水浒,至于岐下",这就是说,周民族因不堪戎狄的侵扰,乃去豳迁岐,卜居于岐山之下,而于殷民族发生隶属关系。

周民族尚武,能借武力扩张领土。到文王时代,征服虞、芮,灭掉密、崇,所谓"文王受命,有此武功,既伐于崇,作邑于丰",便是实证。这时,大概从陕西西部到河南西部一带的小民族,都已经为周民族所征服了。但是,他们的势力还不能与殷民族相抗,所以虽然"三分天下有其二",还要"以服事殷"。

到了武王时代,武力已经强大,而殷代统治区域中,叛乱时起,所以武王就率领"友邦冢君、御事、司徒、司马、司空,亚旅、师事、千夫长、百夫长,及庸、蜀、羌、微、卢、彭、濮人"等,在孟津会合"八百诸侯","率戎车三百乘,虎贲三千人,甲士四万五千人以东伐纣",灭了殷朝,把当时所说的天下,放在周民族的统治之下。

周武王在统一天下之后,把所属的全部领土分封于亲族、功臣以及前代帝王的子孙。封土的大小不等,据孟子说:"天子地方千里,公侯之地方百里,伯七十里,子男五十里,凡四等;不能五十里,不达于天子,附于诸侯曰附庸"。

最大的土地所有者是天子,所谓"溥天之下,莫非王土,率土之滨,莫非王臣",可见天子是领有天下的土地所有者了。天子之下是封建诸侯。诸侯又可把所得的封土,分封于臣下,如卿大夫之类。所谓天子、诸侯、卿大夫等,都是等级高下不同的大小领主,他们把所领的土地,分裂为许多小块,颁发给农民耕种,从农民征取劳役地租及现物地租。所谓井田制度,就是这样的封建制。而这种封建制经济,是沿袭殷代末年已经发生的所谓"七十而助"的制度。这种制度,当周民族还隶属于殷民族的统治之下的时期,必已成为周民族所占领的区域中的经济制度,这是没有疑义的。

二、封建的经济构造之一般特征

(一)封建经济与奴隶制经济的区别

封建的经济构造,是在奴隶制社会的母胎中产生,又是与奴隶制的经济构造完全不同的东西。"奴隶所有者与奴隶,是最初的阶级的大分裂。奴隶所有者,不仅占有一切生产手段、土地和器具(这种器具,当时自然是很贫弱、很原始的),而且还占有人。这个集团,叫做奴隶所有者,而那些自己劳动或为他人劳动的人们,叫作奴隶。历史上继续这种形态而来的其他形态,是农奴制度。奴隶制度的发生,在许多国家,都转化为农奴制度,社会基本的分裂,是农奴所有者——地主与为农奴的农民。他们之间的关系的形态变化了。奴隶所有者,把奴隶看作财产,法律也固执这种见解,把奴隶看作完全属于奴隶所有者的物品。但是,对于为农奴的农民,阶级的压迫和隶属虽然照旧存在,而为农奴所有者的地主,却不算是当作物品看的农民的所有者——他们只有对农民要求劳动的权利,强制农民履行一定的义务。"

封建的经济构造,是比奴隶制经济构造进步的历史形态。就对于劳动的刺激的见地看来,奴隶的剥削制度,对于劳动生产性及强度的提高,不能给以任何决定的刺激,而封建的剥削形态,在某种程度上,却可以给以这种刺激。因为第一,农奴是劳动工具的所有者;第二,他的劳动时间的一部分,是为自己劳动的。这样,农奴在为自己劳动的时间内,便可以尽量地提高劳动生产性和强度。

因为直接生产者的农民,除了为领主劳动的时间之外,其余的劳动时间,是由他自己支配的。在属于自己劳动时间中所造出的生产物,都归他自己所有。所以他可以利用生产上进步的经验和技能,提高劳动的生产性。劳动生产性提高以后,他们生产的生产物就增加起来,必然地产生新的物质的欲望,更为了满足这类新欲望而努力生产。同时,因为剩余生产物增加的结果,就可以把它拿到市场中交换别的生产物。当作商品生产出来的生产物增加的结果,商品的市场就扩大起来。市场的扩大,使得直接生产者利用劳动力的事实,更得到确实的保证,因而刺激他努力生产的动力就加强起来。由于这种种原因,农民的劳动生产性,就继续发展起来。这种劳动生产性的提高,并不仅限于农业的部门,并且推及于农村的家内手工业的部门。这样一来,经济发展的可能性就增大了。这是封建经济所以高出奴隶经济的重要原因。

(二)封建经济与资本主义经济的区别

封建经济与资本主义经济,在劳动者把剩余劳动的生产物,无偿地给予生产手段的所有者,而自己只领受必要劳动的生产物一点上,两者是一样的。这两个体制的根本的区别,在于以下的三种关系:"第一,农奴经济,是自然经济;资本主义经济,是货币经济。第二,农奴经济的剥削手段,是劳动者紧缚于土地及土地的分配;在资本主义经济之下,作为剥削手段的,是劳动者由土地中解放出来。农奴所有者的地主,为了取得所得(即剩余生产物),必须把占有分割的或农具家畜的农民束缚于自己土地之上。无土地、无牛马、无所有主的农民,在农奴制的剥削上是无缘的对象。反之,资本家为了取得所得(利润),却必须拥有无土地、无所有主的劳动者,即在自由的劳动市场出卖自己劳动力的劳动者。第三,分得土地的农民,人格上隶属于地主;因为农民占有土地,所以只能借某种强制去使他们替主人做工。于是从这种经济体制中,产生出'经济外的强制'、农奴制、法律的隶属及限制的权利(农民权利之身份制的限制),等等。反之,'理想的资本主义',是自由市场的——所有者与无产者之间的——最完全的自由契约"。

这样看来,我们可以知道封建经济的剥削,具有三种标志,即第一,封建经济,是自然经济;第二,封建的农民是所有者,换句话说,他们是生产手段中的生产器具的所有者,他们从地主手中分得土地;第三,封建的农民,对封建领主——地主陷于经济外的隶属关系。在这里,严格地说来,这就是封建剥削的本质。

(三)封建的经济构造之基本特征

封建经济,是特殊的社会—经济的构造。和其他一切构造一样,规定这种构造的出发点的标帜,是生产方法,是支配阶级在生产上从直接生产者吸取剩余劳动的剥削形态。现在,我们就从这种观点出发,把封建的经济构造之特征,分作如下的概括的说明。

第一,一切的土地,几全为封建领主所占领,形成大土地所有。而大土地所有,就是封建领主和地主——农民的剥削者——的支配之基础。恩格斯说明土地集中于封建领主之手的过程如下:"一方面,诺曼人侵入的扰害,国王们不断的战争以及最有势力者的内乱,促使自由农民争相要求有势力的保护者;他方面,最有势力者的贪婪与寺院的欲求,加速了这种过程。他们用欺诈、束缚、胁迫和暴力,使许多农民与农民所有地,都隶属于自己的权力。不论在哪种情形之下,农民的土地,都变为领主的土地了。"

第二,直接生产者的农民,在人格上隶属于封建领主。他们从领主领受土地及其他生产手段,经营农业,向地主缴纳地租,终身被束缚于领主的土地之上,成为土地的附属物。所以,中世纪封建剥削的源泉,不是居民的土地被收夺,反之,是居民被束缚于土地。并且还必须用劳动或自然物,替自己的主人尽义务。

第三,农业经济,主要的是自然经济。农民的生活资料,大部分是自己生产;领主的生活资料的大部分,也是由农民缴纳自然物去供给(有由领主自己的耕地上供给的)。但其他的生活资料,仍不能不仰给予外部,所以商业仍是存在的。

第四,农民所耕种的面积,是小块的土地。农民在小块的土地上,应用低级的、停滞的农耕技术,独立地经营小规模的农业。农民在人格上虽隶属于领主,而这种小经营,却归农民所有。这就是所谓"大土地所有与小生产的结合"。

第五,领主的土地,大部分分发给农民,领主自己通常留存小部分的土地,用农民的义务劳动经营农业;所得的收入,用以赡养自己的家族及武士家臣之类。

第六,农民是半解放的奴隶,除对领主缴纳地租及履行一定义务劳动以外,其余的劳动时间,是从事家内手工业。所以在封建制度之下,农业与家内手工业互相结合。

第七,农民对于地主所担负的主要义务,是缴纳劳役地租与现物地租。此外,农民还得要缴纳各种苛捐杂税,其名额任凭领主决定。

第八,地主的人物,最大的是国王,以下是公、侯、伯、子、男、卿、大夫等,等级非常复杂。其名称在欧洲与亚洲各不相同。大概地主的等级,与其所有土地的大小相适应。封建政治的等级制度,与地主的等级制度相适应。

第九,封建领主,对于农民厉行超经济的强制。"这种强制的形态与程度,从农奴状态起到农民权利的身份限制为止,能有许多复杂的种类。"

总而言之,在封建的剥削上演着重要作用的东西,是农民被束缚于土地,是人身的隶属关系,是直接的支配与隶属的关系及所谓超经济的强制。这是基本的封建的生产关系,阶级关系。

(四)封建的地租形态

封建的剥削形态,即是封建的地租。依照历史的程序,封建地租,分为劳役地租、现物地租与货币地租的三种形态。

1.劳役地租。依据劳役地租的制度,农民的劳动时间要分为两部分:一部分在地主的土地上劳动,另一部分在自己的土地上劳动。所以农民在时间和空间上,都采取不同的形态,把剩余劳动供献于地主。譬如法兰西佃农的徭役是:用自己的马,耕种主人的田地,刈取和收割主人田里的农作物,在主人家里或酿造场里劳动,用自己的马作各种事务,伐木掘沟,及履行其他种种义务。这些事务,每周需要三、四天的时间。

2.现物地租。依据现物地租的制度,农民可以用全部劳动时间耕种所领受的土地,只把生产物的一部分,作为地租交给地主。如 15 世纪诺弗哥罗贵族,除使用自己奴仆的劳动,耕种自己的土地外,还要农民把一定量的谷物、肉、卵、牛酪等送给他。现物地租与劳役地租,在剥削的本质上相同,只是它的形态上有区别。因为封建领主不是在自己土地的直接劳动形态之下占有剩余生产物,而是在农民向他缴纳一定量的生产物的形态之下占有剩余生产物。不过,现物地租,表示农民的劳动生产力已较有进步,农民已比较自由地支配自己的劳动了。

3.货币地租。货币地租是封建地租的最后的形态。依据这种地租制度,农民所支出的地租,不是生产物而是货币。由现物地租到货币地租的转变,以商业的发达与商品——货币关系的发达为前提。并且货币地租,在小生产者出卖自己的生产物,而用货币形态把剩余部分交给地主一点上,又以小生产者有极大自由为前提。这种地租的发生,是封建的生产方法已趋崩溃的征兆,而孕育着资本主义的因素了。

封建地租这三种形态,表现封建经济发展的三个阶段。上面说过,封建的剥削,比较奴隶制的剥削,是进步的形态。奴隶制的剥削,不含有提高劳动生产性的刺激,而封建的剥削,却比较地能提高劳动生产性。就劳役地租说,农民为要迅速地做完地主土地上的工作,不能不增加劳动生产性,这对于自己是有利的。又就现物地租说,农民如能提高劳动生产性,所得的生产物就能够增加,因而除缴纳地租以外而剩留在自己手中的部分也增加了。

但是,由一种地租形态到他种地租形态的转变,农民的利益固然随着劳动生产性的提高而增加,但封建地主对农民的剥削也必然因而加重,有时甚至剥削农民的全部剩余产物。这种情形,在封建经济行将崩溃时,即在榨取货币地租的阶段,特别厉害。

(五)封建制与农奴制的同一

关于封建制与农奴制是不是同一的经济构造的问题,在讨论社会的经济构造的许多学者中,曾有一种异论。这种异论,主张封建制与农奴制是截然不同的两种经济构造,而各有其截然不同的生产方法。这种异论的根据是这样的:"在封建制之下,农民占有生产的基本手段和基本农具的使用权。农民在自己的经济上,生产必要生产物与剩余生产物。农民把这些剩余生产物的大部分,用现物地租的形态缴纳于封建领主。在农奴制之下,以徭役的生产为基础,在这种徭役的生产下面,农民只是徭役经济的附属物。在封建制与农奴制之下,有不同的生产方法及生产关系。"依照这种见解说来,封建制的特征是土地所有者榨取现物地租,农奴制的特征是榨取劳役地租,因而把现物地租和劳役地租的形态看作区别封建制与农奴制的特征,并主张两者是截然不同的经济构造。这种见解,是非常错误的。

劳役地租、现物地租与货币地租,是封建的基本的生产关系——剥削关系之表现形式。上面说过:这三种地租,都是封建的地租形态,表现在封建的经济构造的发展阶段。这些地租形态的发展,适应于封建时代的生产力的发展状态而变化。一般地说来,在封建时代的初期阶段,农民的劳动生产性比较幼稚,土地所有者,为实行有效的剥削,不能不利用超经济的强制力,使农民紧密地隶属于地主,主要的是强制农民提供剩余劳动,使在自己经营的土地上从事种种劳动。所以在这个时期,土地所有者,主要的是向农民榨取劳役地租。往后,农民劳动的生产性比较进步,农民独立经营农业的能力比较充分,因而土地所有者对于农民榨取现物地租也比较确实可靠。所以,这时的土地所有者,主要的是向农民榨取现物地租了。这是表示出封建的生产力显然进了一步。最后进到封建时代的后期,商品——货币经济发展起来,农业经济趋于商品化,而土地所有者又迫于货币的需要,于是在货币地租的形态上向农民榨取地租了。

从封建的生产力的发展状态说来,劳役地租、现物地租与货币地租,形成封建的经济构造的三个阶段。但是这三种地租形态,也不是完全截然各个地形成为一个阶段。

因为在劳役地租成为主要的剥削形态的时期,农民的剩余生产物,仍然被土地所有者所剥削。其次,在现物地租成为主要的剥削形态时,劳役地租也并不是完全没有。最后在货币地租时期,现物地租与劳役地租也是遗留着。如果严格地拿一种地租作为封建经济各个阶段的特征,必须要以封建的生产力发展的状态为前提。在这种前提之下,土地所有者所榨取的主要的地租的形态,能够区别封建经济内部的各个发展阶段。

从上面的说明看来,那种把农奴制看成与封建制截然不同的经济构造的主张,固然是重大的错误,并且把榨取劳役地租的制度看作农奴制的主张,也是一种错误。农奴制本身就是封建制。封建制的特征(在上面已经说明),对于农奴制是完全适合的。就农奴制的这种制度说,农奴所有者就是封建的地主,他们有向农民要求劳动的权利,强制农民履行一定的义务。"这所谓要求农民劳动和强制农民履行义务",主要地是向农民榨取劳役地租和现物地租。所以那种主张把榨取劳役地租作为农奴制的基本标帜一层,显然是错误的。从生产方法和生产关系看来,封建制和农奴制并没有区别,农奴制实是封建制的生产关系之特征。

(六)变相的封建制

所谓变相的封建制,就是指着"亚细亚的生产方法"说的。"亚细亚的生产方法",首先是敌对的生产方法,这种敌对的性质,是与封建社会及封建国家相结合的。所谓"亚细亚的生产方法",含有封建社会中特征的劳动力与生产手段的结合方法的意义。生产之基础的土地,归于支配阶级所有,直接的生产者,虽有微小的生产手段,但是被强制着去耕种封建领主的土地。适应于这种生产方法的剥削形态,自然是封建的剥削形态。因为支配阶级,不仅用超经济的方法去占有直接生产者所生产的剩余生产物,而且占有其必要生产物的大部分。并且东方的专制国家,不外是封建领主对于隶属的直接生产者的支配机关。"地租,在历史上(在达到最高发展阶段的亚细亚各国也是一样),显现为剩余劳动的,即无偿劳动的一般形态。在这里和在资本家的情形之下不一样,剩余劳动的取得,不是以交换为媒介。并且取得剩余劳动的基础,就是社会的一部分对于另一部分的强力的支配,因而是一种直接的奴隶制、农奴制或政治的隶属关系。"

由上所述,可知"亚细亚的生产方法",在其本质上,与封建的生产方法,并没有根本的区别。所不同的地方,就是亚细亚诸国的几个特殊经济条件。即是说,所谓"亚细亚的生产方法",即是附加几个特殊经济条件的封建的生产方法。

所谓特殊的经济条件,就亚细亚诸国说来,有下述几种:第一,对于土地的统治权,集中于最大的土地所有者国王之手。第二,土地私有制之确立。在封建领主之下,有民间地主经济。第三,关于农业方面的水利灌溉等社会的事业,是由国家组织的。第四,土地所有者的国家,干涉人民的经济生活。第五,土地所有者的国家,向农民征取的租税,与封建地租有同一的经济的内容。第六,亚细亚各国,是土地所有者的独裁国家。以上这些条件,都是亚细亚的特殊经济条件。这些条件,明明是和封建社会及封建国家相关联的。就其基本的生产关系说来,"亚细亚的生产方法",只是封建的生产方法之特殊的形相,即是封建的生产方法的变种。

三、封建的经济构造之具体的实例

(一)西欧各国的封建经济

关于封建的经济构造之基本特征及剥削形态,已经在上面说过了,现在就西欧主要各国的具体历史,说明封建经济的特征。

我们首先说明法兰西的封建经济的特征。当日尔曼族法兰西的酋长占领高卢时,首先占领了属于罗马国王的土地,往后又没收了若干地主的土地,把这些土地作为远征时的酬赏,分给自己的武士和奴仆,只留下一部分,作为自己本身的生产手段。经过相当期间,国王的豪族的土地增加起来,同时,寺院的财富,由于赏赐、寄托和捐赠,也增加起来,于是发生了大土地所有——王有地世俗领地及寺院领地。往后,大地主就开始占领小地主的土地、公社的土地和荒地。

介于富强的邻人之间的小地主,无力保持自己的独立,他们对于大地主,逐渐陷入经济的隶属状态,不得不把自己的土地让给大地主,而降居于佃农的地位。这种土地,就叫作分与地。地主的一部分土地或荒地,常用分与地的使用形式,分配于农民,使农民耕种。于是经济生活,在新的庞大土地上发展起来,大土地所有者的经济的和社会的势力,就形成起来,巩固起来了。

但是,在许多情形之下,大地主的所有地,在各种农村中,往往散布于其他地主的佃农土地之间,或散布于自由的小地主之间,而大地主便努力把自由的小地主的分散的地面,逐渐放在自己势力之下。这样看来,大土地所有与农业的结合,便是法兰西封建经济的特征的要素之一。

在大地主的领地中,主人的耕地所占的部分,比分配于佃农的土地较少。大地主逐渐减少自己参加生产的任务,而增大其为支配者和榨取者的任务。

由领地中分给佃农的土地,分为地段大小不同的各种借地(manse)。由借地得来的收入,不但要供养佃农及其家族,而且要保证他们缴纳租税和徭役。佃农除向地主缴纳劳役地租外,还必须向主人支付自然物——大小家畜、鸟、酒、蜜、牛酪等。有时缴纳货币,代替自然物。

所有的借地,分为隶民(奴隶)借地、农奴借地及贱民借地三种。农奴没有脱离地主的权利。农奴逃亡时,地主可以把他们寻找回来,再束缚于自己的土地之上。借地只限于一代,农民无权把自己的土地,遗留于子孙;佃农的子孙,须向地主支付特别租税,才能得到土地。

领地的大小,各不相同。地主占领从前公社的土地和自由的采地,以扩大自己的土地。大地主不仅使自己领地中的一切居民变成经济上的隶属者,同时,又掌握了政府权力的许多机能。普遍把自己土地交给地主的所有者,多少要放弃人格上的自由,在经济上受富裕地主的支持和保护。大地主利用经济的和社会的势力,同时掌握了地主权。这种地主权,是由于特许而得到国王承认的。因此，豪族的领地以及领地上的人民，都从国王官吏的权力下解放出来了。领主得征收领地内的租税，组织警察和军队，并有裁判权。各地主的政治的独立，因而增大了。封建领主越大，掌握的政治权力也越大。政治权力与大土地所有的结合，也是封建经济的典型的特征之一。

在英国，当诺曼人侵入以前，已经形成了封建关系。生产力的不发达，经济的不安定，长期战争，人口的增加以及继承人间土地的分配等，结果引起农民大众的破产，使他们丧失了土地、独立和自由。另一方面，盎格鲁萨克逊诸王的土地占领及大领地支配下的武士的土地分配，引起了大土地所有的形成。

在自然经济状态之下，大地主为了分配自己的土地，不得不把它分为许多小块的借地，分配于需要土地者，但须以租税或劳役为代偿。土地的必要，驱使没有土地的人或土地少的人，向强大的大地主要求土地和保护。大地主就变成了这些人的军事保护者，把他们放在自己的保护之下，这叫做"受寄托"。

在当时，要求这种保护的，不仅是没有土地的人；甚至小地主也得要把自己的土地交给大地主，反而从大地主手中去租借土地。主人一面保护自己的属下，同时要求他们用租税和劳役的形态，履行随借地而来的一切义务。

英吉利的领地是大领地，领地所有者，不但有土地使用权，而且取得支配属民的国权的一部分，如警察权、裁判权及财政上的（关于课税）权力。因此，在英国，终封建之世，都充满了封建领主与国王之间的斗争。

在俄国，当鲁斯的分封公时代，封建领地的经济制度和政治制度，就发展起来，在移住东北平原的过程中，形成农村公社，在那里占支配地位的，本质上是分散的小土地占有。当公爵和贵族实行统治以前，农村公社遭受大地主的经济的和超经济的影响，而趋于没落，大地主吞并了小农民的耕地。所以俄国封建大土地占有的形成之基本过程，是一个长期的过程。这种过程，是在抵押、负债及小所有者破产的基础上成长起来的。

公爵、僧侣和贵族等大土地所有者，只在狭小的自己宅地中，经营自己的经济，而把大部分的田地，当作一时的使用地，租给农民，向他们征收自然物、劳役、手工业生产物和货币。

农民的隶属状态，有许多种类。农民耕种地主的田地，必须向地主缴纳自己生产物的一部分。这种关系，叫做分粮关系。有时住在贵族、寺院或教会土地中的农民,必须支付货币租税,这种人叫作货币支付人。有时租税的一部分,是用现物支付,另一部分是用货币支付。除此以外,还要负担许多赋役的义务劳动。

隶属的农民,在自己的经济中劳动,把自己生产物的一部分,缴纳于地主,并负担某种劳动义务。这种劳动义务,在地主经济中是很显著的。一切农民,在"扶助"及对自己经济的供给之下,都变成了地主的债务人。在这种扶助之下,农民所必要的东西,首先是犁、马和种子,其次是谷物和货币。由于这种供求关系,农民就变成了地主的债务者,而这种债务,几乎是不能清偿的。这种债务,是束缚农民于土地的一种桎梏。农民只有在完全偿还一切债务之后,才能脱离自己的主人而自由。

后来,农民对于土地或宅地的使用,必须负担徭役,这种徭役,不仅推行于中小领主的土地,而且推行于大地主的土地或寺院的土地。农民耕种主人的土地,刈草收粮,为主人经营宅地。这类徭役,随着货币关系的成长发达而加强,随着主人经济和主人耕地的扩大而加重。往后,主人的耕地,已占全耕地50%以上,因而能够更合理地经营了。耕地之外,主人还有草地。主人经济的收益,比农民土地的收益高得多。

大地主占有大量的劳动力,由自己的农业经营中,获得大量的收益,并且还榨取农民本身的收益,以补充自己的资财。大地主更利用所积蓄的资财,去加强农民经济的各种隶属形态。

在各种隶属形态中,有一种"抵押"。农民被抵押于大地主,而陷于对大地主的隶属状态,在这种隶属状态之下,也有改善自己经济的可能,所以农民宁愿丧失自己人格权的一部分,以提高自己的物质幸福。

大地主(公爵贵族和寺院),不仅使人民陷于经济的隶属状态,并且实行政治上的支配,即行政权和司法权,与领地的经济占有及支配相结合,以维持着这种榨取人民的隶属关系。

(二)中国的封建经济

中国的社会,由周代到鸦片战争的时期,是属于封建经济的社会。在这个期间,可以分为典型的封建经济时期与变相的封建经济时期。西周和东周时代属于前者,由秦汉迄于鸦片战争时代属于后者。现在首先说明中国典型的封建经济。

周民族自武王伐纣统一天下之后，就列土封侯，形成典型的封建的等级制度与大土地占有。土地所有者是封建领主，农民是农奴，没有土地所有权。所谓土地关系，就是土地所有者的封建领主与直接生产者的农民之间的关系。

封建领主，把所属的领土，划分为许多小块，自己保留一部分优良土地，其余则按照土地的肥沃程度及农民劳动力之多少而分授予农民。

关于分授田地于农民的记载，散见于《诗经》、《国语》和《孟子》等文献。如《孟子》所载："方里而井，井九百亩，其中为公田，八家皆私百亩，同养公田，公事毕然后敢治私事。"所谓公田，便是封建领主自己经营的农田，由农民耕种；私田是领主分授予农民的田地。

当时领主对于农民的剥削，主要地是采取劳役地租的形态。如《诗·大雅》篇："以我覃耜，俶载南亩，播厥百谷，既庭且硕，曾孙是若。"即是说，农民使用自己的劳动器具去耕种领主的土地，农业生产物，自然是归领主所有了。农民除耕种领主自己经营的土地外，还有其他的徭役，如《诗·灵台》篇："经始灵台，经之营之，庶民攻之，不日成之，经始勿亟，庶民子来。"这是说遇有封建领主大兴土木时，农民须要提供义务劳动来经营。此外，如《诗》、《东山》、《大车》、《出车》诸篇，更载有农民服兵役的事实。

其次，是向农民征收现物地租。如《诗·七月》篇："八月载绩，载玄载黄，我朱孔阳，为公子裳。""取彼狐狸，为公子裘，……言私其豵，献豜于公。"封建领主，"不稼不穑"，便可以"取禾三百"，"不狩不猎"，也可以"县貆县鹑"了。

在平时，农家在五月至十月之间，从事于耕种、蚕桑、收获、牧畜及狩猎等，所得的结果，须奉献于土地所有者。冬天却又须为土地所有者作种种义务劳动。遇有战争时，农民须充兵役。如《诗·出车》篇："昔我往矣，黍稷方华，……王事多难，不遑启居。"农民因服兵役，连自己的土地都无暇耕种了。

反之，土地所有者，借剥削农民的所得，以度其"旨酒佳肴"、"羔裘逍遥"的优裕生活。这样自然要引起农民的反抗了。

农民的反抗，最初表现为不平之鸣，到了不能聊生时，便只有逃亡。《诗·硕鼠》篇"逝将去汝，适彼乐土"，便是明证。于是领主们，就采用超经济的强制方法，以抑止农民的怨谤和逃亡。

农民因不堪领主的剥削和压迫，就不断发生叛乱，终至采用革命的手段，驱逐了暴虐的最大的土地所有者。《左传》所载："至于厉王，王心戾虐，万民弗忍，居王于彘"，即可以说明农民叛乱的事实。

随着封建经济的发展，人口的繁殖及领主欲望的提高，引起大领主兼并小领主的斗争。自平王东迁以后，所谓地方千里的天子——最大的领主，已降居普通领主之列，而受其他大领主的保护了。

扩大领土，是领主扩大其对农民剥削的根本条件。春秋战国时代的诸侯，便是为这个根本条件所驱策，而互相兼并，使得许多小领主没落下去。周初约有八百国，到春秋末年，仅存四十国，到战国时代，只剩下所谓"战国七雄"了。

和领主间的兼并过程相并行，对农民的统治区域也发生了变化。《管子》云："制国五家为轨，轨为之长；十轨为里，里有司；四里为连，连为之长；十连为乡，乡有良人焉，以为军司。"这种组织是官僚的。官僚主要的公事，是向农民收取租税并征集农民的劳动，以厉行其超经济的强制。因此发生了封建的官僚政治。

春秋时代以后，领主对于农民的剥削关系，在形式上稍有变化，而在程度上却比前加重了。《管子》所载，按民之所得，取其三之二为地租，战国时，孟子说："有布缕之征，粟米之征，力役之征。君子用其一，缓其二，用其二则民有殍，用其三则父子离。"由这一点，可以知道战国时劳役地租与现物地租之重了。

春秋时代以后，农业的生产力是比较发展了。农耕技术已由浅耕而进至深耕，并且土地的开垦也日见增多了。

到了战国时代，商鞅的垦荒和李悝的尽地力，表现出这时的农耕方法更加进步了。农业生产力的发展，是由劳役地租转变为现物地租的条件。

随着农业生产力的发展，领主对于农民的剥削，有加无已，使得人民不能生活下去，如《孟子》所载："彼夺其农时，使不得耕耨，以养其父母，父母冻饿，兄弟妻子离散。"而同时领主的生活，却是"食必粱肉，衣必文绣"，"食前方丈，侍妾数百人"，极尽其奢华之能事，真所谓"庖有肥肉，厩有肥马，民有饥色，野有饿殍"了。这可以想见当时的农民生活状况了。

以上关于中国典型的封建经济，已经简单地说过了。现在来说明中国变相的封建社会,即说明由秦汉至鸦片战争时期的经济状态。

秦自统一列国之后,把从前分散的封建的领有,集合为一个统一的封建的领有,把土地的统治权集中于皇帝一人之手。这最高的统治者,沿袭封建的剥削,仍是履田抽税,其税额与从前的现物地租相同,有时还要超过;而劳役地租则采取徭役的名称,完全由农民担负。

但是所谓新朝的皇帝,对于土地有绝对的支配权。如秦之"封君",是由皇帝颁给大宗土地,靠收取地租以为给养。汉朝有诸王及列侯,由皇帝分授一定的郡县、侯领或食邑,从农民征收地租以为给养。同时封建的统治者,还留有一种籍田、公田和屯田(如汉),作为自己经营农业之用。

这时,和土地的封建领有并行的,还有土地私有制的存在。随着商品经济的发展,土地变成了买卖的对象。本来土地的买卖,在春秋时代,已见端倪。到了战国末年,土地的买卖,才比较地盛行。秦商鞅因秦国地广人稀,田为阡陌所束,农民所耕之地有限,而人力有所不尽;又因阡陌占地太大,多不能垦为耕地,而地力有所不尽。兼之田地的归授,不免有烦扰欺隐的弊端,国家不能完全收税,所以他一旦尽开阡陌,除去从来的禁令,听人民兼并买卖,以尽人力及地力,使人民有田即为永业,不再由国家归授,使地皆为田,田皆有税。于是豪强兼并之风盛行,演出了富者田连阡陌,贫者土无立锥的现象。

所谓土地私有制,就是这样发生的。到了秦并六国统一天下之后,土地私有制已推行全中国了。

田连阡陌的大地主(富农、官僚、贵族、大商人),有的把他的土地出佃于无土地的农民,因而有佃农发生,佃农所缴纳的地租非常苛重。如董仲舒所说,秦时小民"或耕豪民之田,见税什伍"。有的地主,雇用农民去耕种,因而有雇农发生。如《史记·陈涉世家》说,"胜少时常为人佣耕"。此外还有自耕农。如《史记》说陈平"少时家贫,好读书,有田三十亩,独与兄伯居,伯常耕田"。

在秦代发生的这种土地私有制,到了汉朝更加稳定,以后二千余年间都是继续着这种制度。

这种土地的封建领有与土地私有制的并存,就是中国变相的封建经济的特征。

秦汉以后,历代的土地关系,虽各有变化,如晋之限田制,魏唐宋之均田制,元之屯田制,明清之官田与民田等,其租税制度,虽有"租庸调"、"一条鞭"等之别,然其根本的生产关系,与封建制的生产关系是没有差异的。所以我们说由秦汉至鸦片战争的时期,是变相的封建社会。

第二节　都市经济之发展

一、都市之勃兴

(一)都市的发生

关于封建经济的特征,已就农村方面说过了。但是,在封建经济时代,一方面有以自然经济为封建社会基础的领地和农村,同时也有都市。在封建社会中,都市是手工业生产、商业及货币流通的发达的中心。商品生产,高利贷资本及其"双生子"的商人资本等,都在这里成长起来。都市中的行会制度,与农村的封建制度相适应。所以要全面地了解封建的经济构造,就不能不说明都市经济。

封建时代的都市,是采取各种途径而发生的。其中有许多是由罗马殖民地发生的,如法兰西的麦兹(Metz)、德意志的窝尔姆斯(Worms)及奥格斯堡(Augusburg)等。此外如哥罗尼亚(Cologne)、明士(Montz)、巴塞尔(Basel)及斯特拉斯堡(Straßburg),都是罗马的军营。所以都市在封建初期,尽了城堡的作用。都市是一种城堡,她成为邻近农民的避难所,这些农民,当敌人袭击时,就逃入城市中去。为了保护农民,在封建初期,就设立了许多都市。

此外,都市之发生,多由于市场之开设。譬如在封建领主的城堡之下,因为供给他们所需要的物品(武器、装饰品、布帛等),便有商人及手工业者闻风而来,开设市场,因而形成人口密集的都市。如在日本镰仓、室町时代所创立的地方都市,即所谓城下街,便由此形成。普通新起的都市,都是沿着都市城壁外部所设立的市场的附近建设的。但是,经过相当时间,市场就移入都市内部。都市与市场的这种紧密结合,使都市变成了市场的中心。

最后,都市的一部分,是由农村公社变成的。封建领主,给予自己农村居民及在市场出卖商品的商人以许多特权,在自己农村中,建立市场,于是这种农村,就渐渐变成了都市。

封建都市的居民,大部分是非自由民出身,即多半是来自农村。"从中世纪的农奴中,形成最初的都市居民"。邻近地方的农民,流入都市,工匠或商人,也移居于都市。因为市民的耕地、园地、森林和牧场等,都散在于都市的周围,所以都市最初的居民,与农村的关系非常密切。

(二)都市在封建时代的经济生活上的作用

在封建时代,都市,一方面是市场,同时也是手工业生产的中心地。在封建领地中,普通工业品的需要,由农奴供给。在寺院中,农奴和僧侣共同从事于家内工业。但是,凡是需要一定熟练的工作,却要由工匠来操作。这种工匠,一部分是由封建的隶属关系中解放出来的人,一部分是对自己主人支付租税的农奴。这些手工业者,与移住都市而从事手工业的农民,一同形成都市的工业人口,都市变成手工业生产的中心地。

这种手工业生产,在相当程度上,都带有局部的地方的性质。住在都市的手工业者,生产该都市及其附近居民所必需的一切生产物。因此,在各个都市中,手工业者之间,发生各部门中巨大的分工。经过相当期间,这种专门化,日益发展。譬如在都市建立的初期,裁缝一方面削剪绒毛,同时又制作男女服装帽子和毛皮品,并从事刺绣。但到 14—15 世纪,绒毛削剪者、男裁缝、女裁缝、制帽工人、皮匠及刺绣工人等,都成为独立的手工业者了。

手工业生产的一切部门,并非在各个都市中,都能够发达。封建时代的各都市,特别使某种手工业部门发达起来,除了满足自己地方市场的需要外,还有许多剩余。在这种情形之下,各都市或都市集团,就变成手工业生产的大中心,并且那些生产物,超过该都市或地方的领域,而广泛地普及于各处。例如在 13—14 世纪,最好的呢绒的制造,多集中于法兰德斯的都市及德意志莱因河下游地方。因为这些地方,在输入品质良好的英国羊毛上,占较近的位置。

都市手工业者,一部分为定购人而生产,而大部分是为市场而生产。商业不论是零卖商业,或批卖商业,多集中于都市商人之手。然而,手工业生产之大中心地的都市,并不一定同时就是大商业都市。只有成为商品运输中心的都市,才获得伟大的商业意义。譬如德意志南部的都市,大部分是手工业中心地,而北部的都市,却是商业中心地。在意大利,佛罗棱斯主要是手工业都市,而威尼斯却是一个世界最大的商业都市。

（三）都市与农村的对立

在封建经济时代,都市与农村的对立,具有重大的意义。社会的分工之发展,因商品交换而实现,而这种分工的基础,是都市与农村的分离。

> 在中世纪,和在意大利所见的不同,如果在封建制度不因都市例外的发达而破坏的任何国家中,农村总是从政治上榨取都市;同时,都市也是到处无例外地用独占价格、租税制度、行会组织、直接的商人欺骗及高利贷等,从经济上榨取农村。

封建时代的都市,带有许多封建的色彩。"都市的工业,其组织及与之相适应的所有形态,都多少带着土地所有的性质。"

这就是说,封建时代的都市,在政治上隶属于农村。但是,封建领主对于都市的支配,以及都市经济势力之成长与强固,就唤起市民脱离领主势力的要求。因为,在封建经济初期,手工业与农业是完全结合的,随着分工的发展与生产力的增大,在封建领主的领地中,渐渐发生了手工业与农业的分离。这种分离,使得手工业者不得不走进贩卖市场。于是在这些市场的周围,就形成了都市的中心地,手工业者在这里获得了关于发展自己手工业的非常有利的条件。于是随着手工业及商业的发展,在都市与封建领主之间引起了非常激烈的斗争,斗争的结果,使都市从封建领主的羁绊中解放出来。

市民对封建领主的斗争,在西欧继续到数百年之久。参加和指导这种斗争的,是上层的市民。9世纪中叶,意大利的都市,首先开始与封建领主斗争。斗争的目的,是都市自治及农奴的解放。13世纪,波罗格那(Bologna)解放农奴,使脱离主人的束缚。佛罗棱斯,打破了领主领地中的农奴状态。一切意大利的都市都规定出一种规则:凡农奴在都市中生活满一年者,即取得独立的地位。在反封建领主的斗争中,意大利的都市取得了胜利。

继意大利而开始与封建领主斗争的,是法兰西的南部都市,这些都市利用封建领主间的纠纷,从领主手中,获得某种特许权。北部的都市,多从封建领主及国王手中,用货币购买自由。在法兰西,在领主及僧正领地中,虽然发生了许多获得政治独立的公社（Commune）——都市，但其数目，比所谓特权都市的数目较少，虽然也得到若干特许，但对于自己的领主，仍然处在政治的隶属状态及领主裁判权之下。

在英吉利，因为王权太强，都市未能获得政治独立。英吉利的都市，因为支付高额租税，由国王手中获得许多特权。或用货币力量，从封建伯爵手中，获得允许一定特权的宪章。

德意志的都市，虽能由皇帝及世俗的和宗教的封建领主手中获得特权，但未曾得到政治的独立。13—15世纪，在德意志发生了许多都市同盟。如斯瓦比西同盟（Schwäbischer Bund）、莱因同盟（Rhein Bund）及汉萨区盟（Hansa Bund）等。其中有的在巩固脱离封建领主的都市的独立，有的是企图保护自己的商业利益。

封建时代的西欧，许多都市获得政治独立之后，到了15世纪，特殊的都市生活就繁荣起来了。从反封建领主的斗争中，生出了"中世纪的灿烂之花——自由都市"。

二、手工业行会

（一）工业者行会的封建性

封建经济时代工业的支配形态是手工业。它是中世纪都市生产的基础。手工业之从农业经济分出，含有工业与农业分离的意义。从生产者开始，把用自己的原料造成的生产物卖给消费者的时候起，生产者就成了手工业者。

上面说过，都市居民的分化，是很显著的。都市的上层部分，富裕阶层，用尽种种手段，避免外来的手工业的侵入，以保护自己的利益，因而组成了各业的行会（guild）。加入行会的人，都接近于都市的豪族。经过相当期间，行会获得了都市商业的独占权，商业监督权及对于行会会员的裁判权。

手工业的技术，建立在手工劳动之上。简单的劳动手段，只有缓慢地变化和改良。在手工业上尽主要作用的，是手工业者的劳动，这种劳动，需要长期的训练和经验。经过徒弟阶段的手工业者，重复着由子传孙的不变化的工作状态。希望在店东下面变成伙计的徒弟，必须在工作的试验上，表现出自己的熟练。

手工业者行会的组织，不仅反映着在农村中形成的诸关系，而且完全补足地方的诸关系。我们知道,在行会的内部,支配的生产,是伴随着不发达的分工的小规模生产。在那里,手的劳动,占支配的地位。如上面所述,其工作形态,是保持着传统的习惯而不变的。同时,在行会里,又有如像店东、职工和徒弟等特殊阶级制的身份构成。店东或手工业者,是自己工作场的封建的所有者。行会内劳动者的生产活动,为封建的规则所限制,并且店东广泛地利用超经济的方法去剥削属于自己的职工和徒弟。手工业者行会中所存在的诸关系,反映着封建的生产方法及其剥削形态所具有的基本标识。

(二)手工业者行会的任务

行会的基本任务,是调剂手工业的生产和买卖。行会顾虑市场的收容力,首先规定投于市场的生产物数量。这是由于限制生产的人类才能达到的。行会为了减少从事生产的人数,当加入行会时(即取得店东地位时),规定许多困难的条件。

第一个条件,是一定的出身。即只有在一定都市中获得市民权,并且是自由而出身合法者,才能加入行会。外国人、非自由民以及从事"下流职业"者的子孙,如亚麻工人、磨粉工人、牧羊人、更夫、理发匠等的子孙,不得加入行会。换句话说,行会是不许农民及都市无产者子弟参加的。

第二个条件,是技术的性质。即在实际上须学习手艺,最初做徒弟,后来才能升为职工。徒弟学习的期间,因国家和职业而不同:在德意志与英吉利,是从一年到二十年。在前者,徒弟期间,平均是三年,在后者,平均是七年。徒弟学习完毕之后,必须经过职工的阶段,才能再升为店东。但是到了15世纪以后,又加上了一年至五年的游历各国的义务。此外,职工想作店东,必须在行会指定的处所受工作试验,证明自己的技术。这种试验,在受试者方面,简直是不容易逾越的障碍。

第三个条件,是缴纳入会金。并且,凡作完试验工作的人,还要设席宴请行会的店东和职工。此外,还需要许多财产上的资格。所有这些条件,限制新人加入行会,把行会弄成都市的闭锁的身份制组织了。

行会不仅采用限制职工升为店东的方法,同时还直接限制会员的人数。例如15世纪汉堡的金工业店东,限制为12人;窝尔姆斯造酒人数目,限制为44人。在这种情形之下,只有旧会员死亡时,才能收容新会员。同样,在一个作坊中做工的职工和徒弟的数目,也有相当限制。

行会由限制工人数目,进而限制生产手段和生产物。例如 13 世纪的法国,规定一个作坊中所使用的织机的一定数目。有些地方,还规定店东所占有的原料;店东没有收买大量原料之权,而原料常常由行会共同购买。行会规定休息日,规定最大限度的劳动时间,禁止夜工。并规定最大限度的职工的工资,以避免某店东借增加工资以诱惑别家有才干的职工。

行会对于商品的销路,也加以很大的注意。它一方面废止输入商品之竞争,他方面免除行会会员间之竞争。一般禁止都市以外的制造品的输入。即使允许商品输入都市内部,也必须要在商品的贩卖上,加上许多条件。而且普通允许输入和贩卖的商品,都是该都市所不能生产的东西。在都市郊外,外来者,在一哩或一哩以上之一定半径的地方,不得贩卖输入的商品,这个名称叫做"禁哩"。

行会对于会员贩卖商品,也加以许多限制。任何人在都市中,不得有一个以上的店铺。按照行会的规定,决定行会会员贩卖自己商品的最低价格。另一方面,对于食料品就规定其最高价格。

在各都市的行会间,常常缔结共同行为的协定。例如 14 世纪末叶,德国铁匠行会为了与职工斗争,曾互相结成协定。

总之,封建时代,都市中的手工业者行会,包容着会员各方面的生活,施行统制。因此,手工业者的组织得以巩固起来;但在经济发展过程中,随着资本作用的增大,行会就开始没落下去。

(三)中国封建社会的手工业之发展

中国封建时代的手工业,最初也是与农业结合着的。《诗·大雅》篇:"妇无公事,休其蚕织。"《葛屦》篇:"纠纠葛屦,可以履霜,掺掺女手,可以缝裳。"像这种农家的男耕女织,便是农工结合的明证。后来手工业渐渐和农业分离,在都市中发达起来,可是,在农村,两者还是结合着。

以前手工业者多隶属于领主的工作场,如《管子》所说:"昔圣人之处士也,使就间燕,处工就官府,处商就市井。"所谓"处工就官府",显然是说手工业者隶属于领主了。到了春秋时代,手工业者大都可以独立营业了,但对于领主仍负有义务劳动,如《谷梁》所谓"农工皆有职以事其上";《周语》所谓"庶人工商,各守其业,以共其上",即是例证。

到了秦代,手工业者已脱离封建势力而独立,不过也有大商人购蓄奴仆以从事于手工业制造的。这时手工业的制品多成为商品,手工技术已有相当进步了。

至于手工业行会,到宋朝才大见发达。据《繁胜录》所载,"京都有四百四十行";吴月牧《梦粱录》:"市肆谓之团行者,盖因官府买卖而立此名,不以人物之大小,皆立为团行。有名为团者,有名为行者,更有名为市者。"可见当时行会组织已很有可观了。

关于元代手工业状况,以西人《马可波罗游记》之记载较详,据云,杭州的手工业最发达,每种手工业有 1000 工作场,每一工场的人数为 10、15 至 20 人,有多至 40 人者。而手工业老板,是非常富裕,装出绅士的态度。即此可见手工业发达之一斑。元后以迄于明,手工业均无多大发展。但在五口通商以前,中国手工业品输出国外者甚多,由此可以窥知当时手工业发达的盛况。关于这一层,留待第四部中详述。

三、商业的发达、商业资本与高利贷资本

(一)商业发达的一般情况

封建的生产,是"小规模的个人生产。生产机关,只适于个人使用,因而是粗笨的、微小的,只能获得贫弱的效果。生产的目的,是为了生产者本身或领主的直接消费,在消费以外,有剩余生产物时,才拿去出卖而交换;所以商品生产是很幼稚的,但是其中已经包含着社会生产的无政府状态的萌芽了"。

随着农业与手工业的分离,都市的发展,以及生产物交换的频繁,商业首先在都市发达起来,其次便通过地方的市场,而扩张于农村经济之中。即"都市产业,一旦与农村产业分离时,前者的生产物,立刻变为商品,在其贩卖上,需要商业的媒介,这是当然的事情。在这种意义上,商业关系于都市的发达,同时,商业又以都市的发达为条件,这也是自明的事情"。

封建时代手工业生产的地方专门化,是各都市间及各国间商业发达的条件。在都市生活中,商人开始尽其伟大的作用。不过封建时代的商人,还不能把某种商品的买卖专门化,他们只是买卖各种商品。他们所处理的流通手段,当时往往达到极大的金额。除商人以外,同时,寺院和当时发生的银行及国王

等,也经营商业。国王利用自己的权力,掌握某种商品的贩卖独占权。

随着商业的发展,许多商品,都成为封建时代的商业对象了。首先是谷物;其次如鱼类、盐、酒、皮革、蜜蜡、木材、树胶、煤、铜、铁、铅、银等,也是交易的对象。由英国输出的羊毛,意大利、法兰西等地的呢绒和丝织品,以及威尼斯输出的玻璃器等,都流通于欧洲各地。

活泼的商业,盛行于东方各国以及近东各国。欧洲商人,与近东各国相交易,他们在那里,由阿拉伯人手中,购买东方各国的生产物。有名的十字军运动,其目的便是为了占领通达东方的商路,攫取其丰富的财源。欧洲的商人,希望用骑士的宝剑来实现自己的热望。十字军东征的结果,加强了对于东方的商业关系。

所有一切商业,都是为封建社会的支配阶级服役。商品购买者,特别是东方奢侈品的购买者,都是封建领主、寺院高僧及上层市民。

随着手工业与商业的发展,渐渐感到有在各地方各产业部门之间,树立更巩固更长久的结合之必要。于是在西欧,除普通市场外,还发生了无数带着地方性或国际性的定期市场。商人们因为携带商品旅行远方的困难和危险,不得不在短期间内互相会合。从教会或都市的市场会合而发生的商业,就变成了定期市场的商业。

封建时代的商业交换,因为定期市场的发生,就得到某种确定性。这种定期市场,在一定地点和一定时间举行,变为经济生活的经常现象。重要的定期市场,在封建时代的欧洲,具有国际的性质。如 12 世纪前半以来,香槟定期市场,就具有国际意义。来往此地的人,主要的是法兰德斯及意大利的商人,此外是英吉利、法兰西、德意志、斯干底纳维亚、西班牙、萨瓦伊等地的商人。交易的商品有呢绒、皮革、毛皮、布匹、香料、果实、蜜蜡、兽油、谷物、鱼类、家畜、酒类、羊毛、马、乳制品、麻、亚麻、盐、金银、钢铁、玻璃器、帽子、手套等。13 世纪以前,此地也买卖奴隶。此外,如热那亚、不鲁日、安多厄尔比、里昂、法兰德斯、佛琅克佛尔特、苏利士等,都是有国际的性质的市场。

俄国商业的发展,比较缓慢。在 13 世纪以前,特别阶级的商人,在俄罗斯都市中,尚未出现。商人同时就是地主。直到 14 世纪左右,特别的商人阶级才开始形成。虽然各种人民阶层都经营商业,但是全体的商业还没有达到广大的范围。市场是到处都有,11 世纪,在基辅有 8 个市场,交换农产物、家畜、都市手工业品等。但是,地方的交换并不显著。规模稍大的,是在诺弗哥罗及北斯哥弗,那地方的大商人,是同他国交易的公爵和贵族。这种商业,是以公爵及其将士从居民所征收的赋税作基础。诺弗哥罗与西欧实行大规模的批发交易,向西欧输出毛皮、乌拉银、丝绸、脂肪、鱼油、亚麻、大麻等物;对于东方各国,就通过保加利亚而贩卖奴隶。至于由外国输入的商品,多半是王公贵族使用的奢侈品。

(二)商人行会的出现及其作用

商人的行会,是商人实行结合的形态之一。我们所知道的,最初期的行会,是 7 世纪英吉利的商人行会,这是为了互相扶助及法律上保护的目的而组成的。当国家权力衰弱而不能满足社会需要时,私人就组织起来,有时能够完成国家所不能完成的机能。因此,在西欧就发生了商业上的——商人的——行会。它最初是商人携带商品赴他国定期市场时所形成的暂时的商人结合。旅程上协力之必要及共同防御掠夺者之必要,更促进此种结合。在商业地域中,需要协定买卖价格及共同享受特权。于是商人就组成行会,从王权方面用货币购买商业上的特权。

商人行会,因其所图谋的商业性质如何而各不相同。即一方面有因批发的对外贸易而发生的行会,同时还有结合各都市小买卖商人的行会。有许多为了在外国经营商业而加入行会的大商人,同时也加入自己地方的行会。批发商人,在自己故乡都市中,是零卖商人。此外还有一种行商的行会,这种商人,来往各村和各都市,贩卖外国商品,有时也贩卖地方商品。

一切商人,必须缴纳一定现金才能加入行会。行会有特权使行会以外的商人,向行会缴纳关税和罚金,并且借此以吸收新会员。在英国,出卖自己生产物的地主和寺院,也常常加入行会。

以后,商人恐怕竞争,就阻碍新分子加入行会了。

商人行会,在都市生活中,尽了很大的作用。都市贵族,为了在都市中尽其指导作用,而在行会形成之下团结起来,并借以与手工业者行会相斗争。

(三)商业资本与高利贷资本的发达

如上所述,随着农业与手工业的分离及手工业的专门化,而商业便发达起来。随着商业的发达，于是商业资本与高利贷资本就逐渐发挥它们的机能。

商业在相当程度上，带有媒介的性质。"所谓商业资本之独立的发达与资本主义生产之发达成反比例，这个法则，在威尼斯人、热那亚人及荷兰人等所经营的居间商业的历史上，很明显地表现着。这种商业，不仅由于输出本国生产物而获利，更由于媒介落后的各社会生产物之交换，在商业上及其他经济方面榨取双方，而获得主要利益。在这种情形之下，商业资本是纯粹的东西，而且和这种资本所媒介的两极的生产部门相分离。只有这种事实，才是使商业资本得以成立的主要源泉"。

"商业资本，当它站在压倒的支配地位时，到处代表着掠夺制度，无论在新旧任何时代的商业民族中，这种资本的发达，必然与暴力的掠夺——海上强掠、奴隶压迫与殖民地剥削——相关联。"这就是说，封建时代的商业，并非是与直接的掠夺无关的。譬如意大利商人，在十字军时代，曾经屡次掠夺东方各都市。汉萨商人，在北海和波罗的海，曾作过海贼事业。

在各都市中，货币经济，随着商业的发达而发达。但是，在封建时代的欧洲，贵金属之贮藏并不丰富，所以常常感到铸币的不足，因而引起金银输出的禁止，同时，减低铸币的价值。国王和封建领主利用货币铸造权，故意破坏铸币，减少铸币中贵金属的分量。"种种不同的国民铸币一经存在时，在外国买货的商人，需要兑换本国铸币为当地铸币，反之亦然。或者把种种铸币，代替为当作世界货币的未经铸造的纯金或纯银。由此发生改铸事业。……汇兑业便是这样成立的。"

随着商业资本的发达，尤其是货币资本的发达，而以营利为目的的高利贷资本，在封建时代的各都市中也发展起来了。"当作生利资本之特征形态看的高利贷资本，与独立经营的农民、小手工业的店东之小生产的优越性相适应。"在封建社会中，高利贷业者，不仅榨取手工业者和农民，主要的是榨取封建领主。高利贷业，当作一种资本的直接发生过程看，在历史上是重要的。高利贷资本与商人财产，促进了不依存于土地占有的货币财产之形成。

总之，商业资本的发达，与封建经济的发达，具有密切关系的。因为生产物到商品的转变，商品交换的发达，以及货币的种种机能的发达，都是商业资本存在的前提。商业资本，在土地所有者、都市生产者与农民之间，造出货币交换的环境。它一面促使封建领主或土地所有者逐渐加重其对于农民的剥削而增加其财富与权力，一面又促使封建领主支配的崩溃，并引起农民自然经济的分解。它能够促进土地的自由买卖与豪强兼并，又能够促使农民因受土地所有者过重的剥削与高利贷的负债而陷于没落。所以封建经济并不否定商业资本的发展，反而商业资本有破坏封建经济的机能。

（四）中国封建时代商业、商业资本及高利贷资本的发达

中国的商业，在西周时代，已相当发达。如《书经·酒诰》篇："肇迁车牛，远服贾，用孝养厥父母。"《易》云："近利市三倍。"可见当时的商业，已很有利可图了。

到了春秋战国时代，商业发达起来，商品市场也扩大了。封建领主对于商业设关卡，从商人征收关卡税。当时孟子就反对这种税收，他说："古之为关也，将以御暴，今之为关也，将以为暴。"所以他给领主上条陈，主张"市廛而不征，关几而不征"，以为招致商人的条件。

这时，商业资本与高利贷资本，也发达起来了。《史记·货殖传》所载"范蠡以陶为天下之中，诸侯四通，货物所交易，乃治产积居与时还，十年之中，三致千金"。商业资本之膨胀，可以想见。

当时，领主兼营贷借事业，如《庄子·外物篇》："庄周家贫，故往贷粟于监河侯……将贷子三百金。"又《史记·孟尝君传》所载，孟尝君"使人出钱于薛，岁余不入，贷钱者皆不能与其息"。"冯驩至薛，召取孟尝君钱者皆会，得息钱十万"。于此可见高利贷盘剥之甚。

到了秦代，商业的发展已扩张于全国，商人的势力极大。例如巴蜀寡妇清，以一富商妇而邀始皇为之建"女怀清台"。吕不韦以一富商而为窃国之大盗。商人势力之大，可见一斑。

汉兴，休养数十年之后，天下富庶，商业大现发展。商人兼为地主，兼并农民，有参与政权之机会，势力甚大。晁错有云："商贾……忘农夫之苦，有阡陌之得，因得富厚，交通王侯，力过吏势，以利相倾，千里遨游，冠盖往来，乘坚策肥，履丝曳缟，此商人所以兼并农民，农民所以流亡也。"

土地所有者的国家，虽实行重农主义，而对于充实国库与取得货币的要求，不能不奖励通商。如汉武帝之以兵力四向（尤其对于西域诸国）开辟商路,即是一例。所以中国对外贸易的历史,在汉时已开其端了。至于唐代,更与中亚细亚的突厥(土尔其)、阿拉伯、波斯、印度、朝鲜和日本等结成通商关系。到了宋代,因船舶制造的进步,而对外贸易(西方与东方)就趋重于海路了。元代领土跨欧亚二洲,陆海两路的对外贸易均甚发达。元朝末年,战乱频仍,陆路对外贸易停顿,海路亦然,虽因郑和之打开声洋商路,却因海寇猖狂,无大发展,是为闭关主义时代。往后,印度航路发现,才开始了对西方的贸易。

清代对外贸易,在五口通商以前,已经非常发达。关于这一层,留待第四部中详述。

第三节　封建经济的崩溃

一、西欧 16、17 世纪的农村经济

(一)商业资本对于农村经济的腐蚀作用

封建经济构造的根本矛盾,是封建地主与农民之间的矛盾,即大土地所有者与小生产者之间的矛盾。由于这个矛盾,封建社会的生产力就能够逐渐地发展起来(因为封建制能刺激直接生产者提高其劳动生产性)。

封建的生产力之发展,在农业与手工业的分工过程中体现出来。由于农业与手工业的分工,就引起农村与都市的分离和对立,引起商品—货币关系的发达,因而引起商业资本的成长。随着商业资本的成长,封建的经济构造就开始解体,而资本主义的生产方法就开始孕成。因为封建时代的商业资本,依存于封建的生产方法而发挥其寄生虫的破坏的机能,同时,它又是资本之原始的蓄积形态,是资本主义生产方法的前提。

现在先来说明商业资本破坏农村经济的过程。

商业经济发展的结果,在农村方面所引起的大变化,首先是农产物的商品化,引起自然的农业转变为商品的农业。农产物的商品化,从中世纪末叶以来,已经显著,到了15、16世纪,由于商品市场的扩大,更加强了这个过程。农村的生产,不但为了自己的需要,而且为了市场的需要。这时的商业资本,只把农产物当作商品买卖,希图取得利润,而对于农业生产及技术的改良是不注意的。所以商业资本只是消极的破坏农村经济,使农民受它所统治。

商业经济的发展,在农村方面所引起的第二个大变化,就是土地关系的变革,使农民离开土地而转变为无产大众。英国在 15 世纪最后三十余年中,已开始了农业的革命。带有布尔乔亚性的地主,用强力霸占农民的土地,把耕地改为牧羊场。因为供作毛织原料之用的羊毛,销路广阔而价格也高出于其他农产物。所以英国地主利用国会的势力,通过了许多圈地法,实行把农民从土地上驱逐出去。这个圈地的过程。发展很快,在 16 世纪之时,英国 $\frac{2}{3}$ 以上的土地,全落到地主手中了。这不仅限于英国,其他欧洲大陆各国,也是这样。如法国的农村经济的衰落,在 14 世纪已经开始,尤其是"黑瘟疫"以后,农民的土地大现减少,地租和赋税的增加,使农民没有谋得生活的余地。到 15、16世纪之时,农民的土地饥荒,更加严重。随着农民土地的减少,而地主、教会和国王的土地却增加起来。在德国也有同样情形,地主用强权掠夺农民的土地,农民更因领主的横征暴敛以及战祸瘟疫等,陷于破产的境地。欧洲各国的旧土地关系的破坏与新土地关系的形成,是因商品经济而引起的,同时这种新土地关系,又适应于资本主义的生产方法,给农业资本主义造出前提条件。

（二）农民生活的恶化

失掉了土地的农民,生活的悲惨,不能用言语形容。他们提妻挈子,离乡背井,流离失所而形成浮浪的无产者的集团,变为乞丐或盗贼。而同时地主布尔乔亚的国家,对于这浮浪的无产者群,又用尽了惨无人道的方法来毒杀他们。如英国的政府,在 1530 年曾颁布这样的法律:"老幼的及不能劳动的人,可以有权求乞,至于强壮的游民,应受鞭挞及监禁的处分,而把他们绑在押车上,打得他们鲜血奔流。那时他们应该发誓回到故乡或三年前所住的地方去工作。"1536 年,又规定下述的刑罚:二次犯游民罪的,鞭打并割去半身;第三次当作重犯及社会的敌人而处死。这些法律,不比恢复农民田庄等法律那样,而是极端残酷的被执行过。在亨利第八统治之下,曾杀过 72000 的大小窃贼,每年差不多有 2000 人。当时欧洲农民生活的悲惨,于此可见一斑了。

（三）农村人口的阶级分化

在经济状态转变的情况之下,农业方面的人口就发生了阶级的分化。封建的地主或是没落,或者转变为资本主义的地主;农民的富裕阶层,因取得土地而转变为新式的农业资本家;失掉土地的盈千累万的农民,转变为流浪的无产者。

土地的圈围,震撼了旧来的封建秩序,而生出了新式的地主。他们同市场有紧密的关系,在新原理上经营农业。他们以人工肥料和灌溉的形态,投资于土地。用益税和赋税——这些旧的封建的农民剥削形态,对于他们是无益的。因为不自由的劳动,其生产性较低,与其使用隶属农民的无偿劳动,不如对于雇农给以少许工资,反较为有利。这种雇农的工资劳动之代替赋役和用益税,就含有封建关系被资本主义关系所驱逐的意思。

农业生产物的买卖之发展,加深并促进贫富的农民的阶级分化。富农收买贫穷的同村人的土地,租借地主的土地,剥削无土地的农民的劳动。因此,助长了勤劳农民大众之进一步的没落。

丧失土地的农民的一部分,变成雇农,一部分投身于工业,尤其是手工业工场,一部分变为兵士,而其大部分,都陷于失业状态。最后的部分,变为垂死的流浪者、乞丐,有时变为盗贼。政府使用严刑,以防止流浪者的增加。

于是,"依赖市场的经济体制,已经变化了。……商品经济的侵入,使各户的财富隶属于市场,于是由市场的动摇而形成不平等,并使之尖锐化,把自由的货币,集中在一方之手,而使他方没落。这些货币,自然是用去剥削无产者,而变为资本。……最后,使农民完全抛弃了自己的土地,他们已经不能贩卖自己的劳动生产物,只能出卖劳动力了"。这就是说,农民中阶级分化的结果,生出多数无土地的人们,他们对于成长中的工业,供给劳动力。

(四)农民的暴动

农村人口的阶级分化的结果,经济力较强的农民,变成了农村资本主义要素的富农层,用货币买取以前向封建地主缴纳的封建赋役,而获得自由。没落的农民,却呻吟于封建地主、商人及农村富农分子的三重压迫之下,因此就常常发生农民的动乱。

本来,这时资本主义的生产方法,已经在封建主义的胎内开始形成并往前发展了,但是,资本主义支配之决定的确认,由于封建主义的生产关系的否定才能实现。在这种否定上尽决定任务的,是农民革命。在14世纪到16世纪之间,农民运动与战争,扩张到全欧洲各国。14世纪下半期,农民暴动于法国和英国;15 世纪,农民暴动于捷克;16 世纪,农民暴动于德国。

所有这些叛乱,都带着自然发生的无组织的性质,所以结果是农民失败了。农民斗争的主要目的,是在于脱离资产阶级和地主的剥削和掠夺,打破农奴制度的秩序,收回已被夺去的生产手段。虽然他们主观上是为了脱离农奴制的束缚及获得小生产发展的自由而斗争,但是,客观上,却尽了非常高度的革命的任务。因为农民阶级排除了死灭中的封建的生产方法,开辟了商品—资本主义诸关系的发展的道路。农奴革命,清算了农奴所有者,消灭了农奴的剥削形态,引出资本主义的榨取,以代替封建的榨取。

中国封建社会的暴动,在西周时代,就已经发生了。《国语》所载,"厉王得卫巫使监谤者,监谤后三年,乃流王于彘"。足见当时农民暴动的高涨了。秦汉以后,历代都有不断的农民暴动发生,举其大者,有西汉末年"赤眉之乱",东汉末"黄巾贼之乱",唐代末叶"黄巢之乱"及明末"张李之乱"等。并且农民运动中之狡黠者,常利用农民的力量,以达其争夺天下之野心。如汉之刘邦,即其显例。

二、家内工业与工场手工业的勃兴

(一)行会的阶级分化

商品市场急剧的扩大与商业资本迅速增加的结果,在都市方面发生的重大的影响,是行会制度的瓦解,家内工业及工场手工业的勃兴,以及阶级的重新改编。

16 世纪时,商品货币关系的发展,逐渐扩大和进步,破坏了自然经济。而店东与徒弟之间的矛盾,随着手工工场的扩大及店东财富的增加而激化了。因为商业资本对于手工业店东的压迫加强,而店东就不得不加强对于职工和徒弟的压迫,借以解脱自身的困难。譬如,以前主人免费供给职工以衣食住,现在也要钱了。休息日减少,劳动时间越发延长,平均达十五六小时。另一方面,因为职工和徒弟的增多,店东们不能不设法限制职工升为店东,并不许独立开设作坊;对于徒弟学习的年限,尽量延长,由三年到五年,甚至由八九年到十二年。这样的职工和徒弟,已带有近代雇佣劳动者和青年劳动者的性质,他们也在脱离生产手段的状态中。

行会转变为纯粹店东的同盟。于是职工和徒弟就不得不组织自己的同盟，以与行会相斗争。例如15、16世纪，职工同盟广泛地普及全欧。这不仅在一国都市中有这种组织，即在各都市的同一部门的职工之间，都发生了统一几个地方的职工会的同盟。如在法兰西，各种手工业职工之间，发生了紧密的联系。

但是，结果职工和徒弟终于没落下去，他们失去了变成独立的店东以开设自己的工作场的可能性，他们转化为被剥夺了生产手段及生活资料的无产者。

（二）手工业者对于商人的隶属

由于商品市场的急剧的扩大，封建的行会制手工业的商品，不能应付市场的需要了。于是行会的生产，不能不逐渐废除行会的制度，而设法扩大生产的规模。为要扩大生产的规模，就要增加劳动力与生产手段。增加劳动力的方法，只有不顾旧日的限制，多收学徒，多雇帮工。增加生产手段的方法，大都是仰赖于商业资本家供给金钱或原料。照这样，行会制度就起了解体的作用，而商业资本家就侵入于手工业生产的领域，更进而统治手工业了。

然而行会制的商品生产，无论如何，仍旧不能满足国际市场的莫大的需要，所以又引起商业资本侵入于农村的手工业的领域。商业资本侵入农村手工业的结果，便是农村中家内工业的组织。商业资本家剥削家内手工业，比较有利而且容易。因为家内手工业者分散而没有组织，不像城市的行会能够和商业资本家相颉颃。所以商业资本更容易的统治家内工业而得到莫大的成功，并使家内手工业向前发展，而给城市手工业以巨大的打击。

（三）家内工业的成长

行会之进一步的衰微，是与家内工业的发展相结合的。家内工业发生于农村，它是农民的副业。农民使用家属的劳力，在自己家里，生产许多的物品，如布匹、粗呢和革具等物，遇有剩余物时，才拿到市场出卖。但是在出卖自己的商品一点上，家内工业者比较都市的手工业者更加困难。正因为这个理由，就出现了一种居间人——普通是农村的富农。居间商人，把家内生产物，转卖于远方的广泛的市场。

最初，商人只购买制成的物品；后来，更开始供给家内工业者所使用的原料。结果，一切原料，都由居间人分配于家内工业者，而家内工业者，再把这些材料,加工制造。在这种情形之下,家内工业者,就完全变成居间商人的俘虏。

为居间人而经营的家内工业,随着行会势力的削弱,就达到都市。都市的闲散工人和农村的家内工业者一样,完全隶属于商人。他们在别的主人之下取得工作时,需要居间人的保证书。只要以前的主人不表示满意,任何人都没有给他工作的权力。家内工业者,如果稍微忤犯商人时,必然要失掉工作。

这样,特别形态的资本主义的家内工业,就渐渐形成了。按照这种制度,劳动者从资本家的企业者手里领得一切材料,而以一定价格提供制品。于是家内工业者,就由小经营主,一变而为资本家企业主的工资劳动者了。

(四)工场手工业的出现

在家内工业中,随着分工的发展,各个手工业者,不能生产全部商品,只能制造其一部分。例如在制造钟表上,一个手工业者在家里制造发条,另一个手工业者制摆,第三个手工业者制文字板,第四个手工业者制造框子,把这各部分结合起来,才成为一个出卖于市场的商品。此时制造各部分零件的一切小经营者,都是给一个主人——资本家做工。

家内工业达到这种发展阶段时,就转化为资本主义的工场手工业了。在工场手工业的生产上,资本家用一定的工资,雇用数十个或数百个劳动者。这些劳动者,使用资本家的工具和材料,去作某一部分的工作。在这种情形之下,工作都是用手操作的。

手工业者和家内工业者,是出卖自己小工作坊的制品于需要者或居间人的小经营主。工场手工业的劳动者,是出卖自己的劳动力于资本家的无产者。在工场手工业时代,商人就转化为资本家的工业者及企业主。

除了分散的工场手工业外,还有集中的工场手工业。资本家把分散在各个小屋的劳动者集合在一个工作场,供给他们劳动工具和原料。

协业的劳动,提高了劳动者的劳动生产性,而在企业主及其雇用人的直接监督之下做工,更能够提高劳动生产性。

在资本主义的工业形态的发展上,工场手工业,是构成手工业及具有原始资本形态的小商品生产与机械的大工业(工场)的中间的一环,这一点含有重要的意义。工场手工业,接近于小营业,因而它的基础仍然是手工的技术;所以大经营不能彻底地驱逐小经营,不能使营业者完全脱离农业。随着大市场的发生、使用工资劳动者的大经营的发生、大资本的出现、机器的发明及利用,手工业工场才转化为近代的机械工场。

如上所述,我们知道,生产的增大,在都市和农村都引起了自然经济的崩溃,加强商业的意义和范围,助长都市的发展。同时,商业的发展,反而成为生产增大的刺激。

结果,封建的手工业—行会工业崩溃,手工业者隶属于商人,大部分都没落下去,被驱入手工业工场。资本主义的工业,在封建经济的母体内成熟了。

三、单纯商品经济与资本主义商品经济

在考察封建经济的崩溃过程时,我们看到怎样由农民与手工业者的小商品生产转化为资本主义的生产。在资本主义生产和它所继承的单纯商品经济之间,具有许多不同之点。在单纯商品经济方面,生产手段属于生产者自己,因为生产者就是他自己所生产的商品的主人。例如手工业者的鞋匠,有自己的器具,自己的钉子和麻线,自己买皮革等来做。他所制造的鞋子,在订货人没有给完鞋价以前,鞋子是他的。他的目的,在于把制造出来的鞋子,交换那满足他的欲望所必需的各种资料。当然卖鞋得来的钱,是一部分拿去买新的器具与材料等的。他为了满足自己的需要,仍要继续的生产。

在资本主义经济方面,情形就完全不同了。资本主义的特征,不仅是人们为了在市场交换而生产商品的一个事实,并且生产商品的直接劳动者,被剥夺了生产手段。这些东西,完全归资本家所有,那自己不能使用自己劳动力的劳动者,为了不饿死起见,不能不出卖劳动力于资本家。这时,劳动力也变成商品了。这个事实,正是商品资本主义的根本特征。劳动者在资本的企业中受榨取,勤苦的生产生产物——商品,然而它已经不归生产者的劳动者所有,而是归雇用他的"主人"——资本家所有了。

资本家把劳动者所生产的商品,拿在市场去卖,他并不是为了维持自己的生活(像在单纯商品经济上,商品生产者的行动一样),而是为了获得利润。

以上所述,便是单纯商品经济与资本主义经济之间最根本的不同之点。

但是,除了这些重要的差别以外,单纯商品经济与资本主义经济还有一个共同点,就是他们都以生产手段的私有权为基础。

单纯商品经济,是资本主义经济的萌芽,"小生产不断的、天天的、时时刻刻的、盲目的、并且大规模的产生资本主义与布尔乔亚"。

按照小商品生产在生产过程中的作用,它的性质是二重的:一方面,他为大资本家——工厂主、商人、高利贷者、封建地主所剥削;另一方面,他却是生产手段的私有者,并且力图追随着资本家的后尘。

小商品生产,因其散漫性,不能形成独立的作用,更因其二重性,而动摇于布尔乔亚与普罗列达里亚之间。目前在资本主义国家,尚存有几千百万的小商品生产者,即在现代社会崩溃以后,他们还可以在相当期间残留着。所以理解了小商品生产的二重性,担负建设新社会使命的阶级,就可以引导他们去参加新社会的建设。

单纯商品经济,在历史上是先于资本主义而发生的,而且是资本主义发生的先决条件,所以我们在研究商品—资本主义的时候,必须从单纯商品经济开始。

习题四

一、试说明封建的经济构造之基本特征。

二、试说明封建制与奴隶制的区别。

三、试说明封建经济与资本主义经济的区别。

四、试说明劳役地租、现物地租与货币地租的区别及其历史的关联。

五、封建制与农奴制是不是同一物?

六、何谓"亚细亚的生产方法"?

七、封建时代的都市发生的过程如何?

八、都市在封建经济生活中的作用如何?

九、手工业行会是怎样成立的? 它在封建经济生活中的作用如何?

十、商业资本在封建经济生活中的作用如何?

十一、高利贷资本在封建经济生活中的作用如何?

十二、封建末期农民生活的状况如何?

十三、封建的土地关系之变化与农村人口之分化,有何关联?

十四、封建末期手工业行会制何以瓦解?

十五、工场手工业的性质如何?它如何发生?

十六、试说明单纯商品经济与资本主义商品经济之区别。

第 二 部

资本主义的经济形态

第一章 商 品

第一节 商品的二重性

一、资本主义研究的始点——商品的分析

（一）当作资本主义社会的细胞看的商品

资本主义经济形态的研究（狭义经济学），在广义经济学中，是最重要的一部分。在这里，我们研究的对象，是"资本主义的生产方法及与之相适应的生产关系和交换关系"，简括地说，即是资本主义的经济构造。

资本主义的经济构造，是一个非常发达的复杂的现象。它比较其他社会的经济构造，具有很多的标帜和特性。当我们观察资本主义社会时，我们所看见的东西，是显现于资本主义关系的表面上的许多现象，如价格、利润、利息、地租、工资、竞争、恐慌、失业、罢工等。

我们如果直接在现象的全体上，在它的多样性上去考察资本主义，便不能说明资本主义发展的原动力，不能理解它的运动法则。

从具体的东西，从现实的前提开始，例如在经济学上，从全社会生产活动之基础和主体的人口开始，这似乎是正确的。但是，仔细考察起来，就知道这是错误的。如果抛开了构成人口的各阶级，人口就成了一个抽象物。又假使不知道各阶级所根据的要素是什么，例如工资劳动、资本等，阶级也只是一句空话。并且这些要素，又以交换、分工、价格等为前提，如果没有工资劳动、价值、货币、价格等，资本就不会存在。所以我们若从人口开始，就只能得到一种关于全体的混沌的表象。我们应当由比较精密地规定，渐渐分析到单纯的概念。即从具体的东西，渐渐进到稀薄

的抽象的东西,最后进到最简单的规定。然后我们由这里再转回来,顺着旧路再达到人口。但是,这已经不是关于全体的混沌表象的人口,而是含有多数规定和关系的丰富的总体的人口了。

这就是说,我们对于资本主义生产方法的研究,必须从表现"具体的全体之各个方面"的诸种范畴的多样性中,抽出表现资本主义社会的最普遍关系之最单纯的、抽象的范畴。换句话说,资本主义的研究,应当从最单纯的、规定资本主义的特征开始。

资本主义社会最大量的、最日常的关系,是商品生产者间的关系。这种关系,表现于劳动生产物的商品形态、价值形态之中。"在资本主义社会中,劳动生产物的商品形态或商品的价值形态,是经济上的细胞形态。"商品交换,是资本主义所固有的、最单纯的现象,是最普及的不断反复的现象。所以"在资本论中,首先分析资本主义(商品)社会的最单纯的、最普通的、最根本的、最熟知的、最日常的、几十亿万次遇见的关系即商品交换"。因此,我们的分析,要从这个细胞形态开始。

（二）论理的分析与历史的现实之关联

在资本主义社会中,商品的生产和交换,是非常复杂的。在这里,商品通常不是由大工场主的资本家直接出卖,而是经过大小商人之手而贩卖的;并且生产手段的所有者(资本家)与劳动力的所有者(劳动者),都要进到商品交换的关系之中。但是,我们开始研究时,绝不能就来研究这种复杂的关系,所以,在理论上,我们应从资本主义的生产关系抽出单纯商品经济的关系,从这种单纯的关系,去开始研究资本主义。我们知道,单纯商品生产者间的生产关系,在历史上先行于资本主义的生产关系,资本主义,是从单纯商品生产成长起来的。"小生产经常的、每日自然成长的、大量规模的产出资本主义和布尔乔亚。"所以,我们研究的理论上的出发点,与历史的现实是完全适应的。

本来,商品生产,在资本主义发生的最早以前,便已存在。但在当时,商品生产还带有极不发达的萌芽的性质。随着资本主义的发展,商品生产,才变为普遍的发展的生产形态。

在种种色色的社会生产组织中,生产物都采取商品的形态。但是,只有在资本主义的生产中,劳动生产物的这种形态,才不是例外的、单独的、偶然的,而是一般的。

但是,随着商品生产的发展及其转变为资本主义的生产,包含在单纯商品经济中的矛盾也增长并发展起来了。因为"商品和商品交换的各个行为,在其未发展的形态上,已经包藏着资本主义的一切主要矛盾了"。

因此,我们要想指出资本主义的发生、发展及其灭亡的法则,暴露出决定其发生、发展与灭亡的资本主义生产的矛盾,就必须在其发展上(从单纯的矛盾到复杂的矛盾),研究资本主义的各种矛盾。

"资本主义的生产方法支配着的社会的财富,出现为一个'庞大的商品集积',各个的商品,出现为它的原基形态。所以我们的研究,从商品的分析开始。"根据这种分析,才能在最单纯的现象(资本主义社会的细胞)中,说明现代社会的一切矛盾(因而说明一切矛盾的萌芽)。

二、商品的二重性——使用价值与交换价值

(一)当作使用价值与交换价值的统一物看的商品

现在,我们来分析商品。商品是人们以拿到市场交换为目的而制造的劳动生产物。

商品,第一是满足人们某种需要的东西;第二是可以和别的东西相交换的东西。

商品首先是因其自然的性质(力学的、物理的、化学的、生物学的,等等),而满足人们的各种需要的东西。商品的这种有用性,使它成为使用价值。即是说,在它满足人们的需要这一点上,商品是使用价值。例如面包有使用价值,因为可以充饥;棉布有使用价值,因为可以用来做衣服。

使用价值,在一切社会中都是存在的。即是"不论财富的社会形态为何,使用价值总形成财富之物材的内容"。并且因为"物是许多属性的总和,所

以,能够用于种种方面"。譬如树木不单可做燃料,而且可以用来做房屋、工场、汽船、马车等的材料。

使用价值虽然是在一切社会中都存在的范畴,但它的各种性质的利用,却是历史的发展的产物。

随着科学的发达,人类可以在物品中发现从来所未发现的新属性。而这些属性,能使这物品适合于种种方面的用途。例如酒精,在以前,主要的是用作饮料,但到今日,在工艺上或化学上都已用作溶剂,在医学上也用作消毒剂了。

随着人类的社会生产与社会关系的发展,人的欲望也发生变化,因此,"具体的使用价值,适应于各发展阶段上的人们"。物具有"怎样的使用价值,这完全依存于社会的生产阶段"。

任何商品,都必须有使用价值,但只有使用价值的东西,还不能成为商品。并且"使用价值只在消费过程中实现",所以,使用价值只显现于人与物的关系之中,它只表现人与物的关系,并不表现社会的生产关系。因而使用价值不能成为经济学的研究对象,而只能成为商品学的研究对象。

任何有使用价值的生产物,必须人们把它拿到市场去和别的生产物相交换之时,它才成为商品。因而一切生产物要成为商品,不仅出现为使用价值,并且必须出现为交换价值。在生产物采取商品形态的商品经济之中,使用价值出现为交换价值的物材的担负者。

交换价值,首先出现为一种使用价值与他种使用价值相交换的量的关系、量的比例。例为 X 量的 A 种商品与 Y 量的 B 种商品相交换,即 XAW = YBW。在这个比例中,含着下面一个方程式:XAVL = YBVm(V 是表示某种共通物)。这就是说,在 AB 两种商品的各单位中,都含有某种共通的东西 V,因为这种共通物 V,在 A 商品里,含有 L 量,在 B 商品里,含有 m 量,所以用 X 量乘 A,恰恰和用 Y 量乘 B 所得的结果相等。

从这一点看来,我们可以知道:交换价值,只存在于一种商品与别种商品的关系之中,并表现着使用价值不同的两种商品的某种同等性。这种同等性,证明着各个商品具有某种共通的东西,因而具有互相交换的能力。

所以,"各种商品,与它的自然形态及其当作使用价值利用的必要的特殊性质无关,都可以在一定分量上,互相平等,在交换上,互相替换,当作等价通用;又不管它的外观的复杂性如何,都表现同一的本质"。

因此,我们可以知道,一切商品,在我们面前,都出现为两个契机的统一,即使用价值与交换价值之对立的统一。如果没有这两个对立契机的统一,就不是商品,而只是单纯的劳动生产物。

(二)劳动是价值的对象性

然则,各种商品的某种同等性,即共通的东西,究竟是什么?

各种商品之中的共通物,当然不是商品之"几何学的、物理学的、化学的及其他自然的属性",即不是它的使用价值。因为两种商品(例如 1 石米与 16 丈布)互相交换,其使用价值各不相同。使用价值的质不相同的东西,当然在量的方面不能互相比较。譬如 1 斤盐值 1 角,1 斤糖值 2 角,我们能够说甜味的用处要比咸味大 2 倍吗? 甜味与咸味,这两者孰轻孰重,根本不能比较。所以,"当作使用价值看,各种商品首先是不同的质,但当作交换价值看,各种商品只能是不同的量,所以也不含有使用价值的一分子"。"当作交换价值看,一种使用价值,只要与别的使用价值处于一定的比例时,它就和这第二种使用价值,有同样的价值。"因此,我们可以知道,商品的使用价值与交换价值,是互相制约,互相排斥的东西。使用价值排斥交换价值,交换价值排斥使用价值。当作使用价值看的商品是异质的东西,当作交换价值看的商品是同质的东西。

所以,诸商品之中的共通物,必须在交换价值之中去探求,不能在使用价值之中去探求。这种共通物,是表现为交换价值的诸商品中内在的东西,即是量有差异而质却同等的东西。在使用价值各不相同的诸商品之中,如果舍去了那些不同的使用价值的自然属性,同时就把那使劳动生产物成为使用价值的物体的诸构成部分和形态也都舍去了。这样一来,劳动生产物,已经不再是桌子、房子、纱线或其他别的有用物了。它们一切可感觉的属性都消失了。这时,它们已经不再是木匠劳动、建筑工劳动、纺织工劳动以及其他一定的生产劳动的生产物了。随着劳动生产物有用性的消灭,而表现于劳动生产物的劳动的有用性也消灭了。于是,这些劳动的种种具体的、规定了的诸形态也消灭了。各种劳动已经不是互相区别的东西,它们都被还原为同样的人类劳动,还原为抽象的劳动,即单纯的人类的劳动。各个商品所以能在量的方面互相比较,就是因为它们都是这样的劳动生产物。

经过这样抽象的考察以后,一切劳动生产物就只表示着:在它们的生产上,支出了人类的劳动力,在它们本身中,体现着人类的劳动。这些劳动生产物,当作它们所共通的社会的实体之结晶看来,就是价值,就是商品的价值。

所以,"在商品的交换关系或交换价值中所显现的共通物,就是商品的价值"。因而价值的基础是劳动(交换价值是价值的现象形态,关于这点,后面再加以说明)。

(三)劳动生产物之转化为商品

然则劳动生产物为什么会变为商品呢? 这是要由社会的一定的经济构造来说明的。

任何劳动生产物,假若它没有使用价值,即假若它的属性不能供人们利用,不能满足人类的某种需要,它就不能成为商品。所以,"使用价值的存在,是商品的必要条件"。

然而并非凡有使用价值的一切生产物,都能成为商品。"使用自己的生产物来满足自己本身的需要的人,虽能造出使用价值,但没有造出商品。"要想使生产物成为商品,"人们不仅要生产使用价值,并且要生产为他人的使用价值,即社会的使用价值"。

然而只是为他人生产使用价值,生产物还不能成为商品。例如中世纪的农民,作为贡税缴纳于封建领主的谷物,都是为别人而生产的,但这些谷物不能因此而成为商品。"要使生产物成为商品,必须该生产物通过交换而移转于把它用为使用价值的别人的手中。"

根据上面的说明,我们可以知道,劳动生产物,必须在商品生产的社会之中,才能转变为商品。商品生产的社会,是建筑在社会的分业与生产手段的私有这种根据之上的。在这种社会中,各个生产者,依着私有财产的原则,私有着生产手段,各人冒着恐怖和危险,为自己的利害而劳动。所以在这里生产的生产物,出现为"私的劳动"的生产物。

但是,这种"私的劳动",现实上并不能互相分离而完全独立存在。因为在各生产者之间,存有一定的分业,他们分任社会劳动的一部分,各人用自己的劳动生产一定的生产物,因而他们不能不互相结成一定的关系(交换关系),互相交换其劳动生产物。

现在,假定有一个制鞋的企业,鞋店老板,无论他是怎样独立的,但他首先需要制造制鞋原料的企业的劳动生产物;并且他还要制造制鞋工具及钉子的企业的劳动生产物。不但如此,鞋店老板,并不能吃鞋子度日,他要到面包铺买面包,他要请裁缝店缝衣服。而裁缝店同样是需要工具、原料和食物等。

如果在各个生产者之间,不能结成交换的关系,他们就不能维持其生活(如鞋店老板没有面包吃,裁缝匠没有鞋穿之类)。所以,各个商品生产者,不能不通过交换,把自己的劳动生产物变为商品。因而在这种社会中,各生产者是互相依存的,又是互相背反的。这种相依性与相反性,形成矛盾,出现为生产与消费的矛盾。

根据上面的说明,我们可以知道,劳动生产物,在商品经济之中,演出一定的社会的机能。商品或商品交换,把各个分散着的生产者,结合为一个统一的全体,即商品社会。人与人的关系,表现(即体现)于商品之中。所以,商品这种东西,不是单纯的物品,而是具有表现人与人的关系之机能的物品。人与人的这种关系,就是各个分散着的商品生产者间的关系,即是在一个社会中互相为而劳动的人们间的社会的劳动关系、社会的生产关系。在这样的社会的劳动关系之中,就存有我们所要探求的一切商品的共通物。这个共通物,就是:一切商品都是商品社会中各个商品生产者的劳动生产物。当作这样特殊的社会的劳动生产物看的商品,即是价值。价值是把商品作为被比较的东西的共通物。

(四)当作商品经济的主要矛盾之表现看的商品的内在矛盾

由于以上的说明,我们知道,商品是使用价值与交换价值的统一,更正确地说,商品实是使用价值与价值的统一。这种统一,是种种契机的统一。使用价值与价值,实际上是全不相同的东西,是互相对立的东西。第一,商品的使用价值为其自然的性质所规定,反之,价值决不为其自然的性质所规定。第二,使用价值表现人与物的关系,价值表现人与人的关系。第三,使用价值存在于一切社会中,价值只存在于商品社会中。第四,使用价值表现商品的差异,价值表现商品的相似性、同等性。

使用价值和价值虽有种种差异,但两者却是同一商品的两方面,都存在于同一商品之中,即两者形成一个统一。

使用价值和价值的统一,是矛盾的统一。在这矛盾的统一中,反映着商品生产的社会劳动与私的劳动之矛盾。

实际上,任何商品,一经生产出来,早已具有价值和使用价值。可是生产商品的本人,是不把它消费的。他所以生产商品,不是为了使用价值,而是为了价值。即是说商品生产者对于商品的注意,只是商品可以交换,可以由交换而得到别的商品。如果"商品对于它的所有者是使用价值,即如果它是满足生产者本人的欲望的简单手段,那就不是商品。简单地说,它对于所有者不是使用价值,只是单纯的交换手段……所以它对于别人,不能不是使用价值"。

但是,各个商品生产者,在生产商品时,是盲目的活动着,他们只能预想到也许有人需要自己的商品,购买自己的商品,可是不知道别人需要多少什么商品。而各种商品能够在什么程度上满足社会的需要,究竟在什么时候才能决定的知道哪些商品能够卖出去,能够和别种商品相交换,这是要在把所生产的商品拿到市场和别的商品接触以后,才能知道的。所以纵使商品在交换以前已经体现着社会劳动的某些部分,纵使商品在卖主手中已经具有使它成为使用价值和价值的各种属性,但在它被卖出以前,同一商品的价值和使用价值是互相对立而不能结合的。

交换,使商品的价值和使用价值都显现出来,即是使两者的统一和矛盾性都显现出来。交换显现出从前被隐藏着的各个"私的劳动"的社会性,暴露各个商品生产者的劳动的社会性及其私的形态的矛盾。

商品生产中固有的各种矛盾,是在商品经济生产本身中发生的,不过在交换上出现,并不因这种交换而消灭。

因为人们不知道市场中究竟有多少和自己所生产的同样的生产物,也不知道究竟有多少买主,所以他们只是盲目地去生产。因此,在商品经济中,人们所生产的商品,常常不能找到销路,因而不能实现其价值和使用价值。这就是在商品生产之下不能消除使用价值与价值的矛盾的原因。

这一点,在资本主义生产过剩的危机之时,表现得更加尖锐。那时,一方面,大批商品堆积着,找不到销路,不能实现其价值;他方面,劳动大众丧失了必需的生活资料。

私的劳动与社会劳动间的矛盾,是商品生产的主要矛盾。商品生产与交换的发展,引起商品生产的主要矛盾的发展与深化,同时引起使用价值与价值间的矛盾之发展与深化。

商品的使用价值与价值间的内在矛盾,采取商品间的外在矛盾的形式而出现(关于这一点,在本章第三节中再详加说明)。

第二节　劳动的二重性

一、具体劳动与抽象劳动

(一)劳动二重性的分析之意义

然则商品的这种二重性,究竟是从什么地方发生出来的呢?为要说明这一点,我们不能不更加深入地去暴露商品二重性所由发生的根据。我们在前面已经知道,价值表现商品的质的同等性,而价值本身是由劳动所决定的。在这个基础之上,商品的同等性,事实上是商品的生产所消费的劳动之质的同等性。可是,各种使用价值不同的商品,是由质不相同的各种劳动生产出来的(如米、布、衣、帽、鞋、袜等生产所费的劳动,是质不相同的劳动)。这样看来,各种商品,在其使用价值各不相同这一点,是各种质不相同的劳动生产出来的;但是当作价值看,各种商品,又必须是由同质的一样的劳动生产出来的。于是,在商品是使用价值与价值的统一这个事实之下,显然又存有另一种矛盾。即是说,生产商品的劳动,必须是异质的东西,同时又必须是同质的东西。

于是,我们就看到,商品的二重性,又以劳动的二重性为前提。这劳动的二重性,也是要由商品经济的特性来说明。在商品经济中,各个生产者因私有财产而互相隔离,一切的劳动,都直接地出现为私的劳动、个人的劳动。当劳动在价值中被表现之时,它才不能不出现为社会的劳动,出现为在一个社会中互相为而工作的人人的劳动。而各个商品生产者间的社会的劳动关系,是在价值之中反映着。于是,生产商品的使用价值的劳动,同时必须是生产价值的劳动;直接地成为私的劳动的劳动,同时又必须是社会的劳动。劳动的二重性,是在商品的二重性之中隐藏着。商品的二重性,即是劳动的二重性之反映。所以,要彻底地理解商品的二重性,首先要理解劳动的二重性,因而劳动二重性的分析,是理解商品经济的关键。

(二)具体劳动与抽象劳动

上面说过,在商品经济中,一切商品,首先出现为私的劳动的生产物。因为它是在与别的利害不同的企业中被生产的。但是,要使劳动能在私的形态上存立,就需要各个私有企业生产不同的使用价值,因为只有在这种条件之下,各个企业间的交换才有可能。实际上,鞋子与鞋子交换,是毫无意义的。

既然不同的商品生产者,生产不同的使用价值,所以,各自的私的劳动,应该具有各自的特殊形态。例如鞋匠制鞋,与木匠制桌,不能不有不同的生产活动。这种生产活动,是依照它的目的、方法、对象、手段等而被决定的。

各个生产者的劳动,在它创造特殊的使用价值时,就叫作具体劳动。

鞋子与桌子,是异质的使用价值;同样,制造鞋子与桌子的劳动,即鞋匠劳动与木匠劳动,也是异质的劳动。如果这些物品不是异质的使用价值,因而不是异质的具体劳动的生产物,它们就绝不能够当作商品,互相对立。一双鞋子不会和一双鞋子交换,一个使用价值不会和同一的使用价值交换。所以,每一个商品的使用价值,必然含着一种合于一定目的的生产活动,即具体劳动。

然则,各个商品生产者的私的劳动,就单是特殊的具体劳动吗?

当然不是。因为各个商品,不仅具有不同的使用价值,而且具有共通的价值。这就是说,各个商品生产者的私的劳动,同时就是商品经济的全体社会的劳动之一部分。所以,各个商品生产者的劳动,不单是相异的,而且是相同的。

每日的经验告诉我们,无数的交换,把一切极复杂的不能互相比较的使用价值,不断地弄成相等的东西。在社会关系的一定体制中,这些可以不断地互相比较的各种物体间,究竟有什么共通物呢? 这就是劳动生产物。由于交换生产物,人们把种种劳动弄得相等。所谓商品生产,就是各个生产者所由造出各种生产物……而且这一切生产物在交换时可以互相比较的社会关系的体制。所以,存在于一切商品中的共通物,不是一定生产部门的具体劳动,一定种类的劳动,而是抽象的人类劳动,即一般的人类劳动。在全商品的价值总额中所表示的特定社会的总生产力,是一个同一的人类劳动力。

这样看来,我们可以知道,商品的使用价值,是由特殊的具体劳动所形成,而商品的价值,是由一般的劳动即抽象劳动所形成的。

(三)具体劳动向抽象劳动的转化

我们如果把各个商品生产者的劳动比较起来,首先就看出他们的劳动不单是不同,而且同时是等质的。因为他们都是在劳动过程中支出了他们的筋肉和神经等。

如果我们抽去生产活动的一定性质,即劳动的有用性,那么,剩下的就只是人类劳动力的支出了。裁缝劳动与织匠劳动,虽然是异质的生产活动,但它们都是人类的头脑、筋肉、神经、手足等的生理的支出,而且在这种意义上,它们都是人类的劳动。

生产不同商品的各个商品生产者的劳动,只有当作"生理上的人类劳动力之支出",才能转化为单一的社会的抽象劳动。

但是,个人的私的劳动之成为社会的抽象劳动,因为社会的性质不同,而能有直接的与间接的差异。在非商品的社会中,个人的劳动直接出现为社会的劳动;反之,在商品社会中,个人的劳动,必须通过商品的交换,才能表现为社会的劳动。

例如在自然的农民经济中,人们专为直接满足自己的需要而生产,所以,劳动首先是在其具体的形态上出现的。这时,在农民家庭中,各个工作者,要从事一定种类的劳动(耕作、收获、纺纱等),才有意义。在交换发展以前,农民的劳动对于榨取者的地主所以重要,正因为它是具体的劳动——制造"主人"所必要的一定物品的劳动。

在商品经济中,各个商品生产者生产使用价值的具体劳动,直接出现为个人的劳动,即出现为各自分散着的生产者的劳动、为私有财产所有者的劳动。但是,各个商品生产者之间,并没有直接的联络(因为无政府的、无计划的经济)。他们之间的联络,必须通过市场,通过交换,而间接地显现出来。因而各个商品生产者的劳动之社会的性质,也只有通过市场,通过交换,才间接地显现出来。在这种意义上,各个商品生产者的劳动,是采取商品的形态而互相交换的(即人与人的关系,采取物与物的关系的形态而显现)。

商品的交换，表现着商品的同等性。而商品的同等性，即是由劳动所决定的价值的同等性。因而各种商品生产者的劳动同等性，是采取商品的同等性而在交换上显现的。例如1担米与16丈布相交换时，就是表示着农夫的劳动与织匠的劳动，有完全的同等性。所以，在商品与商品相交换之时，商品生产者的个人的劳动，转化为社会的劳动，具体的劳动转化为抽象的劳动。换句话说，当商品与商品相交换之时，各个分散着的隔离着的生产者的劳动，从各个生产者的见地看来，是生产使用价值的个人的劳动、具体的劳动、异质的劳动，但在交换这种社会的见地看来，就被还原为抽象的人类劳动了。

（四）抽象劳动的历史性与实在性

由以上的说明，我们知道，在自然经济中，劳动之社会的性质，采取具体劳动的形态而出现。但在现存的商品经济的社会关系之下，劳动的社会性，才在抽象劳动的特殊形态上出现。这种劳动的特殊形态的同一性，正是商品经济的特征。所以，抽象劳动，不是自然的生物学的范畴，而是社会的范畴、特殊的历史的范畴，即它是商品经济固有的东西。

而且我们知道，在现在的商品经济社会之中，"人类劳动的一定分量，随着劳动需要方向的变化而变化，或是采取裁缝劳动的形态，或是采取织匠劳动的形态。劳动形态的这种变化，也许不是无障碍的进行的，可是不能不变化"。

这就是说，劳动形态的变化虽不是无障碍的，而劳动从一部门移到别部门去的倾向，却是无条件的存在的。所以商品经济中各种劳动的统一，即形成价值的抽象劳动的存在，是商品交换过程中自然发生的结果，并不是我们意识中的抽象作用的产物。劳动的具体性的抽象，是在商品生产中客观地发生的，与人类的意志、意识和希望全无关系，人们思维上的那种抽象，只是现实本身中发生的客观的过程之反映。

总之，商品生产者的劳动，在资本主义的经济形态中，出现为抽象劳动，即社会的劳动；同时又不失为具体的劳动，即劳动力的消费之具体的、合目的的形态。所以，商品经济中的劳动，和由它所制造的商品一样，也带着二重性和矛盾性。

（五）抽象劳动与价值

如上面所说，在商品经济中，个人的具体的劳动，直接出现为私的劳动。具体的劳动，在特殊形态上，在抽象劳动的形态上，变为社会的劳动。决定商品价值的东西,是抽象劳动,不是具体劳动。

但是,在市场上直接交换的东西,是商品与商品,并不是劳动与劳动,因而商品生产者间的劳动关系,在交换上并不明了地在外面显现出来,而是隐藏于物与物的关系的背后的。所以劳动的同等性,在交换上显现为物的同等性,而价值显现为互相同等的物的性质。实际上,市场上的商品同等性的背后,隐藏着采取抽象劳动形态的各种类的人类劳动的同等性。所以价值不表现商品(即物)的同等性,而表现各商品的生产所耗费的劳动的同等性。换句话说,价值不是商品之自然的性质,而是抽象劳动之物的形式。

所以抽象劳动与价值的关系,是内容与形式的关系。抽象劳动是价值的内容(即价值的对象性),价值是抽象劳动的表现形式。形式与内容,是不可分的结合着。价值只由抽象劳动形成,而抽象劳动只在价值的形式中存在。

如上所述,抽象劳动,是商品生产者间的社会的生产关系的产物。因此,成为抽象劳动之表现形式的价值,变为生产关系的表现形式,是各个商品生产者间的生产关系之物的表现形式。更进一层说,价值就是采取物的性质的形式的商品生产者间之社会的生产关系。所以,价值是社会的、特殊的历史的范畴,即是暂时的(非永久的)、商品经济所固有的范畴。

二、单纯劳动与复杂劳动

(一)单纯劳动与复杂劳动的换算

在社会的生产过程中,我们不单看出各种具体的劳动形态,并且可以看出单纯劳动和复杂劳动的区别。

各个生产者的劳动,因其所采取的具体形态、劳动者的熟练和技能的程度,劳动强度及其复杂性的程度,而各不相同。有的劳动,不需要训练和学习,或需要极少的训练和学习;有的劳动,需要相当期间的训练和学习。前一种劳动,叫作单纯劳动(或不熟练劳动),后一种劳动,叫作复杂劳动(或熟练劳动)。前者如泥水匠的劳动,后者如机器匠的劳动。

那么,复杂劳动,在同一时间单位内,能够比单纯劳动形成更多的价值吗?能够的。

因为商品价值的大小,不是由最后的生产者的劳动支出来决定,而是由参加该商品的生产之全体人员的劳动支出来决定（自然，生产的各个参加者的劳动，不是出现为个人劳动，而是出现为社会的必要劳动。关于这一点，后面再加说明），即价值的大小，是由它的生产上所必要的社会劳动总量来决定。

从社会的见地看来，为了造出熟练劳动的生产物，社会不单支出了熟练劳动者本身的劳动，而且支出了在这熟练劳动者的学习中所费的许多劳动。譬如要养成一个机器匠，到他会工作的时候为止，一定要花费许多的时间和工夫。在这学习期中，不但花费了徒弟本身的劳动，而且花费了师父的劳动以及其他制造学习时所使用的种种材料的许多人的劳动。

但是，社会对于熟练劳动者学习时所支出的劳动，是要在熟练劳动者的劳动的使用时来渐次补偿的。这就是说，学习期间所耗费的劳动，要在复杂劳动的生产物的价值上作部分的补偿。所以，"复杂劳动，就是自乘的或者加倍的单纯劳动，因而，少量的复杂劳动，便等于多量的单纯劳动。"而且"经验告诉我们，复杂劳动向单纯劳动的这种还原，是不断的进行着。一个商品，纵然是复杂劳动的生产物，而它的价值却使该商品与单纯劳动的生产物相等，因此，它本身只表示着单纯劳动的一定分量"。

例如我们来测量机器匠的复杂劳动，我们以单纯劳动的时间来做测定的单位，假定他能够完全作一个机器匠的期间是从 20 岁到 45 岁，即 25 年。再假定他受 4 年训练，而在这 4 年中，师父为教授这个徒弟要费 $\frac{1}{4}$ 的劳动时间，于是训练时期就是 5 年。所以，他每年的劳动中要加上 $\frac{1}{5}$ 年的受训时耗费的劳动。于是机器匠的劳动比泥水匠的等量的（时间上的）劳动生产物多形成五分之一的价值，即复杂劳动的 1 小时，等于单纯劳动的 $1\frac{1}{5}$ 小时（这里所说的，不是劳动者在一个劳动时间内所得的工资或价值，而是劳动者在一个劳动时间内所对象化了的商品价值）。

从复杂劳动到单纯劳动的这样的还原，这叫作换算。这种换算，虽然是在生产上进行的，可是因为商品经济的自然成长性的结果，只有通过市场才能发现。

我们为了节省换算的麻烦及解说方便起见，把一切复杂劳动，都直接看作单纯劳动。

三、个别劳动与社会的必要劳动

（一）社会的必要劳动之分析

如上面所说，在商品经济中，人类的社会的劳动，出现为抽象劳动的特殊形态。而这种抽象劳动，正是形成价值的基础。

那么，价值的量，即价值的大小是怎样测量的呢？这显然是由商品中包含的劳动量来测量的。那么，劳动量又是怎样测量呢？换句话说，即计算劳动时，用什么做单位呢？

抽象劳动，是特殊的社会的范畴，不能还原于单纯的生理的支出，所以它的多寡只有用社会的单位，才能够测量出来。这社会的单位，就是劳动时间，即"劳动的继续期间"。所以，抽象劳动、商品价值，是用劳动时间来测量的。

照这样看来，生产各种商品所费的劳动时间越多，那商品的价值就越大。

但是，我们能否说，各个商品生产者生产同种商品的时间不同，其商品的价值也要不同吗？或者生产者越懒，生产条件越坏，他所生产的商品的价值就越大吗？当然不是。

如我们所知，形成价值的对象性的劳动，是同一的人类劳动，是同一的人类劳动力的支出。显现于商品世界的价值总和之中的总劳动力，虽由无数个人的劳动力所构成，但是，在这里，可以把它们看作完全同一的人类劳动力。因之，由各个生产者的个别劳动所生产的各个商品，就出现为单一的社会劳动（为生产一定商品的全部而使用的全社会所支出的劳动）的代表。所以，同一商品的每一单位，在市场上都有一样的价值。

所有商品的总价值，不是用各企业家所支出的个别劳动决定的，也不是用最高或最低的个别劳动决定的，而是用平均的社会必要劳动去决定的。

所谓"社会的必要劳动，是在平均程度的技能与强度之下，在生产的社会标准条件之下，生产某单位的商品所耗费的劳动量"。如上面所说，劳动量的本身，是由劳动时间测量的，因而社会的必要劳动，是由社会的必要劳动时间测量的（"社会的必要劳动时间，就是在社会上正常的生产条件与劳动的熟练及强度的社会的平均条件之下，生产一种使用价值所必要的劳动时间"）。于是测定价值大小的社会单位，就是社会的必要劳动时间。

现在，假定在生产力的一定发展阶段、技术和劳动力的一定熟练状态上，制造一双同样材料的袜子，上等的制袜者要费两小时，中等的要费四小时，下等要费六小时。

这很明显的，制造一双袜子所费的社会必要劳动时间，比下等的个别劳动低，比上等的个别劳动高。

在这种情形之下，能够说，社会的必要劳动时间，是2、4、6的算术平均数即4小时吗？

当然不能这样说。因为平均的社会必要劳动时间，不是由技术程度不同各企业的个别时间之单纯的算术平均数所决定，而是由特定时期特定产业部门的生产力之一般发展程度所决定，即由技术的一般状态、劳动条件、劳动者的习惯及劳动的强度等所决定。同时还关系到技术程度不同的各企业在同一部门全体商品生产上所占的比重。某一企业在特定产业部门中越占有大的比重，该部门全体的社会必要劳动就越是接近于这一企业的个别劳动。

如上例，假如上中下三种制袜业，在社会上有同等的比重，在制袜业上均占平等的地位，制造等量的袜子，那么，在这种情形之下，社会的必要劳动时间，现实上是会与2、4、6的算术平均数即4小时相一致的。

可是，假如三种企业没有同等的比重，这时，上中下三种企业中哪一种企业所占的比重较大，社会的必要劳动时间就更接近于该企业的个别劳动时间，这是自明的事情。

如上所述，社会的必要劳动时间，为社会的生产条件及劳动生产性所决定。但是，互相为劳动的商品生产者，在生产商品时，是不能自觉地计算社会的必要劳动时间的。

即使假定每个商品生产者，例如制造袜子的生产者，虽然知道在袜子的生产上支出了若干个别劳动，然而他仍旧不能决定社会的必要劳动。因为那不但要知道自己支出了若干劳动，同时还要知道全社会在袜子的生产上支出了若干劳动，但在商品经济的盲目性之下，这是不可能的。

所以，存在于商品中的社会必要劳动，是处在隐蔽的形态中。只有当生产完毕而商品投到市场以后，先前隐蔽着的社会必要劳动才显现出来。

上面说过，价值的大小，就是形成价值的抽象劳动，而社会的必要劳动，又是在一定诸条件之下商品单位的生产所必要的劳动量。然则所谓社会的必要劳动决定价值的大小,也就是说社会的必要劳动量决定抽象劳动了。究竟社会的必要劳动与抽象劳动是同一的东西或是有差别的东西呢? 抽象劳动与社会的必要劳动,绝不是两种不同的劳动,而是决定价值的同一的劳动。这同一的劳动,在规定价值之质的方面时,它是抽象劳动;在规定价值之量的方面时,它是社会的必要劳动。简单点说,社会的必要劳动,是表现价值的量的同一的抽象劳动。所以价值的大小,是由社会的必要劳动(或社会的必要劳动时间)去测量的。因而社会的必要劳动,也是社会的范畴,是商品经济所固有的东西。

现在,关于社会的必要劳动,还有一个重要的问题,就是:商品价值的大小,不是由生产的劳动去决定,而是由再生产的劳动去决定。换句话说,即不是由商品生产上已经耗费的劳动量去决定,而是由在现存生产条件之下生产新的商品所费的劳动量去决定。

譬如你有一架纺织机,它是六年前制造的。假定制造这架机器所费的社会必要劳动时间,等于 1000 小时。在这六年中,完全没有使用它,一点也没损坏。现在你打算卖掉它。可是,在这过去的六年中,机器生产的技术进步了。这时制造一架纺织机比从前快 1 倍,即只要 500 小时就够了。那么,这架机器的价值是多少呢? 别的生产者的纺织机都是值 500 小时,因而你的机器的价值,也是 500 小时。

所以,"商品的价值虽由商品中包含的劳动量来决定,但是,劳动量本身的决定,却带有社会的性质。如果一个商品生产上的社会必要劳动时间发生变化,……那么,在以前的商品上,便起溯及作用。因为这以前的商品,只具有商品种属之个别单位的作用,它的价值,是常依社会的必要劳动,因而常依现存的社会生产条件下的必要劳动来测量的"。

(二)社会的劳动生产性与价值

商品价值的大小,既然由社会的必要劳动或社会的必要劳动时间所决定,它必然随着社会的必要劳动时间的变化而变化。社会的必要劳动时间越是减少,商品价值越是减低;反之,商品的价值就增高。因而,商品价值的大小,与一定商品的生产上所费的劳动量成正比例。

在另一方面，一切商品的价值，又与劳动的生产性成反比例。劳动生产性越是向上，一定商品的生产所要的劳动时间越是减少，因而价值就相应的减低;反之，劳动生产性减低，商品生产所要的时间就增多，因而价值就相应增高。

劳动生产性的向上，由于生产力的发展，所以，价值大小的变动，是反映商品社会的生产力的运动的。

但是，我们要知道，社会的劳动生产性的变动，只能变动商品单位的价值，并不变动生产出来的价值的总量。譬如在以前假定某种商品在 10 小时内可以生产 20 个，这种商品的总价值，就等于 10 小时，每一个商品的价值，就等于 $\frac{1}{2}$ 小时即半小时。到现在，假定该部门的劳动生产性提高 1 倍，即在 10 小时内可以生产 40 个商品。这时商品的总价值并无变动，即仍旧等于 10 小时，而每一个商品的价值变动了。它已经不是 $\frac{1}{2}$ 小时，而是 $\frac{1}{4}$ 小时了。所以"同一的劳动，不管其生产力如何变化，在同一时间内，常是造出等大的价值"。

于是我们知道，社会的劳动生产性的变动，并不影响产出的价值的总量，只变动产出的商品单位的量，因而变动商品单位的价值。

但是，进步的新机器的采用与劳动生产性的增大，要在它们多少被普及以及新机器在全社会的劳动生产性上多少发生显著的影响时，才能引起社会的必要劳动时间的变动。

譬如某商品生产者，虽然由于采用新机器，提高劳动生产性，因而减少商品生产上所必要的个别劳动，在同一时间内可以生产更多单位的商品;可是当这种机器只为一个生产者或少数生产者所采用时，它在社会的必要劳动上不发生什么影响。因为他的企业在该种商品的全部生产中所占的比重还小，因之他所省下来的时间，就被解消于其余同业者所费的劳动总量中去了。但是，他的个别劳动，如果低于社会劳动，那么，新机器的采用，对于他自然是有利的。该种商品的个别价值与社会价值的差额，便归他所有了。正因为这样，所以在商品——资本主义经济中，各个企业家都拼命采用新机器，隐瞒着自己的改良，提防同业的模仿。可是，当许多商品生产者都采用新机器时，技术的改良便很显著地表现在社会劳动的生产性之上。这时，不但设有新机器的各企业的个别劳动减少，连社会的必要劳动也减少，因而商品的价值就低落。而最先采用新机器的生产者所得的商品价值的差额利益就没有了。自然,此后各个企业家还要拼命追求,以便采用更完全的机器。

社会劳动生产性之自然成长的向上和商品价值之自然成长的低落,便是这样进行的。这种情形,在资本主义经济之下,比在单纯商品经济中更加迅速了。

随着资本主义生产方法的出现,社会的劳动生产性就开始急速向上,商品的价值就开始急速低落。

因此,我们知道,商品经济生产力的发展,是根据价值法则而进行的。价值法则是商品生产的运动法则,是它的生产力的发展法则(关于这点,后面再详细说明)。

第三节 价值形态

一、价值的现象形态

(一)从本质到现象的过程

前面的研究过程,是从现象到本质的推移的过程。我们在前面已经说过,商品是资本主义生产方法的细胞,所以我们的研究,应从商品的分析开始。我们分析商品,首先发现了商品的二重性即使用价值与交换价值(其本质是价值)。商品的二重性,形成商品的内的矛盾。更进一步的分析,发现了在商品的二重性的背后所隐藏着的劳动的二重性,知道了商品的二重性是商品中所包含着的劳动的二重性之外的表现。生产使用价值的劳动是具体劳动,生产价值的劳动是抽象劳动。具体劳动,直接出现为个人的劳动,通过交换,才变为社会的劳动、为抽象劳动。因而构成价值的对象性的东西,是抽象劳动。分析再往前进行,就暴露了劳动的二重性及其内的矛盾,又是社会的分工与生产手段私有(即社会的生产与个人的占有)这种矛盾的显现。社会的生产与个人的占有,是商品经济的根本矛盾,是劳动生产物转化为商品的根据,是商品的二重性及内的矛盾所由显现的根据。

所以我们的研究,采取了如此的顺序,即商品的二重性→劳动的二重性→社会的生产与个人的占有间的矛盾。从这个顺序的另一方面看来,是交换价值→价值→抽象的劳动。在这些对立的契机之中,决定的契机,是社会的矛盾、商品经济所固有的社会的生产与个人的占有间的矛盾。这个根本矛盾的发展,必然出现为劳动的二重性。而劳动的二重性又表现于商品的二重性之中。从交换价值→价值→抽象劳动这顺序说,抽象劳动是决定的契机,这抽象劳动,采取劳动生产物的价值那种形式,而价值通过交换价值而实现。

依照上面的方法,我们能够把捉隐藏于现象之后的本质。商品的价值是由抽象劳动决定的。价值是抽象劳动的表现形式,是商品生产者社会的生产关系之表现形式。

以上是由现象深入于本质的过程,即是分析的过程(下降过程)。

从这里起,我们应当回头过来,开始由本质上升到现象的过程,即开始综合的过程(上升过程)。综合过程的始点,是分析过程的终点。所以我们要从社会的生产与个人的占有这根本矛盾开始,追踪根本矛盾的发展,采取怎样的具体形态;追踪价值采取怎样的现象形态而顺次发展起来;说明价值的运动过程及运动法则。只有依照这样的方法,才能理解商品的现象与本质的统一。这是往后进行研究的过程。

(二)价值与交换价值(价值形态)

根据前面的研究,我们已经知道,价值即是在商品中体现了的抽象劳动。可是,商品的价值究竟怎样地显现出来呢?

价值虽由劳动所决定,虽然似乎能够直接由劳动时间去测量。但在无政府的商品经济之中,那种计算商品的生产的社会的必要劳动量的机关,是不存在的,并且也不能存在。各个商品生产者要计算在商品中体现的社会的必要劳动,也是完全不可能的事情。

价值是把人的关系在物的形态上表现的东西。价值只有通过商品这种物的关系,即通过商品交换才能表现。这物的关系,表现人的关系,因而它自身是社会的关系。

所以价值的现象形态是交换价值,即是一商品的价值要用别商品来表现它的那种形态。例如 1 担米与 16 丈布相交换,就是说 1 担米的价值要由 16 丈布来表现它,因而 1 担米的交换价值是 16 丈布。

交换价值,是价值之必然的唯一表现形式。因此,交换价值又是商品生产者间的关系的表现形式。

一切商品,如果一个个地分散地孤立起来,决不能有交换价值。一个商品,只有在它与别的商品相接触(交换)之时,才采取交换价值的形态。"交换价值,至少要在两个价值现存的场合才存在。"

所以交换价值,是一商品的价值通过他商品而被表现的东西。这就是价值形态。

价值与交换价值有别。因为价值是在商品中对象化了的抽象劳动,而交换价值是一商品对于他商品的关系,两者并不是同一的东西。但价值与交换价值同时又形成统一。这个统一,是本质与现象的统一。所以交换价值与价值,不能混同。如果把交换价值还原于价值,看作和价值一样,那就不能理解商品交换的意义,也不能理解货币的本质。反之,如果把价值还原于交换价值,看作和交换价值一样,那就湮灭了价值的社会性,陷入于把价值解释为在交换中发生的物物关系的那种俗流的谬见。此外,如果切离价值与交换价值的关系,就会演出下述的错误:把价值看成非历史的范畴,把交换价值看成历史的范畴。

价值和交换价值有内在的联结,而形成一个统一。价值只能通过交换价值而表现,交换价值只当作价值的表现形态而存在。

(三)相对价值形态与等价形态

如上所述,一商品的价值通过他商品而表现的形式,叫作价值形态。价值形态,可用下述方程式表示。

XAW = YBW(X 量的 A 种商品等于 Y 量的 B 种商品)

用实际的数字写出来,就是:

1 只羊 = 8 斗米

在上述方程式中,羊用米表现其价值。用别的商品表现自己价值的商品,站在相对价值形态(例如方程式左边的羊),因为这个商品是通过它与别的商品的关系而表现自己的价值的。至于表现第一商品价值的商品,是等价形态(例如方程式右边的米),因为它对于第一商品是等价。

站在相对价值形态上的商品,与站在等价形态上的商品,其使用价值必然是不相同的。当作使用价值看的商品的差异,是显现出商品的价值的必要条件。

相对价值形态与等价形态，互相结合，不能分立。羊如不与米相交换，就不成为相对价值形态；米如不与羊处于对立的地位，就不是等价。两者形成对立的两极，站在两种形态上的两种商品，也演着对立的作用。站在相对价值形态上的商品（羊），出现为价值；站在等价形态上的商品（米），出现为使用价值。在米与羊相交换时，羊的价值，是用米的使用价值表现的。当作使用价值看，羊与米不同；当作价值看，羊现在与米相同。商品的有形物（米），变成羊的价值的镜子。

等价形态的特色，就是其中的使用价值成为它的对立物即价值的表现形式。当作全体看的价值形态，是相对价值形态与等价形态的对立物的统一。

我们已经知道，一切商品是使用价值与价值之对立的统一。到了交换之时，商品的内的矛盾，就在外的对立中表现出来。这个外的对立，就是两个商品的对立，相对价值形态与等价形态的对立、价值与使用价值的对立。于是商品中所包含着的使用价值与价值的矛盾，就依靠两个商品的关系而表现出来了。

等价形态上的商品，由于它本身的物质的对象性，即由于它的使用价值，表现出相对价值形态上商品的价值。这种现象，表示着等价的商品有表现别种商品的价值的属性。但是等价的商品（米）所以能表现羊的价值，是因为它对于羊处在社会的关系之中。表现羊的价值的米的能力，并不是米的自然的属性，而是当作商品看的米的社会的机能。正因为米表现羊的价值，畜牧业者与农民的生产关系才显现出来。

所以等价形态这东西，隐蔽着人与人的关系，它使人与人的关系，采取物的自然属性的假象。

等价的商品，由其使用价值表现相对价值形态上的商品的价值，——这是等价形态的第一特性。

其次，使用价值是由具体劳动造出的，价值是由抽象劳动造出的。在等价形态上，具体劳动，变成它的对立物的抽象劳动的表现形式，——这是等价形态的第二特性。

还有，在商品经济中，具体劳动直接出现为个人的劳动，抽象劳动是社会的劳动。在等价形态上,个人的劳动,变为它的对立物的社会的劳动,——这是等价形态的第三特性。

价值形态之分裂为相对价值形态与等价形态,是现实的商品社会中之实在的事实。商品社会的生产关系以及社会的生产与个人的占有之矛盾,是在这两个价值形态之中显现的。

于是我们知道,在这个价值形态中,使用价值与价值的矛盾、具体劳动与抽象劳动的矛盾、个人的劳动与社会的劳动之矛盾,是照上面那样被表现并被解决的。

以上只说明了价值形态之质的表现,现在再说明它的量的表现。

价值形态之量的表现,与相对价值形态上的商品价值的变化为正比例,与等价形态上的商品价值的变化为反比例。

就 $XAW = YBW$ 这个方程式举例来说,可以有下列几种情形。

1.A 商品的价值变动而 B 商品的价值不变时,A 商品的交换价值的变动,与 A 商品本身的价值的变动为正比例。

2.A 的价值不变而 B 的价值变动时,A 的交换价值的变动,与 B 的价值的变动为反比例。

3.A 和 B 的价值同时以同样比例向同一方面变动时,A 的交换价值不变。

4.A 和 B 的价值同时向着不同方向变动时,或者虽循着相同方向而以不同的比例变动,A 的交换价值就有种种变动。

所以价值与交换价值有区别。商品的价值不变,而其交换价值可变;有时价值变动而交换价值不变。

二、价值形态的发展

(一)单纯的价值形态

如上所述,价值形态,表现商品社会的生产关系。但商品社会的生产关系是变化的、发展的,因而价值形态也随着变化,由单纯的形态发展到复杂的形态。

最单纯的价值形态,是两个不同的商品直接交换的形态。这种形态,又叫作个别的或偶然的形态。因为在这种形态中,劳动生产物,偶然的、例外的与别的劳动生产物相交换而变为商品。这样的商品性,这样的商品形态,是偶然的东西,也可说是商品的萌芽形态。所以单纯的价值形态,是与交换的发生、交换的萌芽相适应的东西。这种价值形态的方程式就是前面所列举的,即如:

1 只羊 = 8 斗米

单纯的价值形态,从历史上看来,是属于人类的幼稚时代的东西。当时人类的生产,还带有极自然的性质,人类还在原始共同体之中生活着。当时人类所生产的生产物,还只能维持自己的生命。即令偶然有一点剩余生产物,也还是自然的蓄藏着,或者任其腐朽。直到一个共同体遇到别的共同体,而这共同体也偶然有别种剩余生产物存之时,才偶然地把各自所有剩余生产物(在农业共同体是米,在游牧共同体是羊),互相交换。这两种过剩的生产物,也只是偶然的采取商品形态。但这时商品与商品之量的交换关系,也完全是偶然的。因而这样的生产物,只是抽象劳动的有限制的、一面的凝集物,还没有成为真正的商品。

但是,在这种单纯的价值形态中,商品的内的矛盾,得到了一种解决。即商品的使用价值,通过交换而出现。商品对于它的所有者实现为价值,对于买者实现为使用价值。个人的具体的劳动与社会的抽象的劳动间的矛盾,在等价形态上得到"解决"。不过所谓矛盾的"解决",并不是矛盾的消灭,而是暂时解决矛盾,并创造新的矛盾,使矛盾更加发展。

在单纯价值形态中,一种商品(羊)只和另一种商品(米)相交换,一种商品"与其他一切商品的质的同等性和量的比例性,还不能表现出来"。这是单纯价值形态的缺点。

(二)扩大的价值形态

单纯价值形态发展起来,就转变为总计的或扩大的价值形态。扩大的价值形态,是一商品和其他许多商品相交换的形态。这就是在相对价值形态上站着一个商品而在等价形态上站着多数商品的价值形态,可以用下述的方程式表示出来。

1 只羊 = 8 斗米

= 50 斤鱼

= 12 丈布

= 4 架犁

＝60斤油

＝10分金

＝8两银

扩大的价值形态,从历史上看来,是原始共同体的劳动生产力比较发达了的结果。因为随着生产力的发展,那在原始社会中已经萌芽了的自然的分业,就逐渐地发展起来。最初出现了的显著的自然发生的社会的分业,例如农业民族与游牧民族的分业,往后又发生了手工业。社会的分业与氏族的财产(就最初情形说,氏族与氏族之间各有其自己氏族的财产。这氏族的财产,虽是全氏族的公产,而对于他氏族说,却是该氏族所有的东西)的发达,又增大劳动生产力,能够生产出超过自己的消费以上的剩余生产物。于是畜牧民族就经常地把羊供给于农业氏族或渔业氏族,换取羊以外的东西(如米与鱼等)了。往后,氏族共同体之中,发生了私有财产,于是社会的分业在私有制之下发展起来,从前仅在氏族共同体相互间实行的交换,现在也在氏族内部的个人相互间出现了。于是物物交易日趋频繁,交换渐渐变为经常的事业了。于是交换过程,已不是从前那样的单一商品与单一商品相交换的关系,而一个商品能够与其他许多的商品相交换了。这种交换,已不是偶然的例外的现象,而是经常的有规则的现象了。总之,生产力的发展,促进社会的分业与私有财产的发生发展,而私有制之下的社会的分业的发展,又促进生产力的发展,因而扩大了交换的基础——这是单纯价值形态转变为扩大的价值形态的由来。

在扩大的价值形态上,一个商品,在具有种种使用价值的其他许多商品中,表现自己的价值。价值之社会的本性,在这里比较在单纯价值形态,更加明了。一商品的价值用许多不同的使用价值来表现,这正是证明价值对于具体表现着的使用价值的特殊形态,是全无关系的。因而相对价值形态上的一个商品与等价形态上的许多商品之间所具有的共通物(即抽象劳动),也比较可以容易地看出来,这种事实,虽然还没有充分明了地显现着,但站在等价形态上的各商品的各种具体劳动,表现同一的无差别的一般人类劳动(即抽象劳动),因而显现出各种劳动的同质性。

但是,随着商品生产与交换的发展,商品的种类和数量不断地增加起来,商品经济中扩大了的诸矛盾,就不能在扩大的价值形态中得到解决。因为扩大的价值形态,含有以下的三个缺点。第一,站在等价形态上的商品,随着新的商品的发生,可以引申到无限的排列,所以站在相对价值形态上的商品的价值表现,在这时绝不能算是完全的东西。第二,这种价值形态,是由于种类不同的种种价值表现的混合而成的。第三,各商品的相对价值,都用扩大的形态表现出来,各商品的相对价值形态,就与其他各商品的相对价值形态,成为不同的价值表现的无限排列。相对价值形态的这种缺点,也反映于等价形态之上。因为等价形态是由许多种类的商品占领着,必须要这些商品集合起来,才能变成一个抽象劳动的现象形态。如果单取等价形态上的诸商品中的任一商品来看,还不能成为抽象劳动的完全的现象形态。这些缺点,暗示着价值形态,不能不向前发展。

(三)一般的价值形态

然而扩大的价值形态,也包含着和它相反的关系。就上例说,一个商品所有者,把自己所有的羊和米、鱼、布、犁等许多商品相交换,而羊的价值由其他一系列的商品所表现时,其他许多商品所有者,也必然地把他们的商品和羊相交换,他们的种种商品的价值,就由羊这种同一的第三商品所表现了。扩大的价值形态中所包含着的这种相反的关系,用实例表现出来,就得到如此的方程式。

$$\left.\begin{array}{r} 8 \text{ 斗米} = \\ 50 \text{ 斤鱼} = \\ 12 \text{ 丈布} = \\ 4 \text{ 架犁} = \\ 60 \text{ 斤油} = \\ 10 \text{ 分金} = \\ 8 \text{ 两银} = \end{array}\right\} 1 \text{ 只羊}$$

这是一般的价值形态的方程式。这个方程式,在表面上看来,或者在数学上看来,好像和扩大的价值形态那个方程式是一样的,但在经济学上看来,却有不同的社会的意义。

在一般的价值形态中,第一,各商品已没有价值的长系列,只用一个商品表现它的价值,因而价值表现的方法,非常简单。第二,一切商品,现在都用同一的商品表现其价值,因而各商品的价值具有同一的表现。所以一切商品的价值形态,是简单的,是共同的,因而是一般的。

一般的价值形态,是"商品世界的共同事业的成果"。因为在单纯的价值形态中,一商品的价值用不同的另一商品表现它;在扩大的价值形态中,一商品的价值,用许多商品的排列表现它,因而"每一商品给自身以价值,是那一商品的私事,它不得诸商品的协力,不能成就"。至于一般的价值形态,一切商品的价值,同时用共通的等价物表现出来,得到了一般的价值表现。

商品世界的一般的价值形态,必然对于那种与诸商品相对立的一商品,即成为等价的商品,给以一般等价物的性质。现在我们来说明一般等价物的这种性质。

由于一般等价物的出现,一切商品都表现为与一个特殊商品(就前例说,即是羊)等质等量的东西。一般等价物(即商品羊),以其自然的形态,具体地表现出其他一切商品的价值;一般的人类的劳动、抽象劳动都在一个具体物之中显现出来;一切私的劳动都在一个私的劳动之中,表现为社会的劳动。换句话说,一般等价物(商品羊)之中,体现了私的劳动,变成表现社会的劳动的一般形态。于是商品生产的诸矛盾,就在这一般的价值形态中得到解决(矛盾的解决,不是矛盾的消灭,前已说明)。

但在一般的价值形态中,一般等价物,并不固定于特定的一个商品。演着这种作用的东西,有时是甲商品,有时是乙商品,有时是丙或丁等。

由于商品生产与交换的向前发展,发生了要求固定的一样的一般等价物的事实。于是,适应于那种社会的要求,商品世界便分化出一种特殊的商品,去充当固定的一样的一般等价物。这就是货币商品。从此一般等价物就固结于货币这种特殊商品形态了。于是货币这种特殊商品,在商品世界中,演着一般的等价作用,而这种作用,就变为商品的特殊的社会的机能,因而成为社会的独占。

(四)货币的价值形态

当着贵金属一类的商品出现为一般等价物的商品而独占着一般的价值形态中的等价形态的位置时,一般的价值形态就推移于货币的价值形态。在货币的价值形态完全发达的处所,独占着一般的等价形态的东西,"在历史上是特定商品即金"。其方程式如下：

$$
\left.\begin{array}{r}
1\ 只羊 = \\
8\ 斗米 = \\
50\ 斤鱼 = \\
12\ 丈布 = \\
4\ 架犁 = \\
60\ 斤油 = \\
等等 =
\end{array}\right\} 10\ 分金
$$

从单纯的价值形态到扩大的价值形态，从扩大的价值形态到一般的价值形态时，都显现了本质上的变化。但货币的价值形态，除了金代替羊采取一般的等价形态一点外，它与一般的价值形态，并无差异。货币形态中的金，与一般价值形态中的羊，还是同一的东西，即同是一般的等价。货币形态比较一般价值形态进步的地方，就是：一般的等价形态，现在依着社会的习惯，结局变成与金这种特殊的实物形态相结合了。

金曾经当作商品，与其他诸商品相对立，所以现在当作货币而与一切商品相对立了。金也曾经和其他一切商品一样，发生过作用，后来渐渐地在或小或大的领域中，去尽一般的等价的机能了。金在商品界的价值表现上一旦独占这种地位时，就变为货币商品；在它成为货币商品的瞬间，货币形态才与一般价值形态发生区别，而一般的价值形态就推移于货币形态了。

货币形态的理解上的困难之点，只限于一般的等价形态的理解上面，也就是限于在一般价值形态的理解上面。一般的价值形态又重新把它自己分解为扩大的价值形态，而其构成要素，却是单纯的价值形态，即 1 只羊 = 8 斗米或 $XAW = YBW$。所以单纯的价值形态就是货币形态的萌芽。

第四节　商品拜物教及其秘密价值法则的本质

一、商品拜物教的一般概念

（一）商品拜物教的由来

由于价值形态的考察，我们知道，价值和由价值表示的人与人的各种特殊关系,非通过价值形态,即通过物与物的关系,不能表现。

实际上,各个商品生产者的劳动,直接出现为私的劳动,出现为由私有财产所隔离的人们的劳动。私的劳动分散他们,而社会的分业却结合他们。所以私的劳动之社会的性质,必须通过商品的交换,即物与物的交换,才能表现。这是从商品经济中的生产关系本质必然发生的事实。于是,采取抽象劳动的单一形态的各种类的人类劳动的同等性,就在商品(即物)在市场上的同等性之中显现出来。各种类的人类劳动的这种同等性,只是人类间的客观的实在的生产劳动的联络之表现,只是人类间的生产关系之表现。因而物的同等性,反映出人类间的这种生产关系。换句话说,商品经济中的生产关系,采取物与物的关系,即生产关系的事物化。物与物的关系,表现人与人的关系,因而物与物的关系本身,体现着人与人的关系。所以在商品社会中,人的关系变为物的关系,物的关系变为人的关系。即是说,生产关系事物化,物的关系人格化。

但是,商品社会的生产关系,隐藏于物的关系的背后,不是肉眼所能看见的东西,这种生产关系在交换上显现出来的现象,采取物的关系的形式。即物与物的关系,遮盖隐蔽着人与人本身的关系。这种根源,我们在单纯的价值形态中已经看到。例如1只羊用8斗米表现自己的价值。如果米没有和羊不同的独特的自然形态,它就不能表现羊的价值。等价物的独特的自然形态,是相对形态的价值之体现。这样一来,必然就给予这样的印象,即以为米之所以能够表现羊的价值,只因为它具有独特的自然性质。即以为米只是由于它的自然属性才能变成等价物。

这种印象,在由单纯价值形态推移到扩大价值形态,特别是推移到一般价值形态与货币形态时,越发加强。实际上,在单纯价值形态中,米对于羊虽是等价形态,而同时在米的卖主看来,羊是等价形态,而米是相对价值形态。在一般价值形态中,一切商品都用一个等价物测定自己的价值;在货币形态中,我们知道,这个等价物已经不是同列同级的商品,而是特殊的特权的商品。固然,当作商品看的金子,不单是用作测定其他商品的价值的东西,还有用作装饰品、金牙等的特殊使用价值。可是,自从一切商品在长期间内都用金子去表现其价值以后,一切商品便在一切市场中和用作一般等价物的金子相对立。

于是人们就以为金子的本性中，不单可用作装饰品、金牙等物，而且具有可以测定一切商品的价值的特殊的自然属性。以为金子又获得一种新的"使用价值"。

于是，在商品交换的现象上，人们直观地只能看到物的关系，不能看到物的关系背后所隐藏着的商品生产者间的关系，因而认定物（即商品）的本身中具有某种不可解的"能力"，具有某种神秘性。这就是所谓"错觉"。

这种"错觉"，由于商品经济之矛盾的发展而加强。我们知道，商品经济，是自然发生的、无计划的、无政府的经济。商品生产者把商品送到市场时，能不能遇到购买者，他的商品落到谁的手中，这完全是由市场的自然力所决定。即是说，他的商品的命运，甚至他自己的命运，也由市场的自然力所决定。于是在商品经济之下，人们自身不能支配生产关系，反受生产关系所支配。所以"以商品生产为基础的一切社会的特殊性，就是人们在那种社会中丧失了支配他们自身的社会关系的能力一件事"。

照上面所说的看来，在商品社会中，生产关系支配着人们。商品社会的生产关系，必然采取物的关系的形式。于是，在商品生产之下，物支配人，人不能支配物，人用手造出的物，反而决定人自身的命运。

所以，在商品生产之下，因为人的关系采取物的关系的形式，物的关系表现人的关系并支配人们，所以，人们便把某种不可解的"能力"、某种特别神秘的性质附加在物（商品）上，把自己手造的物（商品），当作偶像来崇拜。

宗教上的神，是人们的头脑的产物，宗教上的偶像，是人们泥塑木雕的东西，可是人们匍匐于它的面前，焚香顶礼。同样，商品生产者也把自己手造的东西（商品），当作物神去礼拜。

人们把自己手造的东西（商品），使它神格化，就叫做商品拜物教。

（二）商品拜物教的历史性与实在性

根据上面的说明，我们知道，商品拜物教使商品生产者间的关系异常纠纷，"隐蔽"着商品生产者间的关系。所以在商品经济中，人们常常看不见隐藏于"物的幛幕"之后的自己本身的关系。

但是，人类的劳动为什么要用物与物的关系去表现？人们为什么会隶属于自己手造的物（商品）？物为什么含有特殊的神秘的性质？这一切问题，只有把握着商品的历史性,我们才能够知道:只是在劳动"以私的交换"为基础的社会中,在劳动的社会性要在抽象劳动形态上显现的社会中,才有商品拜物教。

例如,在自然经济的农民家族中,"为了满足自己的消费,生产谷物、家畜、丝毛、麻布、衣服等。这种种东西,对于家族,是当作该家族的种种劳动生产物而对立的,可是它们相互间却不是当作商品而对立的。制造这些生产物的劳动,如耕作、畜牧、纺织、裁缝等,在自然形态上便尽了社会的机能。因为它们具有自身自然发生的分工的家族(如同商品生产一样)的各种机能。随着性别、年龄别和季节的变化而变化的劳动的各种自然条件,规定家族内部劳动的分配和各个家族成员的劳动时间。但在这里,用时间的长短去测定个人劳动力的支出这件事,已经在这劳动上加上了社会的性质。因为个人的劳动力,最初就是当作家族共同劳动力的器官而起作用的"。

这样看来,自然经济中的农民家族的各个人员,固然也和商品经济中的人们同样要完成各个的"社会的机能",可是他们之间的关系,并不带有物物关系的性质,各人劳动的社会的性质,在这里,明显地表现出来,所以,没有生产关系的对象化和价值存在的余地,因而也没有商品拜物教存在的余地。

又如,在社会主义社会中,"自由生产者团体的总生产物,是社会的生产物。这种生产物的一部分,再充用为生产手段,它仍然是社会的东西;而其他部分,就作为团体人员的生活资料而消费,所以这一部分便须分配于他们之间。……不过,我们为了和商品生产对比,暂时假定各生产者分得的生活资料,是按照他们的劳动时间去决定的。这样,劳动时间就演着二重作用。一方面,劳动时间之社会的有计划的分配,在各种劳动机能和各种需要之间,保持正确的比率。另一方面,劳动时间,充当生产者个人参与总劳动的尺度,因而又充当生产者个人分得总生产物中供个人消费部分的尺度。在这里,人们对于他们的劳动和他们的劳动生产物的社会关系,无论在生产上或在分配上,都是非常显明非常单纯"。所以,在这种社会中,是绝不能有商品拜物教的。

如上所述,我们知道,商品拜物教是商品经济中必然的产物。所以,商品拜物教,不是人们主观的心理的现象,也不是不能在物(商品)的关系背后看出人的关系的人们虚伪的幻想的表象;而是客观的特殊的社会的现象,是离开人们的意志、意识而独立的客观的实在。换句话说,商品拜物教的现象,是商品生产者间的生产关系的假象。这种假象,是客观的存在着的东西。这种假象的背后所隐藏着的东西,是商品生产者的社会的生产关系。只要是商品社会继续存在,生产关系必然地采取物与物的关系。正如商品是客观的实在一样,商品拜物教这种假象也是客观的实在。我们的任务,是要用科学的思维能力,去在这种假象中暴露它所隐藏着的本质——即商品社会的生产关系。但是商品拜物教仍旧存在,并不因我们暴露了它的本质而消灭。只有在废除了商品生产之后,在人们从商品生产的自然成长性解放出来而独立以后,商品拜物教才能根本消灭。

二、价值法则的本质

(一)当作商品经济的根本运动法则看的价值法则

价值法则,是商品经济的根本运动法则。我们研究(从最单纯的形态到最发展的形态的)价值法则的发展,就是研究商品——资本主义经济的发展。

现在,我们是开始研究经济学,还不能很完全很总括地阐明价值法则之丰富的内容。但是,由于我们已经知道的材料,特别是关于价值形态发展的材料,我们可以理解商品经济及其矛盾,是根据价值法则而发展的。

在上述第一、二两节中,首先阐明:推进商品经济发展的各种矛盾、使用价值和价值间的矛盾、劳动的社会性质与占有的私的形态之间的矛盾、抽象劳动与具体劳动间的矛盾等,都在商品中包含着萌芽的形态。

然后在第三节中继续说明商品生产是怎样根据这些矛盾的发展而发展的。即阐明适应于商品经济的初期发展阶段的偶然的单纯的价值形态,怎样推移到扩大的价值形态,由扩大的价值形态,怎样推移到一般的价值形态,最后推移到货币形态。

后面,我们可以看到:货币的资本化,怎样根据价值法则而进行;商品的生产形态,怎样获得新商品的劳动力,并且由它而变成生产的一般形态;小商品生产者的分化(一部分变为富农和资本家;另一部分先变为半无产阶级,次变为失去一切生产手段和生活资料的无产阶级),怎样基于货币——商品的关系的发展而进行;同时,剩余价值及其变形的利润是怎样发生等。

总之,当作运动法则看的价值法则的本质,是在于商品—资本主义经济(从最单纯的萌芽形态的单纯商品经济发展到最后阶段的帝国主义)都根据它而进行这件事实之中。

（二）价值法则的作用的表现之实例

如上所述,因为价值是商品—资本主义经济的运动和发展的根本法则,所以它规定着这个运动和发展。而劳动和生产手段被分配到保证商品——资本主义关系的发展的各部门去这件事,是根据价值法则而自然成长的。

因此,我们知道,价值只有通过价格（价格是价值的货币形态,关于这一点,后面再加说明）才能表现它的作用。因为"只有通过生产物的价格之低落或腾贵,生产者才能在他自己的立场上,知道社会需要多少什么东西,和什么东西是不需要的"。

前面说过,各个商品生产者都是盲目的生产商品,预先不知道别人生产什么商品,并生产多少商品。结果就难免某种商品生产过多,别的商品生产太少。

在生产过多的商品部门中,价格低落到价值以下,生产就自然地缩小;反之,在生产过少的商品部门中,价格就高出于价值之上,因而形成扩张新生产的条件。总之,由于价格不断地背离于价值,商品经济中人们的劳动,就自然成长地分配于各部门,以保证商品—资本主义关系的发展。

譬如这里有个制鞋的企业,因为扩张生产,而发生商品过剩的现象,即供给超过需要。于是因卖主竞争的关系,鞋子的价格必然低落,即低落到价值以下。同时,在其他生产部门,例如制袜企业,就发生相反的状态——生产不足,即需要超过供给。结果,袜子的价格自然腾贵,而高出于价值之上。这时两种商品的价格,自然是对于制袜企业有利而于制鞋企业有损了。

但是,这种现象绝不能维持长久。鞋子生产者,必要停止鞋子的生产,改作制袜工业。于是袜子的生产扩张,供给增大,需要相对地减少。结果袜子的价格下落,与价值相接近。同时,在制鞋工业方面,便引起相反的现象,即因为生产缩小,而供给减少,需要相对的增大。结果,鞋子的价格腾贵,亦与其价值相接近。假若袜子的生产继续扩张,鞋子的生产再继续缩小,又必发生同样反复的现象。

所以，各种生产部门要想不断地保持一定比例，事实上是不可能的。如果没有要保持这比例的自然成长的倾向，没有"对于这比例的不断扬弃的反动作用"，一切商品生产就会不能存在，不能发展。

实际上，我们知道，各个商品生产者，在生产商品时，都是努力追求自己的利益，尽力用有利的条件出卖商品。但因为商品的价值是由社会必要劳动决定的，而价格又是由价值决定的，所以，我们知道，某企业之采用新机器，对于企业主是非常有利的。因为在这机器尚未普及以前，商品的价值和价格不生变化，而这个企业的个别劳动比社会必要劳动较低，于是个别劳动与社会必要劳动之间的差额利益，便为这企业主所有了。这就是企业家们所以竞相采用新机器的原因。可是，由于自然成长的价值法则的作用，新机器也被其他各企业所采用而普及于一般，因而又引起商品价值的低落。于是企业主更拼命地采用新改良。这样，就提高了社会的正常的生产条件的水准。

所以，价值法则，就成为商品生产的生产力的发展法则。而生产力的发展，改变了生产关系，并使它趋于复杂，由单纯商品经济的生产关系，生出资本主义的生产关系。

商品生产关系之物的表现形式的价值，同时就是制约生产力与生产关系本身的运动的法则，因而又是生产力与生产关系的内在矛盾，即资本主义的一切内在矛盾的运动形式。

所以，价值法则，是资本主义生产方法的根本的运动法则。

习题五

一、我们为什么把商品看作资本主义商品经济的细胞？

二、商品的二重性是什么？

三、商品生产者对于商品的二重性，究竟注意哪一方面？买手呢？

四、没有交换价值而有使用价值的东西，究竟有没有价值？

五、在商品社会中，具体劳动何以转变为抽象劳动？

六、个别的劳动与社会的必要劳动之区别如何？

七、商品的价值与交换价值的区别如何？

八、何谓相对价值形态,何谓等价形态? 两者的关联如何?

九、试说明单纯价值形态与扩大的价值形态的区别。

十、试说明扩大的价值形态与一般的价值形态的区别。

十一、货币形态与一般的价值形态,有无根本上的差异?

十二、何谓商品拜物教?

第二章 货 币

第一节 货币与商品

一、货币的本质

(一)货币的价值和使用价值

我们已经知道,货币是固定了的一般等价物,是商品经济发展的必然的产物。根据上面的研究,我们可以把货币的本质,做如下的简括的说明(为把说明弄简单一点,这里专以金为货币)。

货币首先是商品,但它不单是商品(如果以为货币单是商品,就会误会只要是商品就能成为货币,因而金这种商品之成为货币而与其他商品有区别,就变得只是偶然的事情了。再则,如果单只注重货币与商品的区别,忽视货币原是商品,这仍然是不理解货币成立之历史的必然性,因而不能理解货币的本质)。

货币是尽一般等价物的作用的商品,并且这种作用,社会地固结于货币,专属于货币。

货币商品,也和一切普通商品一样,具有使用价值。

货币的价值,是金本身中所包含的抽象劳动。金是货币,它能与其他一切商品相交换,这是我们已经知道的事情。但一磅的金值几何,这一点我们还不知道。"金也和其他各商品一样,只能相对地通过他商品而表现自身价值的大小。金自身的价值,由金的生产所必要的劳动时间所决定,由凝集着等量劳动时间的其他各商品所表现。金的相对的价值大小的这样确定,是由金生产处所的生产物直接交换而显现的。所以,金当作货币进到流通界时,它的价值已经预先给予着了。"

货币的使用价值,是二重的存在(因为货币是特殊商品),一是特殊的使用价值;二是一般的、社会的、形式的使用价值。这特殊使用价值,是充用为美术品、装饰品、药品及其他各种东西的材料的东西。这一般的、社会的、形式的使用价值,是充用为诸商品的一般等价物的东西。货币的这两种使用价值,是不可分离的结合着。固然,货币的特殊使用价值,也和其他一切商品的特殊使用价值一样,是在流通界以外实现的。但若货币(金)的特殊使用价值在生产或享用方面充作消费之用,它就失掉了做货币的资格,即已经不是货币了。所以货币的特殊使用价值,是与它充用为一般等价物的使用价值不可分离地存在于流通界的。正因为这样,货币的使用价值,才与其他一切商品的使用价值有区别,货币才能充用为一般等价物。

各商品的使用价值,在各个人看来,在出卖者与购买者看来,其意义各不相同。但是当作一般等价物看的特别商品即货币,在交换过程中,对于一切的人们,都具有同一的使用价值,即一切人都认定它是一般等价物,可以拿它去交换任何商品。换句话说,货币商品的社会的使用价值,能表现其他一切商品的价值,即货币能成为一切商品的价值的镜子。这种事实,与单纯价值形态中用一个商品的使用价值表现另一商品的价值是不同的;与扩大价值形态用多数商品的使用价值表现一个商品的价值,也是不同的。

这样看来,货币商品用它本身的价值造出使用价值(即社会的使用价值),因而使用价值与价值,在货币商品本身中,互相渗透,互相融合,而形成统一,两者的矛盾在它本身中解决了。这样的商品,即转化为货币的商品,才是"现实的商品"。

(二)货币与商品经济的矛盾运动

由于货币商品的出现,商品经济中的具体劳动与抽象劳动的矛盾,以及表现这个矛盾的商品中的使用价值与价值的矛盾,就在货币的价值形态中得到解决。我们已经知道,在商品经济之下,人们虽由于私有财产而互相隔离,而事实上是互相为而劳动的。所以各个生产者的劳动,含有社会的意义,具备社会的性质。但各生产者的具体劳动,直接出现为私的劳动,其劳动之社会的性质(即当作抽象劳动看的)却被隐蔽着,只有通过交换才表现出来。现在,货币商品出现了。一切商品都在货币这种一般等价物之中表现其价值,于是各种劳动之质的差异,解消于货币形态之中,一切劳动都被还原于货币商品中所包含着的单一的、无差别的、同质的劳动。而货币商品本身生产所费的劳动,却把一切种类的劳动,表现为同质的劳动、为抽象劳动、为社会的劳动。于是一定的私的、具体的劳动,在货币中出现为社会的、抽象的劳动。正因为这样,抽象劳动在货币中表现最优良的表现形态;正因为这样,货币是抽象劳动的特殊的独自的存在形式。

概括起来,货币是一般的等价物,是商品价值的一般的体化物,是商品生产者的社会的生产关系之物的表现,是商品经济的矛盾之必然的运动形态——这是货币的本质。

(三)货币的本质与现象

货币的内的本质,前面已经说明了,现在再说明货币的本质显现出来的过程。

前面曾经说过,商品由于转化为货币,才现实的成为商品。这句话的意思就是说,一切商品之现实的成为商品,即是它现实的变形为货币。现在来说明这个过程。

我们已经知道,变为货币的金(或银),有两重的使用价值,即特殊的使用价值与形式的使用价值。货币的特殊使用价值,与其他一切商品的使用价值相同,但货币的形式的使用价值,却与其他一切商品的使用价值不同。货币的形式使用价值,与它的价值相一致,是表现其他一切商品的价值的东西(即镜子)。货币的使用价值与价值的矛盾,在它的本身中得到解决。正因为货币有这样的本质,所以它能解决商品交换的矛盾。

商品的使用价值与价值,在其所有者手中时,是互相矛盾互相排斥的东西。任何商品,在其所有者看来,一方面在实际上当作使用价值存在,他方面在观念上当作由货币表现了的价值存在(所有者在观念上用货币决定自己商品的价格,这是由于货币现实的存在的缘故)。所以一切商品都在货币形态中,互相交换,互相出现为交换价值。即商品所有者在观念上用货币估评了的自己商品的价格,要在交换过程中才能证实。换句话说,商品要在与货币交换之后,才能现实的成为商品,才能与其他任何商品相交换。所以货币出现以后,商品与商品的交换即 W—W′,已不是直接的交换,而是间接通过货币而实行的交换,即先要拿商品和货币交换即 W—G。商品所有者卖出商品换得货币之后,然后才能拿货币买进别的商品即 G—W′。只有这样,一切商品才能现实的成为商品,才能全面的互相交换。所以 W—G 与 G—W′,这两段的过程,合成为 W—G⋯G—W′的过程,即 W—G—W′。在这过程中,W—G 是贩卖,G—W′是购买。在 W—G 或 G—W′的任何方面,都表现着使用价值与价值的统一体的商品与商品的对立。但在 W 一方面,其价值只在观念上当作价格存在,而在 G 一方面,却当作形式的使用价值存在。换句话说,使用价值与价值的对立,在 W—G 或 G—W′方面,成为互相排斥的两极,一方面的商品,出现为要在货币上实现其价值的使用价值,而与货币相对立,他方面的货币出现为要在商品中体现其形式的使用价值的价值而与商品亦相对立。于是商品世界分裂为商品界与货币界,而商品中所包含着的使用价值与价值的矛盾,出现为商品与货币的矛盾。而一切商品之内的矛盾,就在货币形态中得到解决。

所以货币形态中商品的内的矛盾的解决,同时就是商品世界分裂为商品界与货币界的事实,即新的复杂的矛盾发生出来的事实。因而矛盾的"解决",并不是矛盾的消灭,只是得到了使矛盾更趋发展的条件,得到了矛盾运动的新形态。

以上是货币的本质表现为现象的过程。

二、货币拜物教

(一)货币拜物教的根源

货币拜物教,是商品拜物教的一种,是商品拜物教之进一层的发展。

当生产关系在商品交换上采取物的形态时,当一切商品成为"反映人们自身的劳动的社会性给人看的镜子"时,商品拜物教就映在任何商品之上。但在货币形态上,人的关系之物的表现,采取更复杂的错综的姿态。因为货币形态比较别的价值形态,更浓厚地隐藏私的劳动之社会的性质,隐藏商品生产者间的生产关系。

在现实上,一切商品都用金或银表现其价值,而金或银又成为一般的等价,与其他一切商品相对立。这种事实,使人们想到表现价值的货币的能力,注重它的特殊的自然的属性。

在现实上,商品所有者手中的商品,出现为二重的存在,即一方面当作使用价值存在,一方面当作由观念上的货币表现了的价值存在,这是前面已经说过的。这种在观念上以货币估评商品价格的事实(即商品生产者事先把自己的某种分量的商品定价为金几元,而现实上并未与货币交换),更助长了人们注重货币的特殊自然属性,认定货币有特别的权力。所以"随着商品流通的扩张,货币的权力,就增大起来。金子是可惊可叹的东西,有金子的人就能支配他所希望的一切。人还能依靠金子把灵魂送到天国去"。

金银这东西,实际上具有能与任何商品相交换的属性和权力,但金银所以有那样的属性或权力的原因,存在于商品经济的生产关系之中;由于这种关系的对象化,才使金银成为货币。所以货币拜物教这东西,明明是商品拜物教的一种。货币拜物教与商品拜物教的根柢中,存有同一的东西,即生产关系的对象化或事物化。但货币因为能与任何商品相交换,所以人们之依存于货币,比较人们之依存于商品,更加明了。"货币偶像的谜子,是商品偶像一般的谜子。这个谜子,不过更强烈地映在眼帘,令人目眩而已。"

所以货币拜物教,也和商品拜物教一样,同是客观的实在。我们的任务,在于从货币拜物教这种假象之中,去暴露它的本质,暴露商品社会的生产关系。但货币拜物教依旧是客观的存在着,决不能因为我们揭开它的假面,暴露真相,就失其存在。

(二)货币拜物教的消灭

在商品经济存在之时,在抽象劳动是历史的范畴之时,在抽象劳动是特定的生产关系的表现之时,货币也和商品一样,同是历史的范畴。货币不是物,也不是物的属性,而是商品生产者的社会的生产关系之物的表现。货币形态,只是它背后隐藏着的生产关系的现象形态。所以货币是历史的范畴,是商品经济所独有的范畴。

货币是商品经济的发展过程中的产物。它随着商品经济的发生而发生(货币萌芽于物物交换),并且一同发展,最后它随着商品经济的消灭而消灭。

第二节 货币的机能

一、当作价值尺度与价格本位看的货币

(一)当作价值尺度看的货币

根据上面的分析,我们知道货币是一般的等价物,是商品价值的一般的体

化物,是商品生产者的社会的生产关系之物的表现,是商品经济的矛盾之必然的运动形态。由于货币的出现,商品经济之内的矛盾,得到了解决。但是如前所述,矛盾的解决,并不是矛盾的消灭,而是在新的形态上创造矛盾,促进商品的运动(商品流通)。我们要理解货币为什么解决商品经济的矛盾并创造新的矛盾以促进商品经济的发展,就不能不研究货币的各种机能。

我们首先看到,在商品经济中,货币具有当作价值尺度看的机能。这是货币的第一个机能,并且是最重要的根本的机能。货币的其他各种机能,都由这个根本机能分化而出。所以要理解货币的诸机能,必先研究价值尺度的机能。

货币首先是尽着一般等价物的作用的商品,而金子(或银,但为说明的简单起见,这里只把金子假定为货币商品)是具有最适宜于尽这种作用的东西。金子变成货币商品以后,其他一切商品都和货币相交换了。一切商品,都在等质异量的金子中表现其价值了。譬如 1 担米值金 9 分,1 丈布值金 1 分,1 吨煤值金 12 分,1 双皮鞋值金 5 分等。这些商品,可以互相比较其价值。于是当作一般等价物的金子,能把一切商品的价值当作质相同而量能比较的同一称呼的大小,表现出来。这就是金子发挥价值尺度的机能的意思。

商品本身,原来含有价值尺度。因为商品是质相等而量能比较的抽象劳动的具体表现形态,其中所包含的抽象劳动量,都由社会的劳动时间去测量。这社会必要劳动时间,就是价值尺度。所以商品本身,是能在量的方面比较的东西。金子本身也是商品,同样也含有价值尺度。然则全商品世界为什么把一切商品的价值尺度的机能交给金子呢?

我们知道,在商品生产的诸条件之下,商品生产者不能直接地绝对地规定商品生产所费的社会的劳动量,也不能用时间的尺度去测量它。商品中的社会的劳动量,只有间接地相对地与别的商品相比较,才能知道。

货币是表现其他一切商品的相对价值的唯一商品。换句话说,各商品中所含有社会的劳动的相对量,要与货币相比较,才能明白。所以商品与金子的真的价值尺度虽是劳动时间,却不能直接地显现出来,必须用一个商品间接地相对地测量其商品生产所费的社会的劳动时间。货币这东西,正是间接地相对地表现一切商品生产所费的社会的劳动时间的特殊商品,所以它是表现商品所固有的价值尺度(劳动时间)的特殊的并且必然与商品生产相适应的表现方法。当着一切商品都用金子测量而表现其价值时,金子就变为一般等价物,而发挥其价值尺度的机能。

(二)当作价值尺度看的观念上的货币

用金子做媒介去测量各个商品的价值,在商品与货币交换以前就已存在了。商品生产者,在出卖商品以前,就把自己的商品估定为一定的价格,即把商品的价值,在观念上定价为若干金。在这个时候,并不需要现实的金子,只要有观念上想象着的金子就可以了。"所以,在充作价值尺度的机能这一点上,货币不过是在观念上,或单是当作观念的货币使用"。

但价值的测定过程,是本源的客观的过程。这个过程,在商品生产者方面,要看作是意识上用金子测量商品价值的过程,却是超越了商品生产者的本源的社会的计算。所以价值测定的过程,绝不是价值的主观的测定过程。

事实上,我们知道,各个商品互相交换的比例,是离开商品所有者的意志而由一种商品经济的自然法则决定的。如果我们想在观念上用货币来表现商品的各个价格,我们一定要考虑,在市场上已经离开我们的观念而独立形成的商品和货币的价值所决定的交换比率和物价。

所以,用货币测量商品价值,虽只是头脑中的观念化,然而这种观念的货币,必须是现实的货币之映像。如果没有现实的货币存在,决不能有观念的货币,在价值的测定过程中,金子首先转化为价值尺度、观念的货币,因为金子现实地成为货币材料而存在,表现一定的生产关系。价格是依存于表现商品价值的现实的货币材料的。如果说起 1 双皮鞋由 5 分金子所表现,这就是说明 1 双皮鞋与 5 分金子中含有同量的社会的劳动。如果银子发挥价值尺度的机能时,1 双皮鞋就用 5 分金子的 70 倍(3 两 5 钱)的银子表现其价值,而一定量银子中所包含的劳动量,恰为同量金子中的劳动量$\frac{1}{70}$。于是银 3 两 5 钱与 1 双皮鞋中所包含的劳动量相等。

所以,商品在流通上暴露出自己的二重性:在其使用价值上是现实的,在其价值的表现的价格上,是观念的。具体劳动,表象为使用价值,一般的劳动时间,在观念上表象于价格之中。在商品生产者实现商品的价格取得货币之后,他的私的劳动,才实现为社会的劳动。在当作价值尺度看的货币的机能中,商品的运动还不存在,因为商品的价值虽说用货币去表现,但这还是观念上的作用。商品生产者虽然知道自己商品的价格,而他的手中却还没有货币。商品生产者相互间的联络,在这时还不曾实现。概括地说来,在货币的价值尺度的机能中,商品的矛盾只是准备着走到解决的途径,而矛盾的解决却还不曾实现,即商品还不曾运动。

(三)当作价格本位看的货币

前面说过,当货币发挥价值尺度的机能时,商品的价值,是用想象上的一定金量去表现的。这种想象上的种种金量,即是价格。所以价格是价值之货币的表现,是商品价值之必然的现象形态,是商品的矛盾发展的产物。在价格中,诸商品的价值表现为一定的金量,只当作一定的金量而互相比较。

但是,要用货币来表现各种商品的价值,必须有某种测量的单位。这恰与测量物体的重量要有计算重量的单位(如斤、公斤、磅等),测量物体的距离要有计算距离的长短的尺度(如尺、米突等),是一样的。价格虽是想象上的金量,但在比较金量的多少时,就不能不有计算的单位即价值尺度的单位。这完全是计算技术上的必要。

但这个单位究竟是什么? 这个单位,因为是比较金量的多少的东西,它必须是特定分量的金子。就前面的例子说,1 丈布值金 1 分,1 双皮鞋值金 5 分,在这里,1 分金子就成为计算的单位了。因而价值尺度的金子,就成为价格标准,而发挥价格本位的机能了。

货币本位或价格标准,一方面带有习惯的性质,同时又必须是为一般人所通用的东西。所以这种本位或标准,常由国家的法律所制定。在这种场合,国家完全实行着形式的技术的处理,这只是就商品社会的习惯加以法律的规定而已。至于货币材料本身,是由社会的历史的诸条件产生的。国家虽用法律制定货币本位,而货币的价值并不受法律所规定,货币的流通也不受法律所统制,——这一层我们要特别注意。

因为价格标准由国家的法律所规定,所以随着国家的不同,发生了各种不同的货币本位。由于所制定的价格本位不同,而价格的外观也不同。即同一商品的价格,可以用英镑、美元、法郎、马克、日元、银元、卢布等不同的单位去表现,而呈露出各种不同的形象。不过这些货币标准的计算上的名称,只在一个国家中强制国民承认,但一进到世界市场,就消失它们的姿态,各种货币标准,便回到重量的名称。

(四)价值尺度与价格本位的差别

如上所述,商品价值之货币的表现,通过了两种契机:第一,商品的价值体现为一定的金量,这是价值尺度的机能;第二,这一定的金量,由某种特定货币单位去测量,这是价格本位的机能。这两个契机,实际上是合为一体的。

货币的价格本位的机能,是从价值尺度这种根本机能分化而出,并完成价值尺度的机能的东西。虽然如此,但两者之间,却有差异之点。然则当作价值尺度看的货币与当作价格本位看的货币,其差异之点,究竟在什么地方呢?

价值尺度的机能,从商品经济的本质发生,它表现商品生产者间的生产关系;价格本位的机能,是一般等价物的作用固结于金或银以后才发生出来的东西。"货币,当作人类劳动之社会的具体化看来,是价值尺度;当作确定了的金属量看来,是价格标准。当作价值尺度看的货币,能使不同的商品的价值转化为想象上的金量的价格;当作价格标准看的货币,是秤量那种金属本身的东西。使用价值尺度时,商品是被当作价值秤量的;反之,价格标准,是用一个金量秤量各种金量,并不是用他种金量的重量秤量一个金量的价值"。

价值尺度的大小,依存于金子的价值,金子因为自身中含着社会的劳动,所以能发挥价值尺度的机能。就价格标准说来,其要点在于把一定量的金子规定为秤量的单位。这秤量的单位越是稳固,金子越是能够发挥价格本位的机能。但价格本位的机能,与金子的价值无关。金子价格的变动,并不变化秤量单位与其他金量的关系。假定把秤量单位定为 1 分金子,无论 1 钱金子的价值如何变动,仍是 1 分金的 10 倍。又假定把 7 钱 2 分银子定为秤量单位,无论 3 两 6 钱银子的价值如何变动,仍是 7 钱 2 分银子的 5 倍。但是,金或银的价值的变动,对于金或银的价值尺度的机能,绝无影响。这种变动,贯穿于一切商品,价格因之而有高下。而商品之相对的价值,并无变化。

(五)价值与价格

前面说过,价格是价值之货币的表现。价值是商品之内的属性,价格是商品之外的属性。所以价格是价值之外的表现。

价格形态虽具有上述性质,但我们却不能以为价格形态能够十分精密地表现商品的价值,能反映一切变化。价格随着商品价值的变动而起变化,也随着货币价值的变动而起变化。在货币价值不变的场合,价格表现商品价值的变动;反之,在商品价值不变的场合,价格依存于货币价值的变动。假如金的价值,由于采金企业的劳动生产性增大的结果,减少了一半之时,金货币的价值就减少了一半。这时一切商品的价格,纵令它的价值不变,也增加为二倍了。反之,假如货币价值不变,而商品的价值减低了一半,这时商品的价格就减低了一半了。最后,商品价格,同时由于这两个原因——货币价值的变动与商品本身价值的变动——的结合如何,有时高涨,有时低落。总之,在各个特定的时候,在社会劳动生产性的一定状态之下,各个商品的一定分量,是用一定量的货币表现其价值的。

当我们说到以他商品为媒介的一商品的价值表现,即在价格上的价值表现时,是从商品价格严密的与其价值一致这个假定出发的。但是,在现实上,由于所谓供给与需要的变化,常常显现出价格与价值不一致的现象。即在实际上,价格必须采取不断地与价值相背离的形式才能表现出来。因为商品生产是无政府的,不是在购买者的购买力以上去生产,就是在购买者的购买力以下去生产。所以各个商品的价格,有时高于价值,有时低于价值。需要供给不断变动的结果,各商品的价格就不断动摇;但是这种动摇,是以价值为中心的。

假使生产各个商品的社会必要劳动量减少,商品的价值就降低,这个商品价值变动的中心也随着变动,这样通过不断的动摇,"价值法则就统制了价格运动"。

价格形态中,不仅含有上述之价格与价值之量的不一致的可能性,并且还含有两者之质的不一致的可能性。我们已经知道,价格是商品价值之货币的表现,但在价格形态中,却还含有并不表现价值的价格。换句话说,商品世界中,没有价值的东西(即不体现劳动的东西),也能有价格。这类东西,除了土地(不是由劳动创造的东西)以外,还有所谓人格、良心、名誉、贞操、国会议员、官位等,其本身虽没有体现着劳动,即不是有价值的东西,却是有价格,可以换得货币。在这种场合,价格并不表现价值。这是价格与价值之质的矛盾。这种事情,证明了:商品关系浸透了人的关系的全部,浸透了一切私的生活,浸透了一切人的灵魂。这种事情,在我们面前表现货币是一种财神,具有神秘的权力。

二、当作流通手段看的货币

（一）商品流通中货币的作用

我们已经知道，商品的价值，就是不和货币交换，也能够在观念上用金子来测量。不过商品经济中的货币机能，并不是只限于充用为观念上的价值尺度和价格本位。观念上用金子来测量商品价值，实际上正是由于过去无数次交换行为中把各种商品与现实的金子相交换的事实而来的。因此，我们要理解货币的其他机能，最好先看一看它在交换过程中的作用。

商品之现实的交换，采取下述的形式而实现。例如织布匠，把所织的每匹布定价为银 5 元，这时他的布匹并不曾卖出，布匹只是在想象上得到货币形态。等到织布匠遇到买主，才以每匹 5 元的价格，把一匹布卖给他。这时织布匠手中的 1 匹布，变成为银 5 元了。商品的这种变形，已不是想象的，而是现实的了。即是说，商品已经现实地成为商品，已经实现了想象过的货币形态（商品的价格），银子已由观念的货币转变为现实的货币了。但是，假定织布匠用卖布所得的银 5 元，向米店买进了 4 斗米，于是他手中的货币变为米，变为别人所生产的、有别种使用价值的商品了。布的货币形态又转变为商品形态了。织布匠手中的 1 匹布，转变为 4 斗米了。

所以，商品的交换，是这样进行的：最初，劳动生产物的商品形态，想象上采取货币形态（价格的决定），其次，现实的采取货币形态（贩卖），然后再由货币形态转变为商品形态（购买）。于是商品的流通，采取商品（W）—货币（G）—商品（W′）的形态而显现。但就其物材的方面来看，是 1 匹布与 4 斗米相交换，即采取商品（W）—商品（W′）的形态。商品的交换，进行着两个对立的变形，即采取商品—货币与货币—商品的形态。结局是商品—货币—商品，即是 W—G—W′。货币在商品的流通中，发挥着流通手段的机能。

商品的流通过程，是劳动生产物转变为货币形态、货币形态转变为商品形态的过程。换句话说，直接的私的生产物及其中所包含的劳动，现实地表现为社会的生产物；其次，采取反对的方向，现实地表现了的社会生产物，又转变为私的生产物。这种变形，只有在商品经济的诸条件之下，才能实现。在这里，货币发挥着流通手段的机能，一切商品，只有靠它作媒介，才能互相交换。货币的这种机能,把私的劳动生产物的交换,弄得社会化,因而使商品和劳动暂时地直接地在质与量的方面,采取社会的形态。所以流通过程中的货币的机能,仍只是一般等价物的机能。如我们所知,商品如不在社会的形态上表现出来,就不能直接交换。这是一个必然的过程。在这个过程中,货币尽着媒介的作用。

(二)商品流通过程的分析——商品的变形

现在我们来分析商品流通过程。商品流通过程,分为两个阶段,即 W—G 的贩卖阶段与 G—W′的购买阶段。在 W—G 阶段上,商品转变为货币;在 G—W′阶段上,货币转变为商品。由商品到货币,由货币到商品的这种转变,叫作商品的变形。而变形的各个阶段,同时是贩卖行为及购买行为。甲卖出商品,即是乙向甲买进商品;甲买进商品,即是乙对甲卖出商品。

商品变形的两个阶段,即 W—G 与 G—W′,其意义并不相同。第一步的贩卖,即商品到货币的变形,有相当的困难。这种困难,是在商品生产的性质上发生的。如我们所知,各种商品是盲目的被生产的。在现实上,对于该商品的需要究竟有没有,究竟能卖出多少,别的商品生产者究竟生产了多少同样的商品,这一切都是商品生产者所不能预先计算的。各个商品生产者间的"分工,使劳动生产物变形为商品,因而使商品必然变形为货币。但是这种分工,同时又使这个转化之能否容易实现一件事,变为偶然的事情"。所以,W—G 的阶段,被称为商品之"拼命的飞跃"。反之,G—W′的购买阶段,却不表现什么困难,因为货币随时可以变形为商品。所以,在交换的各个行为中,货币能解决商品的矛盾。但是一切新的商品,又不断地再生产出来,那些再生产了的商品的矛盾,又由货币来解决。于是矛盾不断地运动,不断地发展,货币就是这种矛盾的运动形态。

在 W—G 与 G—W′这两种相反的行为之中,我们看到商品经济之更进的发展。生产了的商品,不能不贩卖出去,在这里,交换上实现了的生产的社会性,就显现出来。但在贩卖之后,不一定立刻就购买,在这里,占有的个人性,就显现出来。因为商品生产者把商品变形为货币之后,他可以自由处分所得的货币,可以不买进别的商品。照这样,交换的连续性就中断了,虽然生产并不因此而停顿。

变形的第一个行为 W—G，是贩卖。商品当然要卖给有货币的人。可是别人的货币从什么地方得到的呢？他当然是由于卖出了某种商品才得到的。一切商品生产者，都是由于卖出商品才取得货币的。只有卖出了自己的商品的人，才能买进别的商品。所以，一个商品的最初的变形（W—G），同时是别种商品的最后的变形（G—W′）。例如织布匠把布匹卖给农夫，从农夫领得货币。这就布匹这种商品看来，是布匹的最初的变形。但农夫买布的货币，是卖米得来的，他用卖米所得的货币去买布。就米这种商品看来，是米的最后的变形。即是说，米这种商品，已经变形为布了。所以单就织布匠卖布一事（即 W—G）来说，虽是布的最初变形；而在卖了米的农夫看来，却是米的最后变形。

所以 W—G…G—W′ 这个过程，是 W—G 与 G—W′ 两个阶段之对立的统一。W—G 与 G—W′ 这两个阶段，虽然统一于 W—G…G—W′ 的过程之中，但两者是互相对立的。W—G 与 G—W′ 之间，存有相当的时间的距离，在这种场合，两者互相分离而孤立。在这种分离的孤立之中，潜藏着恐慌的可能性。这种可能性，只有在资本主义的商品经济之下，才转变为现实性。所以"货币流通，没有恐慌也可以发生，而恐慌如没有货币流通，却不能发生"。

（三）商品流通过程与直接交换的区别

在 W—G—W′ 的过程中，货币是商品交换的媒介物，因而它成为流通的手段。但货币虽"出现为商品交换的单纯手段"，却不是"交换一般的手段"，而是"由流通过程给以特征的交换的手段即流通手段"。在这里表明商品的流通过程与生产物的直接交换过程，是有质的差别的。

商品的流通过程，是 W—G—W′ 的过程；生产物的直接交换过程，是 W—W′ 的过程，这两种过程，显然是不同的。现在把两者的差别，分为以下几点来说明。

第一，就直接交换来说，1 只羊与 50 斤鱼相交换，或 1 把斧与 2 张弓相交换。在这种场合，各人把对于自己不是使用价值的东西，去交换那种对于自己有使用价值的东西。这样的交换，只是一次的行为就完结。反之，就商品流通来说，出卖（W—G）与购买（G—W′），是两个对立的行为。并且这两个行为，并不是同时实行的。这两个行为之间，存有时间的距离。

第二,在直接交换方面,有羊的人要把羊换鱼,而有鱼的人或许需要米而不需要羊。于是卖羊人就得先要访寻卖米买羊的人,把羊去换米,然后才能拿米去换鱼。这样的直接交换,是非常困难的。但在商品流通方面,直接交换的上述的困难就被克服,即商品的矛盾在货币形态中得到解决,因而直接交换之地方的限制也被打破了。

第三,在直接交换方面,商品的交换,采取 W—W′的形态。在这里只有两个极点(即 W 与 W′)和两个登场人物(即站在 W 和 W′之后的两个人物)。但在商品流通方面,商品的总变形,采取 W—G⋯G—W′的形态,在这里,有四个极点和三个登场人物。即所谓"一个商品的总变形,在其最简单的形态上,以四个极点和三个登场人物为前提"。

商品的流通过程,如我们所知,是由贩卖和购买两个互相对立而又互相补充的形态构成的。一切商品,都采取这个形态而流通,而这个形态的交换的连锁,可以引申到无限。于是一切交换都以货币为媒介,货币变成为了唯一的一般等价物,帮助一切商品的交换,变成商品流通所不可缺的一环了。

(四)商品流通与货币流通的区别

在说明了商品流通过程之后,我们再看一看货币的流通即货币的运动。

货币流通,是商品流通的结果。如前面所说,商品的总变形,在其最单纯的形态上,采取 W—G—W′的过程,而这个过程的连锁,可以引申到无限。在商品流通的无限的连锁中,各种商品都以货币为媒介,从卖手移到买手,从生产者移到消费者,即从流通界走进消费界。商品一经移到消费界,它就供作消费之用,不再进到流通界了。但是,商品虽然进到消费界而与流通界绝缘,而货币在其性质上并不能消费,它只占居商品退去以后的空席,决不走进消费界。所以货币不断地在流通界运动,逐渐与新的商品相交换,越发地远离于最初的出发点。

商品的流通,是一个循环运动。譬如说,农夫手中的商品米所包含的价值,由于变形为商品布,仍然回到自己手中,这是一个循环运动。但由于这样的商品流通而引起的货币流通,其形态正是循环的反对物,采取越发远离于最初出发点的直线的形态。货币与商品相遇,商品暂时停留于流通界,而货币却永远停留于流通界。于是一切事态,呈现出相反的反映。运动的连续性,落在货币方面,因而货币的直线运动,代替了商品的循环运动。货币运动虽是商品流通的结果,而在现象上却显现商品流通倒反是货币运动的结果;好像是货币不但实现商品的运动,并且创造商品的运动。但如我们所知,流通界中的货币,出现为商品运动的媒介。货币的本身,寸步也不运动。只有在与它相交换的商品出现时,货币才从一个人手中运动到别人的手中。

所以,在实际上货币运动的原因是商品运动,而在表面上却好像货币运动是商品运动的原因。由于这种错觉,就更加强了货币拜物教的观念。

(五)流通所必要的货币量

任何商品,在流通过程中的第一步之时,即在其第一变形之时,都从流通过程脱离出来,而由另一商品参加进去。反之,货币当作流通手段,常停留于流通界而不断地徘徊着。因此,就发生了流通界中经常的吸收多少货币的问题。

这就是在一定期间,流通界存有多少货币的问题,换句话说,就是商品流通所必要的货币量究竟怎样决定的问题。

如上面所说,一切货币流通,都是商品流通的结果。因此,我们可以知道,流通上的必要货币量,显然依存于流通中的商品价格的总额。

假定在市场上,有总额1000元的商品,那么,为了保证常态的流通是否需要1000元货币呢?绝对不是。因为货币在与一定商品相交换之后,仍旧停留于流通界,而媒介他商品的交换的。例如,一日之中,1元的货币,能够媒介许多种1元的商品的交换,从甲手移到乙手,又从乙移到丙,从丙移到丁。例如,某一天,农夫卖出1元的米,又拿这1元去买布,布店又用这1元去买酒,酒店又用这1元去买肉。照这样,一天之中,米、布、酒、肉四种商品的价格共为4元,事实上只用这1元的货币做媒介,四者间的交换就实现了。这便是说,同一的1元货币,在一定期间,不单实现一个商品的价格,并且实现多数商品的价格,实行了数次的流通。

假如我们把一定期间中(例如1年)同一货币的平均流通速度,用 V 去表示,把流通所必要的货币量,用 G 去表示,把商品总量用 Q 去表示,把一单位

的商品的平均价格用 P 去表示,这样就可以得到下述的方程式:

$$\frac{PQ}{V} = G$$

即：$\dfrac{\text{商品价格总额}}{\text{货币的平均流通速度}}$ = 流通所必要的货币量

这个方程式,在我们现在所研究的单纯的流通的诸条件之下,对于一定社会中商品流通所必要的货币量的表示,是有一般的妥当性的。

总之,在一般的原则上,商品价格总额与货币流通速度,决定商品流通所必要的货币量。不过,关于上述的方程式,在说及货币的他种新机能之时,还须有新的补充。

(六)虚价货币与纸币

我们知道,货币是当作具有一定重量与形式的铸币流通于市场的。但在从前,充当货币材料的金银,在媒介商品的交换时,常用天平去称量重量,这是很麻烦的事情。由于免除这种麻烦的技术上的必要,货币材料的金银,必然地要取铸币形态。在现今的世界,把金银造成铸币的那种技术上的任务,都是由国家去担负的。

最初,铸币所表现的价值与它所包含的金银重量的价值相等,但在流通过程中,铸币由这个人手里移到那个人手里,由于自然的磨损,必然地要逐渐减少其重量。换句话说,铸币在最初虽有完全的重量,可是一进到流通界,就逐渐磨损,减少一部分重量,因而减少体现于铸币中的一部分价值,其实际上的内容必然与其名目上的内容不符。于是当作流通手段看的金子(或银子),逐渐地变成不是商品的现实等价物,逐渐地变成观念上的名目的金币了。

但铸币的名目上的内容与现实的内容之差异,是不可避免的事情。这种与现实内容不符的铸币,在一定限度上,仍能当作一定名目的货币通用。这种事实,就是表示着,货币在发挥流通手段的机能时,可以用自己的象征或符标来代替自己的机能。因为失掉原有重量的 1 元银币,虽能十足通用,但它已不是现实的 1 元银币,而是观念上的 1 元银币,即是 1 元银币的象征或符标了。这样看来,货币之转变为象征或符标的事实,是包含在当作流通手段看的货币本身之中的东西，即是从流通手段的机能发生的东西。

银币、镍币、铜币、青铜币等辅币，按它原来包含的金属内容上说，就比它名目上所代表的价值低得多，同时它在流通过程中磨损的程度，比较本位币更大，因而辅币的名目上的内容与其现实的内容相差更远。照这样，当作流通手段看的货币的机能，在外观上逐渐离开价值尺度的机能而独立了。

辅币的现实价值虽脱离其名目价值，却仍可以通用，这样一来，在材料上单是纸片的纸币，当然也可以有代替铸币的流通手段的机能了。货币在流通过程中，只是暂时停留在某商品主的手中，它立即就被转移到他人之手。譬如农夫得到货币之后，立即交到布店之手，布店又交给酒店等之手。因此，在这样一个短期间内，停留在自己手中的东西，究竟是否是完全价值的货币，或是代用品的虚价的货币，这些问题，在他们看来，并不怎样重要，人们只要能够用它买到与其名目价值相等的商品就够了。辅币既然可以代替金币而流通，纸币当然也可以代替金币而流通，这并不是奇怪的事情。

于是纸币当作象征或符标而流通了。但这种象征，直接的是金（或银）的象征，间接的是商品价值的象征。纸币所以能发挥流通手段的机能，是在它代理金币（或银币）的限度以内。换句话说，如果纸币不是金币（或银币）的代理者，它绝不能有流通手段的机能。所以纸币是货币的符标或金子的符标。纸币只在代表价值量的金量时，才是价值的符标。

纸币既然只能暂时在流通过程中代替金币，因此，为要使它能够与金币并行地完成流通手段的机能，就必须有一个极重要的条件，即是纸币的数量，不能超过当时商品流通上所必要的货币量。

关于纸币问题，后面再详加说明，现在应当特别指出：纸币与辅币，在流通过程中，只是金币之一时的代表。纸币数量，如超过流通必要的金币数量时，无论它所代表的价值如何变动，而由它所能购买的商品量，恰如它在流通上所代表的金币量所能购买的商品量。例如商品的某种价格，在同位铸币的某种流转速度上（我们尚未讨论的其他条件，暂且不提），假定商品流通需要 1 亿元的金币，而现在有"1 元"的纸币 2 亿张在市场上流通着，那么，这 2 亿元纸币所能购买的商品量，等于以金币 1 亿元所能购买的商品量，即每元的纸币，仅代替 $\frac{1}{2}$ 元的金币。

（七）价值尺度与流通手段两种机能的统一与差别

货币的价值尺度的机能与流通手段的机能,我们已经考察过了。关于这种机能的差别和统一,现在再总括地说明几句。

一定的商品(金或银),如能充用为价值尺度与流通手段,就变为货币。当货币发挥价值尺度的机能时,即令是想象的东西,而金(或银)就强制地显现出来;但当发挥流通手段的机能时,金(或银)可以用象征来代替,而货币出现为象征的金子(或银)。然而货币在这里要现实的出现。当作价值尺度看,货币虽是想象上的东西,却非有金(或银)不行;当作流通手段看,虽是现实的东西,而货币却没有金(或银)也行。所以价值尺度的机能与流通手段的机能,是有差别的东西。可是这两种机能,在货币中却是统一着。这个统一,以现实的金(或银)之存在为前提。当作价值尺度与流通手段而发挥机能的特定商品(金或银),即是货币。换句话说,成为价值尺度与流通手段之统一物的,即是货币。正因为货币是这种机能的统一,所以它才能使商品流通成为可能,而各个商品生产者的结合才能通过私的劳动生产物的交换而实现。商品社会的本来的存在条件,由于货币的出现而充实。

然而货币的机能,并不止于上述两种。随着商品生产者的社会的生产关系之发展,货币的机能也发展起来,展开了其他的各种机能。

三、当作储藏手段看的货币

（一）本来意义上的货币

我们已经说过,货币是价值尺度与流通手段的两个机能的统一。当作价值尺度看的金银的存在,只是观念上的存在;当作流通手段看的金银的存在,只是象征的存在。观念是实物的观念,象征是实物的象征。所以价值尺度与流通手段这两个机能,只有在贵金属的实物的金银中,才形成统一。货币如不出现为贵金属的实体的金银,绝不能现实地发生货币的机能。正因为货币是现实的金银的实体,所以它除了价值尺度与流通手段两种机能之外,又展开其为储藏手段及支付手段的机能。

在储藏手段和支付手段的机能中,金银就不像在价值尺度方面那样只成为一个观念的存在,也不像在流通手段方面那样只成为一个象征的存在,它倒反不能不在其金银的肉体原状下面出现为货币商品,出现为其他诸商品的唯一的价值形态。金银的这样的机能,和价值尺度及流通手段的机能,是相对立的东西。在这种场合,货币是当作本来的意义上的货币(即当作货币看的货币)发挥机能的。

前面说过,商品的流通即 W—G—W′,是 W—G 与 G—W′即贩卖与购买两个过程构成的。但这两个过程,绝不是同时实行的:有不伴随购买的贩卖,也有不伴随贩卖的购买,即有时卖而不买,有时买而不卖。这样,W—G 与 G—W′之间,在时间上存有或久或暂的距离。在这种场合,货币的一部分虽仍发挥流通手段的机能,而其他一部分就处于休息状态。从全体上看来,一切的货币,都轮流的休息。在休息状态中的货币,就停止其流通手段的机能。

货币为什么能够休息而为人所储藏呢?

我们知道,货币是价值的蓄藏物,"它在其形态上是一般的劳动之直接的体现,在其内容上是一切现实劳动之总体"。它"是物质财富之一般的代表,因为它直接可以转变为任何商品"。

货币这样的性质,是本来意义上的货币的性质,即是当作货币看的货币的性质。而货币之所以能够休息而为人们所储藏,就因为它是具体财富之物质的代表。

(二)货币怎样成为储藏手段

在商品经济的社会中,货币之成为储藏手段,是不可避免的。我们已经知道,流通所必要的货币量,是由商品价格的总额与货币流转速度来决定的。但市场上的商品量,并不是一定不变的量。同时,生产某种商品所必要的社会劳动,也常有变化,于是商品的价值就会变动,因而它的价格也要变动。假定市场上的商品数量减少,或者铸币的流转速度增大,因而一部分的货币成为多余的东西。这多余部分的货币,究竟怎样呢?这时候,一部分的金币,就会改铸为耳环、戒指、金牙等物,以满足所有者的直接需要。这时,一般的,它就停止了货币的机能。但形成这样结果的东西,普通只是货币的很少部分,而大部分是以保持货币形态为原则,暂时收藏在保险箱里或钱袋里。当发生相反的情形时,即商品数量增多,货币流转速度减小时,再被吸收到流通界中去。但是无论如何,总是有多少的货币被人们储藏着。这种被人们储藏着的货币,就由流通手段转变为储藏手段了。

把货币作为储藏手段而积蓄的这种倾向,在商品与货币交换的初期阶段,便已有了萌芽形态。在商品流通的初期,人们的生产,以满足自己的消费为目的,拿到市场上去交换的生产物,大都是剩余生产物。正因为商品流通代替了直接交换,所以人们才把这些剩余生产物,拿出换得货币,把商品的价值放在货币形态上贮藏起来,即是把剩余的财富当作抽象的社会的财富贮藏起来。

随着商品生产的发展,人们越发要靠购买别人的商品而生活,于是为谋生活的安定,就不得不常在货币形态上保持一定量的财富。这样一来,卖而不买的事情,就越发通行了,因而货币储藏就必然地越发增大了(资本主义经济中,关于形成游闲货币之暂时储藏的原因,后面再详加说明)。

四、当作支付手段看的货币

(一)支付手段的机能及其矛盾

我们在前面讨论商品和货币流通时,是就用现金进行一切商品买卖的事实来研究的。换句话说,商品的卖者,在交换商品时,当场就接受现金;买者在购买以前,如没有与商品相交换的货币,就不能购买。在商品流通的这样直接形态之中,同一的价值量,常有二重的存在。即是说,它在一极上,当作商品而存在于贩卖者方面;在反对的一极上,当作货币而存在于购买者方面。但是随着商品流通的发达,而商品的让渡与价格的实现,在时间上分离的事情,也同时发达了。这种事情,是由于各种商品生产的时间有长短、生产的季节有先后,以及商品到达市场的距离有远近等原因,才发生出来的。因此,某商品所有者,在他商品所有者没有变成购买者以前,能够变成贩卖者。换句话说,即商品的转移完了以后,要经过一定期间,才开始货币的转移。例如,布商在农夫没有卖掉棉花以前,先把布卖给他。这时候,布商的方面有布,而农夫方面却没有现金。农夫以将来的货币的代表人买布,即是约定在收获以后把棉花换得的货币,支付给布商的。于是卖布的商人变为债权人,买布的农夫变为债务人。在这种场合,商品的变形或商品的价值形态的发展,别开新生面,货币也得到新的机能。这新的机能,即是当作支付手段看的机能。

在这种场合,商品的贩卖即 W—G,因交换契约而实现。这交换契约,采取了商品—债务、债务—货币的形式。所以就贩卖过程即 W—G 看来,商品与货币,已经不同时出现。在这个场合,第一,货币在贩卖商品的价格的决定上,尽着价值尺度的机能;把契约确定的商品价格,测量购买人的债务,即他在一定期间应当支付的货币额。发挥这种机能时的货币,只成为观念的存在而起作用。第二,货币尽着观念的购买手段的机能。这时的货币,在契约之中,只是观念的存在,现实上还没有存在,但它对于使商品移到另一个商品所有者手中一事,却尽过机能了。支付时日满期之时,当作支付手段看的货币,才开始在现实上进到流通界,即由购买人移交贩卖人。所以货币之当作支付手段走进流通界,是在商品已从流通界退出之后,这时的货币,已不是媒介流通过程的东西了。

货币要完成支付手段的机能,第一,它必须具有其物材的形态,第二,它必须成为金银的形态。即是说,货币必须是"交换价值之绝对的存在",是"一般的商品",而独自的完结流通过程。因为债权人事前把商品交给债务人,随着契约的终结,他必须领受货币。这样的货币,是"本来的意义上的货币",绝不是价值的符标。

在这里,很明白地表现出:"当作支付手段看的货币的机能,包含着一个直接的矛盾。"例如,甲对乙有债务,乙对丙有债务,丙对丁有债务等,而这些债务,假定都是同日清理的。于是相互间的债务互相抵消,不需用现金授受,至多也只是互相抵消的余额,才用一点现金去支付。"在各种支付互相抵消的范围内,货币只当作计算货币或价值尺度,去尽单纯的观念的机能。但在实行现实的支付的范围内,货币就不出现为流通手段,即单纯的、瞬间的、媒介的社会的代谢机能的形态,却要出现为社会劳动之个人的体化,出现为交换价值之独立的存在、为绝对的商品。"即是说,这时必须支付现金。像这样,货币在它不是现实的支付时,只是观念上的存在,在它是现实的支付时,必须是真正的货币的存在——这就是支付手段的机能中的矛盾。

这种矛盾,在恐慌发生之时,最尖锐地暴露出来。在恐慌发生以前,商品生产者买卖商品,都想着债权债务能够互相抵消。但恐慌一旦发生,人们都感到现金的困难,希望取得现金,不再用信用卖出商品。所谓债权债务的互相抵消,在这时绝难谈到。于是货币那东西,在以前虽只是出现为计算货币,只有观念上的存在,但到现在,它却出现为"交换价值之独立的存在"、为"绝对的商品"、为真正现实的货币了。

(二)商品流通所必要的货币量之节约

前面说过,商品流通所必要的货币量,主要的是由现在流通着的商品的价格总额去决定。现在,我们考虑到商品的信用卖出与债务清偿之时,上述的方程式,就不能不重新改正了。

第一,假如某一日(或一星期、一个月)之中,商品的一部分,不是用现金卖出,而是用信用卖出之时,对于这些商品所应当支付的货币,在这一日是不必要的,因而用信用卖出的商品的价格,不能不从流通所必要的货币中扣除出去。

第二,如果在这一日以前已经用信用卖出了的许多商品,都约定在这一日支付现金之时,那些商品早已脱离了流通界,这一日为了偿债,就需要与那些商品价格相当的货币。还有,人们因为在这一日履行纳缴税及偿还借款等义务,也是需要货币的。于是凡属在这一日应当还纳出去的货币量,都不能不加入于这一日流通所必要的货币量之中。

第三,到期支付的一部分,也许由于债务人相互间的计算,不需要现金而互相抵消的。例如,在这一日,甲要还乙100元,乙又要还丙100元,结局因为相互间的抵拨,甲直接交丙100元就可以了。于是每次100元的二次支付,一次就了清了。这种互相抵消的支付,是不需要现金的。那些互相抵消的部分的支付总额,当然要从流通所必要的货币量之中扣除出去。

依照上述三点,我们知道,流通所必要的货币量,由下列五项事实所决定:第一,现在市场中流通着的商品价格越是增高,必要货币量就越是增多;第二,哪一日用信用卖出的商品越是增多,必要货币量越是减少;第三,到期支付的总额愈多,必要货币量也愈多;第四,互相抵消的支付额愈多,必要货币量愈少;第五,市场中同位货币的流通速度愈大,货币必要量愈少。

于是流通所必要的货币量,可用下述方程式表示出来。

$$\frac{商品价格总额-信用卖出的商品价格+到期支付总额-互相抵消的支付额}{同位货币平均流通速度}=$$

流通所必要的货币量

五、世界货币

（一）世界货币的机能

货币不仅是在一个国家中流通的东西，并且是可以从一国流通到他国。

货币一旦脱离国内的流通界而在国际市场中活动之时，它就脱掉地方的形态——即价格标准——铸币、辅币、纸币等形态，而复归到"本来的贵金属的金银块的形态"。无论是英金镑、美金元、日金元、法金佛郎、俄金卢布、中国银元等一切国家的铸币，一旦在国外流通时，它们的名称如何全无关系，都一律当作实质的纯金或纯银看待，都采取赤裸裸的姿态而由衡量去称量。

在一个国家内部的商品流通中，只能有单一的商品成为价值尺度，成为本位货币。这种本位货币，在金本位的国家是金币，在银本位的国家是银币。但在世界市场中，却至少有两个商品（金与银）充用为价值尺度。因为有些国家用金做价值尺度，有些国家用银做价值尺度，所以这二重价值尺度，是同在世界市场中发生机能的。这就是世界货币的第一种机能。此外还有三种别的新机能。其一是充当国际的购买手段的机能。世界货币的这种机能，在国与国之间的商品变形运动中多少圆滑地进行着的时候，即在国际间的新陈代谢作用多少保持着平衡的时候，通常是不显现的。但在交换只是片面的场合，即在一方面的国家只买进而不卖出的场合，世界货币的国际购买手段的机能便显现出来。

其二是充当国际的支付手段的机能。世界货币的这种机能，是在国际借贷的清算时显现的。国际间商品的交换，大部分也是信用的买卖，但到了买与卖、输入与输出有差额时，各国就必须用金或银去实行支付。所以国际间的商品交换越是发展，越是有规则的进行，世界货币就越发频繁地发挥其一般的支付手段的机能。

其三是充当"财富之绝对的社会的具体物"的机能。世界货币的这种机能，不是在购买或支付的场合显现的，而是在一国把财富移转于他国的场合才显现的。例如一个国家向外国借款,或支出赔款或战债时,常是使用金银的。财富的这种转移,不能采取商品形态而只能采取货币形态,于是金银就当作"财富之绝对的社会的具体物"发挥机能了。

(二)世界货币的流通

当作世界货币看的金银,在二重的潮流上,流通于全世界。第一,金银从其原来的出产地点开始流入于全世界市场。金银在这种潮流中,其各种大小的分量,为各国流通界所吸收,而流入于国内的各种流通的渠道之中。这一部分的金银,或补充已磨损的金银币,或充用为奢侈品、医药品等材料,或转变为储藏货币。金银的这种运动的开始,首先是劳动与劳动的交换。即是说,金银中所包含的金银出产国的社会劳动,与普通商品中所包含的他国的社会劳动实行交换,于是金银就开始从其出产地流入于他国,以后就在这一国的流通界流通,而以一定的价值出现。金银的生产费如果有了变动,它在世界市场中,对于各种商品的价值比率上,就给以同样的影响。

第二,金银在各国流通界相互间的流通,而不断地往来于一国与他国之间。金银的这种运动,必然伴随汇兑行情的不断的变动。

概括起来,当作世界货币看的货币,是货币的新形态。世界货币的机能,不是货币的机能单纯地出现于世界市场的更广大的舞台,而是货币的新作用。这是适应于国内流通与国际流通间的差异的新作用。

世界货币的上述一切机能,表现特殊的生产关系,表现种种国家间的商品生产者的关系(这种关系,虽然由国际规模上的社会的分工所联系,却因各有国界的国民经济体制所分离)。

在这种处所,我们看到商品经济的根本矛盾(社会的生产与私人的占有)之最发展的阶段。

六、纸币的本质

(一)纸币与金币

前面说过,纸币是金币(或银币)的象征或符标。无价值的纸币所以能代理流通手段的机能,以具有价值的现实金银币之存在为前提,如果这个前提不存在,那种代理货币(纸币)也不能存在(什么国家权力也不能使它存在)。所以流通过程中代替金币(银币)的纸币,只代表了它所代替的金币的价值。因而只有在纸币的流通量不超过流通所必要的货币量时,每一单位纸币所代表的价值才能与每一金币(或银币)的价值相吻合。

我们知道,流通所必要的货币量,是以市场上流通着的商品的价格总额、信用卖出的商品价格、限期支付的货币额,以及货币流通速度等去决定的。如果金币量超过流通所必要的数量时,金币的过剩部分,就被当作储藏手段蓄积起来,或是改铸成各种金制品。

如果在流通界内,除了金币以外还有纸币时,情形将怎样呢?

我们举例来说,现在假定国内有 1 亿元金币和 1 亿元纸币。如果流通所必要的货币量在 2 亿元以上时,纸币与金币,就平等通用,这是很明白的。如果实际上,金币不能满足流通的全需要而只满足其一部,同时投到流通中的纸币量并没有超过流通上的不足金额时,纸币所代表的价值,当然与金币相等。但如果流通所必要的货币量仍然是 2 亿元,而纸币再加发 1 亿元,共两亿元。于是,国内的金币和纸币总量是 3 亿元。这些货币的一部分,即 3 亿元−2 亿元=1 亿元,显然是流通上的多余部分了。我们在上面说过,这多余部分,是应该从流通手段转化为储藏手段的。然则是哪种货币转化为储藏手段呢?

想"储藏"货币,大概谁都是选择完全价值的金币的。于是 1 亿元的金币,逐渐退出流通界,而被收藏在保险箱里。这样,流通界内只剩下 2 亿元纸币了。在流通上仍然需要 2 亿元货币时,纸币仍可以完整地代替金币服务于流通界,即用 1 元纸币所买得的商品和用 1 元金币所买得的商品相等。

现在假定流通所必要的货币量与上面相同,而纸币量扩大到 3 亿元。因为在流通中只需要金币 2 亿元,而现在却有 3 亿元纸币,所以印着"1 元"的纸币,在流通上不能当作金币 1 元通用,而只能代表其本身的 $\frac{2}{3}$ 价值,即只能代表66 $\frac{2}{3}$ 元。这时候纸币所代表的价值降低了 $\frac{1}{3}$,用纸币 3 元所购买的商品,在价值上与金币 2 元的价值相等。

总之,如果纸币的票面总额,没有超过用现金表示的流通所必要的货币量,纸币所代表的价值,便和金币的价值相一致。如果流通所必要的货币量是在发行纸币的票面价格以下,纸币所代表的价值便比金币的价值低,其低落的程度,由纸币的票面价值超过流通所必要的金币的数目去决定。

170

依照上面的说明,我们可以知道,纸币所代表的价值并不依存于流通着的纸币本身的数量,而是依存于它所代表的金币的数量。当作价值符标看的纸币,只是在流通中才能代表金币,它本身是没有独立价值的,所以它不能执行货币的基本机能——价值尺度的机能。

(二)货币与信用货币

前面说过,商品不仅用现金可以买到,而且用信用也可以买到。譬如农夫在春天买进商人的布,要等到秋天卖掉自己的米,才能支付这笔欠款。普通卖布的商人,是要向农夫要一张借据的。现在假若卖布的商人在农夫未偿还欠款以前想买进工业家的物品时,可以不必另写借据给工业家,只把农夫所写的借据给他就可以了。同样,工业家也可以把这张借据转让于任何人手中。因此,买布的农夫的借据,暂时代替金币,从甲手移到乙手。但是农夫这个借据,只能在很少数的人之间通用。后来,大银行发达起来,各种债务借据(即期票),可以完全在银行中贴现。银行把自己的银行券和各种期票相交换。

这个银行券,可以自由流通,而且暂时可以代替金币。于是从当作支付手段看的货币的机能中产生出信用货币。

信用货币与纸币,虽然同能代替金币而服务于流通界,但两者是不相同的。我们首先要记住:纸币出现的可能性,是从货币的流通手段的机能发生的;信用货币出现的可能性,是从支付手段的机能发生的。

其次,银行券是银行所发行的证券,发行之时,银行是把它和别人的证券(期票等)相交换;反之,纸币是国家发行的证券,发行之时,国家不和任何人的任何证券相交换。在国家的金币量不足之时,纸币是国家用来筹款的手段。

银行券之执行其债务证券的机能,只有在发行它的银行能够兑现时,才有可能。所以银行不能强制地把银行券投入于流通界中。并且信用货币的发行数额,有一定的限度。这种限度,是由与银行所发行的兑现银行券相交换的现实证券去决定的。至于纸币,情形便完全不同,它是可以由国家任意增加的。所以,银行券的流通,普通都带有任意的性质;而纸币的流通,常常带着强制性,与国家是否承认兑现无关。

习题六

一、试概括地说明货币的本质。

二、何谓货币拜物教？它如何发生？如何才能消灭？

三、货币的价值尺度机能之意义如何？

四、货币在发挥价值尺度机能时,采取观念的存在形态,其意义如何？

五、货币的价格本位机能之意义如何？

六、价值尺度与价格本位两种机能,有何种区别与关联？

七、商品的价值与价格的差异如何？

八、价格与价值常不一致,其原因如何？

九、货币的流通手段机能之意义如何？

十、试说明商品变形的两个阶段。

十一、商品流通与商品直接交换之差异如何？

十二、商品流通与货币流通(运动)之差异如何？

十三、试列出测定货币流通的必要量的方程式,并说明其意义。

十四、纸币何以能成为流通手段？

十五、所谓"当作货币看的货币",其意义如何？

十六、货币为什么暂时退出流通界而采取休息的姿态？

十七、货币的支付手段机能之意义如何？

十八、在某一星期之中,某一都市流通了价格 1000 万元的商品,其中有 400 万元是以信用卖出的。这一星期中共缴纳了租税 100 万元,偿还 200 万元的债款。而各种铸币的平均流通速度为 3 次。试问这星期必要的货币额是多少？

十九、各国的铸币一进到国际市场,就停止其为价格本位,其理由如何？

二十、世界货币的价值尺度机能之意义如何？

二十一、世界货币的支付手段机能之意义如何？

二十二、纸币与金币之关联如何？

二十三、信用货币与纸币的差异如何？

第三章　货币的资本化

第一节　资本的一般公式及其矛盾

一、资本的一般公式

（一）货币的新任务

我们已经知道,商品是不断运动的。商品的运动,必然地产生了货币。而货币由于媒介商品的运动,自己也运动起来。货币的运动,即是货币流通。随着商品生产与商品流通的发展,货币也发展起来。所以货币的发展,反映商品生产的全面的发展过程。在商品生产的全面的发展过程中,商品生产发展到一定的水准,就超出单纯商品经济的领域而转变到资本主义的生产的领域。这样的转变,由流通的新形态即资本形态所显现。于是货币就转变为资本。

我们观察商品流通在其中显现的经济形态时,就看到货币是单纯商品流通过程的最后的产物。"商品流通的这个最后的产物,是资本的最初现象形态。在历史上,资本无论在什么地方,首先在货币形态上,当作货币财产、商业资本、高利贷资本,与土地所有权相对立"。"各种新的资本,首先当作货币,当作由一定国转变为资本的货币,登上市场——商品市场、劳动市场或金融市场——的舞台"。

资本虽然从货币发展而来,并且在市场上采取货币形态,但资本与货币并不是完全同一的东西。

当作货币看的货币,与当作资本看的货币,最初只由两个不同的流通形态所区别。商品流通的直接形态,是 W—G—W′,即是由商品到货币的转变以及由货币到商品的再转变。换句话说,是为买而卖。但与这形态相并行,还看到与它特别不同的第二形态。它是 G—W—G′,即是由货币到商品的转变以及由商品到货币的再转变。换句话说,是为卖而买。运动的时候,后一种流通的货币,转化于资本,变为资本,在其性质上已是资本。

(二)商品流通与资本流通两种形态的类似与差异

W—G—W′,是单纯商品流通的形态;G—W—G′,是资本的一般的公式,是资本主义的流通形态。现在我们来考察这两种形态的共通点和差异点吧。

我们可以把这两个形态分解为同一的相互对立的两个阶段,即 W—G(出卖)与 G—W(购买)。在各个阶段中,商品与货币,互相对立,买者与卖者,互相对立。这两个形态,都是同一的两个对立阶段的统一。在这种场合,这个统一是依三个契约当事人媒介着,即一个是买者,一个是卖者,一个是买者兼卖者。

这两种流通形态,乍看起来,好像只是货币与商品的位置的颠倒上的差异,但实际上却有根本的不同点。单纯的商品流通,是为买而卖,资本的流通,是为卖而买。流通的始点和终点,前者是商品,后者是货币,流通的媒介,前者是货币,后者是商品。

单纯商品流通的公式的意义,是在交换不同的使用价值。例如农夫把米卖给米商,把所得的货币向织匠买布之时,商品流通采取 W(米)—G—W′(布)的形态。这时农夫卖米的目的,在于取得布的使用价值;而米店用货币买米,再卖给消费者,他只注意于米的交换价值;至于织匠的目的,在于把布换取货币,以便用货币买进其他必需品。这时的货币是体现交换价值的东西。所以 W—G—W′ 的流通形态,是以货币为媒介的商品与商品的交换,两极的商品是使用价值不相同的东西。

但 G—W—G′ 的流通形态,是以商品为媒介的货币与货币的交换,两极的货币,必须是量不同的东西,因为货币在质的方面没有差别。因此,投入于流通中的货币额,必须变为比较增大了的货币额而从流通界脱离出来。换句话说,终点上的 G′ 必须大于始点上的 G,否则两种同额的货币互相交换,就全无意义。G′ 大于 G 的部分,我们用 g 表现它。于是上述的公式可改写为 G—

W—G+g。这公式中的 g，叫做剩余价值。

在 W—G—W′ 的流通中，结果货币是当作使用价值而变形为商品；货币毕竟是被支付出去。反之，在 G—W—G′ 的流通中，购买者之支出货币是为了将来作出卖者时重新可以把它收回的。所以，货币并不是支付出去，而仅是垫付出去。但是，"最初垫付的价值，在流通上不仅保存着自身，且变更它的量，附加上一个剩余价值，即形成自己增殖。而这一运动，就使最初垫付的价值转化为资本"。

当作资本的货币之流通的目的，在于增殖价值。为了增殖价值，资本家必须把自己的货币不断地投入流通界，而且必须不断地和剩余价值一块收回来。

因此，价值，转化为形成自己运动的价值，转化为形成自己运动的货币，这就是资本。

G—W—G′ 这个公式，乍看起来，好像是商业资本（用货币购买商品，然后取得追加部分而出卖）特有的形态。但是这个公式，无论是对产业资本或其他资本的一切运动形态，都是一样。就产业资本看来，它首先也是货币，然后变形为商品，更由于商品的出卖而转变为更多的货币。虽然在购买与出卖中间，存在着生产过程，但并不影响于这运动的形态。

所以，G—W—G′，在事实上，成为直接出现于流通部面的资本的一般公式。

二、一般公式的矛盾

（一）矛盾的本质

我们前面已经说过：第一，商品是使用价值和价值，即是劳动过程与价值生产过程的结果，因而劳动生产物，不是在交换上变为商品，而是当作商品去交换的；第二，当作抽象劳动之物材表现的价值，是在商品生产本身中发生的；第三，货币不外是价值的货币形态，并且一商品是从它的生产本身中当作一定的金量（观念上的）而出现；第四，商品在交换上从观念的金量转化为现实的金量。照这样，"资本流通形态，是与以上关于商品、价值、货币以及流通本身的性质所说的一切法则矛盾的"。

如果我们承认利润即超过最初价值的剩余价值是在流通中发生的，那么，我们就不能不承认价值也是在流通中发生的（因为剩余价值不外是增大数量的价值），这种承认，实际上就与上述的一切法则相矛盾。但 G—W—G′ 的公式，并不是想象的、偶然的东西，而实际上，资本家在流通中收回了多于最初投入流通的数量的货币，否则，他的行为就完全没有意义。于是，一方面价值不能在流通中增大，同时，他方面价值又必然在流通中才能增大。这就是一般公式的矛盾的本质。

所以，"我们必须进而研究商品流通本身是否能够增大进入流通中的商品的价值，即是否能形成剩余价值"。

（二）剩余价值的泉源问题

乍看起来，剩余价值，好像是可以随意加到商品价格上而取得的。我们知道，价值法则，是由其不断地搅乱与背离而实现。所以，价格只有很少的例外才与价值一致。因此，在以价值为中心的价格之无限的动摇过程中，某一资本家可以由牺牲其他资本家而赚钱。可是，用这种方法，只能说明牺牲其他资本家而某资本家发财的事实，不能说明整个资本家阶级所得到的剩余价值。

实际上，如果某资本家在买卖自己的商品时，因供给需求之变动，由牺牲其他资本家而自己发财；那么，整个资本家所有的价值总额，并不会增大，因为只是分配已经形成的东西。譬如资本家 A 有 100 元价值的商品，资本家 B 有 120 元货币，总价值为 220 元。假如资本家 A 以 120 元的价格出卖该商品于资本家 B，在这种场合，A 得利 20 元，B 损失 20 元。但价值总额，和交换前一样，仍然等于 220 元。流通中的价值，丝毫没有增加，只不过它在 AB 之间的分配情况发生变化罢了。假定 A 不经过交换形态，而直接从 B 偷窃 20 元，同样的变化也会实现的。但是，一国的资本家阶级全体，绝不能因自己欺骗自己而赚钱。所以，很显然的，必须有将利润不断地流入资本家腰包去的泉源，资本主义社会的存在才有可能。

然则，利润不是因为卖者用价值以上的价格贩卖其商品才得到的吗？可是，只是贩卖而不购买的这种卖者，在世界上是没有的。

就一个产业资本家来说,他卖掉自己的制品以后,必须拿得到的货币,购买个人的消费资料,和继续其生产过程所必需的一切商品。因此,商品所有者不断地交互改变其地位。昨天的卖者,今天变成买者,昨天的买者,今天变成卖者。因此做卖者时所赚的部分,做买者时便要失掉。

例如,出卖者以 120 元出卖 100 元价值的商品,即以 20% 的名目上的追加价格出卖,于是出卖者获得 20 元剩余价值。但是,他从出卖者要变为购买者,他遇到了第三商品所有者做了出卖者和他对立起来,这出卖者亦以 20% 的利益出卖他的商品。于是前面这个商品所有者,做卖者时得利 20 元,做买者时失利 20 元。事实上,等于一切商品所有者以高于商品价值 20% 互相出卖他们的商品,这和他们在商品的真正价值上出卖的场合是相同的。所以,商品的价格虽然增高,而其价值仍然不变。

这样看来,等价与等价相交换,没有产生剩余价值,即非等价与非等价相交换,也没有产生剩余价值。所以。我们要想从流通过程去说明剩余价值的泉源,是绝对不可能的。我们所要解决的问题是:"我们的货币所有者,是按价值购买商品,按价值出卖商品,但在这过程的终结时,必须得到比最初所投出的更多的价值。"因此,我们必须从生产过程中去探求剩余价值的泉源了。但是,在这里还必须附带说明一句,就是流通过程虽不能产生剩余价值,而剩余价值却是在流通过程中表现或体现出来的。

第二节 劳动力的买卖

一、劳动力的一般概念

(一)劳动力的概念

我们上面所提出来的问题,只有当我们在市场上找到一种能创造价值的商品时,才能解决。形成价值的东西是劳动,在出现于资本主义市场的一切商品中,具有劳动能力的东西,只有一种,就是劳动力。因此只有这一种商品可以成为价值的源泉。

我们解释劳动力为肉体的及精神的能力的总和,这种能力包含着具体的有机体即人类之活的人格所具有的、并且是产生使用价值时所必须发动的东西。

(二)劳动力转化为商品的条件

但是,劳动力并不是在任何社会条件之下都是商品。它在原始氏族社会不是商品,在奴隶社会以及封建社会也不是商品。劳动力之成为商品,是过去历史发展的产物,是历史的范畴。要劳动力成为商品,须要两个条件。第一,劳动者在人格上必须是自由的,即是他们要有自由处置自己的劳动力的权利,奴隶与农奴都没有这种权利。因为他们的人格是隶属于奴隶所有主及地主的。第二,劳动者与生产手段及生活资料相隔离,所以他非出卖劳动力不可。这一点就是劳动者所以与手工业者、农民,或一般小商品生产者不同的所在。因为后者还握有生产手段——工作机、农具、工作场等,所以他们所出卖的不是劳动力而是自己的劳动生产物。

劳动力成为商品所必要的诸条件,既如上述,而形成这些条件的东西实在是资本主义。

在资本主义社会里,劳动者因为可以应用自己的劳动力的生产手段,都被他人夺去,所以不能够使用自己的劳动力。不过把自己的劳动力卖给独占生产手段的资本家,这样程度上的自由倒是有的。

> 资本主义时代的特征是:劳动力对于劳动者自身,采取属于他所有的商品的形态。换言之,他的劳动力,得到工钱劳动的形态。

总之,只有在资本主义社会之中,才出现了前所未见的劳动力这种商品,这种商品,是与其他诸商品并存的。

二、劳动力的价值

(一)劳动力的使用价值与价值

如上所述,劳动力既然在资本主义经济的诸条件之下,变成商品,那么,它当然和其他一切商品一样,一方面有使用价值,他方面又有价值了。我们先考察劳动力的使用价值。

我们知道,商品的使用价值,是它满足人类某种欲望的性质或能力。那么,劳动力这种商品的使用价值何在呢? 资本家怎样使用这种商品——劳动力呢? 资本家购买了劳动力即雇用劳动者,是迫使劳动者为他而使用自己的劳动力。换句话说,就是迫使劳动者为他而劳动。所以,劳动力的使用价值,就是劳动者为资本家劳动,为资本家生产商品。简单地说,劳动力的使用价值,就是劳动。

那么,劳动力的价值是什么呢? 即劳动力的价值是怎样决定的呢?

前面已经说过,商品的价值,是由商品生产上所消费的社会必要劳动量来决定的。那么,劳动力的价值,和其他一切商品的价值一样,也是由它的生产上所消费的社会必要抽象劳动量来决定的。不过劳动力不是在生产过程中发生,而是在生活过程中发生的。所以,我们对于劳动力的价值,必须从生活过程中去追求。

劳动者为了维持他的生命,即为了再生产他所耗费了的劳动力,就必须消费一定的生活资料。所以,劳动者的生活过程,就是一定的物质生活资料的消费过程,换句话说,一定的物质生活资料的消费过程,就是劳动力的生产或再生产过程。

物质的生活资料,在商品资本主义经济的条件之下,是表现为一定的价值的商品,即表现为含有一定劳动量的商品形态。劳动者为了维持劳动力而消费的必要生活资料的生产上所需要的劳动,同时就是这劳动力的再生产上所需要的劳动。而劳动力的价值,就是由这种劳动来决定的。所以,我们可以说,劳动力的价值,是由劳动者为了再生产他的劳动所消费的生活资料的价值来决定的。

(二)决定劳动力价值的诸要因

我们再详细考察一下,劳动者为了维持劳动力及其再生产所必要的生活资料之分量,是由什么来决定呢?

劳动者,由于劳动,即由于作用于外界的自然,他就消费自己的筋肉、神经、脑髓等。要在能够劳动的状态上维持自己的劳动力,劳动者每天不能不补足劳动力的支出。这样一来,他不能不消费一定量的生活资料,就是说要有居住、衣服、食物等。

然而劳动者以及他的劳动力，并不是永久生存着的。为了不断的再生产劳动力，就必须在死亡、隐退之后，使新的劳动者有出现的可能性。此外，为要扩张生产，就不得不有追加的劳动力。为了这一切，劳动者之自然的繁殖是必要的。所以劳动者必须有足够维持家族的生活资料。假若他所得的生活资料，不能够使他维持家族，结果不但是资本失掉了新的劳动力的源泉，就是劳动者也不能够恢复他足够替资本家做工的能力。为什么呢？因为假若一个有妻子的劳动者，他所得的生活资料只够恢复他一个人所支出的劳动力，那么，他因为把这个生活资料分给全体家族，结果，就必定不能够补充自己的劳动力。所以至少一个平均数家族的维持费，是必须加在劳动力的价值之中的。

在刚够维持劳动者的生命的、劳动阶级的某种肉体的最低限度的需要以外，还有最低限度的文化的需要。这最低的文化水准，由劳动者的生活情形及其所处的历史条件所决定。所以因为国家不同，劳动阶级所必要的文化水准也就不同。例如在美国的水准与在中国是不同的。美国的劳动者把大部分的生活资料用于居住、服装等项。他们还有每日看报、看戏等的欲望。这一类事情，在中国的劳动者之中，是很少的。但无论如何，各国劳动者多少都有文化的需要。

所以一定的历史条件所决定的各国劳动者之必要的最低限度的文化需要，也要加在劳动力的价值里面。

最后，劳动者的技能，也应当算在影响劳动力的价值的诸要素里面。劳动者在没有成为熟练劳动者以前，必须经过一定的修养期间，在这个期间中，他因为修养支出了一定量的劳动。这个劳动，不用说不能不提高熟练劳动者的劳动力的价值。此外，熟练劳动者常常是站在较高的文化水准之上。而维持这个文化的水准，在保持他的技能上，常是必要的事情。

所以，劳动者的不同的熟练程度，也影响于劳动力的价值。

劳动者在劳动过程中，补足支出的劳动力，供养平均数的家庭，以及维持某种文化水准所必要的一切消费资料，都有一定的价值；这些价值，和其他一切商品的价值一样，是按着生产所必要的社会的必要时间来决定的。这全部生活资料的价值，就是劳动力的价值。

　　根据上面的说明,我们可以得出以下的结论,即是:劳动力也和其他一切商品一样,是有价值的,而这个价值,是按照劳动力的再生产、修业、普通家族的抚养、某种文化水准的保持等所需要的生活资料的价值来决定的。

　　由上述各点看来,我们可以知道:剩余价值的源泉,不存在于流通过程之中,而存在于资本的生产过程之中(关于这一点,下一章再详加说明)。G—W—G 的公式的矛盾,由于劳动力这个商品的出现而解决了。

习题七

一、货币的新任务为何?

二、商品流通与资本流通的差异何在?

三、在商品流通过程中,能否产生剩余价值?

四、在什么条件之下,劳动力才能变为商品?

五、试述劳动力的价值与使用价值。

六、决定劳动力价值的因素为何?

第四章　剩余价值的生产和工资

第一节　剩余价值

一、劳动过程与剩余价值的形成过程

（一）劳动力的买卖

我们在前面已经说过,剩余价值和价值,只能形成于劳动过程即生产过程中。

资本家为了使劳动者工作,不仅要支付劳动力的价值,还要耗费一定量的货币以购买生产手段——劳动手段、原料等。生产过程终了时,资本家除了收回其垫付于生产手段和劳动力上的价值外,还获得了超过这些价值的剩余价值。所以资本家的生产,是追求两个目的:第一,他要生产一种有交换价值的使用价值,即要生产一种商品;第二,他所生产的商品的价值要大于其生产上所必要的生产手段及劳动力的价值总和。换句话说,"他不仅要生产使用价值,而且要生产商品;不仅要生产使用价值,而且要生产价值;不仅要生产价值,而且要生产剩余价值"。

假如资本家不能不支付劳动力的全部价值,那么,在这个场合,资本家所得的利润即剩余价值是从什么地方来的呢?

我们已经说过,劳动力这个商品,与其他一切商品有共同的性质。现在为要解答以上的问题,必须考察劳动力这商品与其他一切商品不同的诸性质。

劳动者与资本家相见于市场时,他们在形式上表现为同等的商品所有者,即劳动者表现为劳动力这商品的所有者,资本家表现为一定量货币的所有者。资本家用适合于劳动力的价值的一定量的货币,来购买劳动力,例如5角钱一天。资本家既然购买了商品的劳动力,他就可以利用它的使用价值。劳动力

的使用价值,就是形成价值的劳动。资本家得到了对于劳动力的使用价值的权利以后,就要开始利用它。即强制劳动者提供出他自己的劳动。我们假定资本家购买劳动力的价格是一天 5 角,而这 5 角钱是 5 小时劳动之货币的表现,那么,劳动者以 5 小时的劳动,偿还资本家购买劳动力这商品时所支出的货币。然而劳动力是具有特殊性质的商品,因为在生产力及劳动生产性之某种发展阶段上,劳动力能够供给大于维持其自身所要的劳动量。换句话说,能够创造比它本身更大的价值。资本家知道了劳动力这商品之"不可思议"的性质以后,就不限于只产生与劳动力的价值相等的 5 小时劳动,而要劳动者做得更长久些,例如 10 小时的劳动。这样一来,劳动者在后一部分的劳动时间内,因劳动而产生的价值,就成为资本家所得的纯利益了。劳动者所产生的在他的劳动力的价值以外的超过价值,就是所谓剩余价值。劳动者为生产自己劳动力的价值而劳动的时间,叫做必要的劳动时间;为资本家生产剩余价值而劳动的时间,叫做剩余的劳动时间。

(二)剩余价值的形成

资本家的榨取之特征,就在于剩余价值的形成。榨取这件事情在奴隶制度或封建制度之下,本已存在过,可是劳动力成为商品,因而剩余生产物也成为剩余价值的事情,都是没有的。劳动者在剩余的劳动时间内所创造的剩余价值,才真正是资本家利润的源泉。

资本主义社会中,在支配的一般的平等的外形之后,隐藏着本质上与奴隶经济及农奴经济诸条件下所有的完全一样的榨取。两者的差异仅仅在于这点上,就是:在奴隶经济及农奴经济中,榨取是公开地带着残酷的强迫的性质;在资本主义社会却不然,它是外观上在自由平等的旗帜下面,以交换契约的形式来进行的,而这契约是两个在形式上独立的而且平等的商品所有者——一个是货币所有者,另一个是劳动力这商品的所有者——所订立的。

即令不像驱使奴隶或农奴那样用鞭子去强迫劳动,但是劳动者与资本家所订的契约,在本质上对于劳动者一点自由也不会有的。这种无形的鞭子,比较驱使奴隶或农奴的有形的鞭子或法律的强制更要厉害,它把劳动者赶到工场里使他做资本家的奴隶。这无形的鞭子是什么呢? 这就是劳动者的贫穷,就是他没有生产手段及生活资料。

在这里,我们看到:生产之社会的性质与资本家占有之私的性质间的矛盾,变成资本主义的生产方法之根本的矛盾,由此采取布尔乔亚与普罗列达利亚之对抗的形式。

二、不变资本与可变资本

(一)资本的一般概念

我们已经知道,剩余价值是在资本家使用了劳动力的使用价值之后,才产生出来的。

但单只劳动力是不能创造剩余价值的。劳动力之所以能成为商品并成为剩余价值的源泉,正是因为劳动者没有可以注入自己劳动力的生产手段,资本家之所以能够使用劳动力,也正是因为他握有劳动者所没有的生产手段。

所以,虽说劳动者的劳动是剩余价值之自然的源泉,而生产手段为资本之独占的财产一件事,却是形成剩余价值的必要条件。

资本家所购买的劳动力,以及他所占有的生产手段,换言之,资本家手中所有的、成为榨取并占有剩余价值的手段之一切价值,总称为资本。

从这个定义可以知道,人类不费任何劳动就可以从自然取得的一切东西,例如空气,是不能加入于资本的概念的。空气虽然是形成任何剩余价值时所必要的条件(因为没有它,劳动者就不能工作),但是它没有价值,它也不能成为一部分的资本。

在另一方面,有价值的生产手段(机械、建筑物、原料等),也不必一定是资本,它只有在一定的条件之下,才能成为资本。例如机械,若是完全离开了使用它的人类的生产关系,它还不是资本。即如手工业者用来工作的器具,农夫用来耕种的他自己的锄锹,都不是资本,然而,若是把这个器具拿到资本家的工场里,把这个锄锹拿到资本家的农场或富农经济中,就立刻成为资本。因为资本家——工场主或农业资本家——将要利用这些东西来榨取剩余价值。

"所谓资本……是一切种类的原料、劳动手段及生活资料。资本的这一切组成部分,是劳动的创造物,是劳动的生产物,是被积蓄的劳动。成为新生产的手段的,被积蓄了的劳动,就是资本。"黑人就是黑人,只有在一定的社会关系中才成为奴隶。纺织机是为纺织用的机械,只有在一定的社会关系中才成为资本。一旦离开了这关系,就好像金子自身并不是货币、砂糖不是砂糖的价格一样,并不成为资本。

资本也同样的是社会的生产关系。它是布尔乔亚的生产关系。

在过去被支出、被对象化、被积蓄的劳动,只有在它支配直接的活的劳动时,被积蓄的劳动,才成为资本。

所以资本以工钱劳动为前提,"工钱劳动又以资本为前提。两个是互相制约,互相生产的"。

所以物品之成为资本,并不是由于它的自然性质,而是由于一定社会的关系,即由于资本家榨取工钱劳动力。因此,所谓资本,就是一方面占有生产手段的资本家,与另一方面因为生产手段及生活资料被剥夺而不得不出卖自己的劳动力给资本家并替他创造剩余价值的劳动力这两者之间对象化了的(即表现于某种物体中的)社会的关系。

总之,资本是历史的范畴。这个范畴,并不是可以适用于一切经济,一切生产方法的,而只能适用于其中的一个形态,即资本主义的形态。

(二)不变资本与可变资本

我们已经说过,凡是资本家手中所有的、成为剩余价值之榨取手段的一切价值,都是资本。

然而构成资本的一切要素,在价值及剩余价值的生产过程中,其所有的作用,并非一致。

首先试拿一种生产工具,例如一架机器来看。一架机器,在参加于全系列的劳动过程中,总可以支持比较长久的时期,机器在这时候,纵然是渐渐消耗,而在它全部存在的时期中,并没有改变它原有的形态。假定这机器的平均"使用年限"是 10 年。在这 10 年之间,机器每年都消耗其价值的 $\frac{1}{10}$,这消耗部分,转入到借这机器生产出来的商品价值中去。假定再生产这部机器所支出的社会的劳动是 10000 个劳动日,而这机器每年能够生产 500 件商品。那么,很明显的每一件商品中所包含的机器的价值是等于 $10000 \div (500 \times 10) = 2$ 劳动日。机器虽是逐渐消耗它的价值,然而如我们所说,当它还不到 10 年期满全部机器完全无用以前,总是全部参加到劳动过程中去的。这一切情形,不但对于这个机器,就是对于发动机、传送机、建筑物等,都一样可以适用。

总之,由生产手段而成的一部分资本,是按它消耗的程度,将自己的价值一部分一部分地转移到新商品中去。

至于原料及补助材料,例如燃料等,就不是这样了。它们只要一次参加了生产,同时就完全变更了自己的物质形态。如原料完全被劳动加以制造,燃料完全变成发动机的能力等。因此它们的价值,就全部移到新商品的价值中去。

这里我们应该特别说明:在机械及建筑物等与原料及补助材料等两者之间,从它们这价值转移到商品的见地看来,虽有不同的地方,可是这两者却有共同的、同时也是最重要的形象。就是,两者都不能创造任何新的价值,都不过将那消费在它们身上的社会必要劳动所创造的价值转移到新商品的价值中去。

生产手段所能转移到生产物中的价值,绝不能比它在生产过程中所消灭的所丧失的使用价值更多些。

如果生产手段能给资本家以超过的价值,那只限于他在价值以下买进生产手段,而他的价值完全转移到由它生产的商品中的场合。然而如上面所考察,这是一个资本家牺牲另一资本家而赚钱的场合,就是说,在利润的源泉的问题上,这是不会对我们说明什么事情的场合。

然则机械与原料等的价值是怎样被转入于新商品的价值的呢?这是由于劳动而被转入的。举例来说,假设这里有两个工场,一个是开工的,另一个是停工的。这两个工场都备有机器、房屋等的生产手段。开工的工场中的劳动手段是被劳动以及与劳动无关的其他各种条件(例如空气)的作用等所消耗的。停工的工场中的劳动手段,也是要因为空气及其他诸条件的影响而被消耗的,不过程度要轻微些,即如铁生锈、墙壁剥落等。要使劳动手段不受损伤,就要妥慎保存。在第一种情形,因为劳动以及与劳动无关的事情所消耗的价值,都加入在新生产的商品的价值中,到商品售出时,再回到资本家的手里。在第二种情形,被消耗的价值,不能转入于商品的价值(因为没有商品),所以没有补偿,在资本家完全是损失。从这个例子,我们可以知道,劳动不但能够创造新的价值,并且能够把包含在生产手段中的价值转移到新生产的商品中去。

总之,生产手段的价值,是由劳动转入于生产物的。但这价值虽转入于生产物,而和它从前被体化于生产手段时,在分量上毫无变化,即被机械对象化了的价值,当这机械被用尽之时,是不多也不少地完全被转入于生产物之中的。

至于劳动力就不是这样了。它不但把生产手段的价值转入于商品,还创造新的价值。这新的价值又分为两部分。一部分用以再生产被资本家所支付的劳动力;另一部分,如我们所知,形成了资本家的纯利润,即剩余价值。

这里明白地表现着,两部分资本,即生产手段与劳动力两方面的区别。

要之,被转化于为生产手段的原料、补助材料及劳动手段的资本部分,在生产过程中,其价值的大小并不发生变化,所以叫作不变的资本部分,或简称不变资本。

反之,被转化于劳动力的资本部分,在生产过程中,变化它的价值。它除了再生产与自己相等的价值以外,还生产多余的剩余价值。这剩余价值本身,也是可变的,可以变多也可以变少。这部分的资本,不断地从不变量转化为可变量。所以把它叫作可变的资本部分,或简称可变资本。

(三)剩余价值率是资本对劳动力的榨取程度的表现

如上所述,因为劳动力必须与生产手段结合,才能发生作用,所以没有不变资本,就不能够形成剩余价值。然而,不变资本虽是形成剩余价值之必要的条件,而它自身却不能够形成剩余价值。能够形成剩余价值的,只有劳动力。所以无论不变资本额怎样巨大,它对于剩余价值额却不能有一点增减。我们在决定资本家榨取劳动者的程度时,可以完全不管资本家所投下的不变资本的数量。我们只要知道,劳动者为了补充劳动力价值于生产物价值之中,所得到的究竟有多少,知道资本家所得到的剩余价值究竟有多少就可以了。

劳动者被榨取的程度,可以用这两种数量的比率表现出来,即是用剩余价值与为劳动力价值的可变资本两者的比率(换句话说,也可以说是剩余时间与必要时间的比率),把它表现出来。

用百分率表现的这个比率,叫作剩余价值率或榨取率。

我们举个例子来说明。

假如在某资本家的企业中,机械及建筑物的价值是 5000 元,原料及补助材料是 1000 元,劳动力价值是 2000 元,剩余价值是 1000 元。用 C 表示不变资本,V 表示可变资本,M 表示剩余价值。那么,我们可以得到以下的公式,即:

C = 5000 元 + 1000 元 = 6000 元

V = 2000 元

M = 1000 元

榨取率是以 $\dfrac{M}{V}$ 来表示的。所以上面这个例子,榨取率是 $\dfrac{1000}{2000}$,若是用百分率来表示,就是 $\dfrac{1000 \times 100\%}{2000} = 50\%$

这个意思,就是说劳动者为补偿自己劳动力价值而工作的每一小时中,都要另外加上半小时劳动,替资本家生产剩余价值。这是很明显的,只要 M 与 V 不变,无论资本家生产手段的价值之高低,榨取率是依然不变。

第二节　绝对剩余价值与相对剩余价值

一、绝对剩余价值的生产

(一)延长劳动时间

剩余价值的生产与占有,是资本主义生产方法的运动与发展的刺激物。无厌的追求利润的资本家,为了尽量剥削劳动者,而寻求种种手段,去增加由劳动者身上榨取来的剩余价值。

这增加剩余价值的第一个方法,就是延长劳动日。

我们知道,劳动日可以分为两部分:一部分是劳动者为再生产自己的劳动力所要的必要时间,一部分是他为资本家创造剩余价值的剩余时间。这可以用图式表示如下:

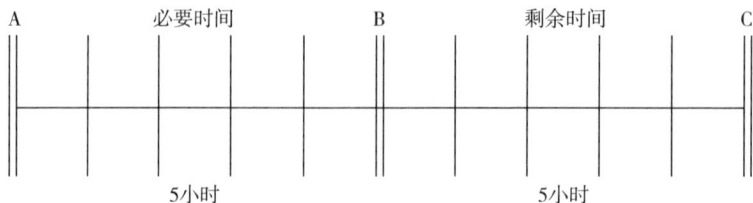

在这个场合,剩余价值率是$\dfrac{5}{5}$,就是100%。

然则要增大剩余价值率,有什么方法呢? 第一是用延长劳动日的法子,来达到这个目的。如上例,可以在10小时劳动以后,再加上2小时。用图来表示,就是:

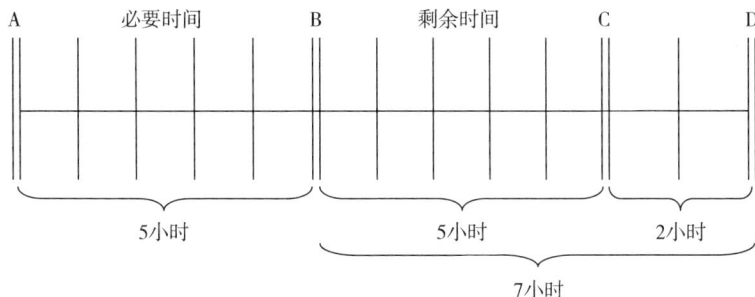

| A | 必要时间 | B | 剩余时间 | C | | D |

5小时　　　　　　5小时　　　2小时

7小时

这样一来,剩余时间就变成7小时,剩余价值率就变为$\dfrac{7}{5}$,即140%。

用延长劳动日的法子来增大剩余价值,在资本家方面,关于企业的设备,新的机器、机械的设备等,并不需要增加费用。

"资本是死的劳动,它完全和吸血鬼一样,靠吸取活的劳动才能生存。而且它吸取活的劳动愈多,就愈加活跃起来。"因此,无论如何,只要能够采取延长劳动日的方法,资本就向着这条路上前进。

延长劳动日这种方法,是资本主义曙光期中增加剩余价值的常用手段。现在,不但是在落后的国家,就是在最先进国家,也还屡次应用这个方法。

延长劳动日的资本家,是由于劳动者在一整天中支出的劳动量之总体的、绝对的增大——与劳动力的价值量无关,来增大他所得到的剩余价值。例如在上面的图式中,剩余价值之所以增大,是因为全体的长度增大,它的必要时间(A—B)仍然没有变动。

(二)提高劳动强度

由于劳动日之绝对的延长而得到的剩余价值,就叫做绝对的剩余价值。

除了延长劳动日以外,就是资本家因劳动的强度化而增大的剩余价值,也必须加入于绝对的剩余价值之中。

我们所说的劳动的强度化,是指劳动者在一个单位时间内所支出的劳动量之增大。

这个方法，与由于延长劳动日而增大榨取率的方法不同，它是以劳动日不变为前提，可是在这个场合，因为劳动者支出了比从前更多的劳动，所以与它的劳动力的价值无关，只是绝对地增大了他自己所产生的价值及剩余价值。

所以，这个方法所产生的剩余价值，也要加入于绝对剩余价值的生产之中。

资本家用尽一切方法来提高劳动的强度。在劳动者上面设置监督，为了极小的事情，也要课取罚金。假若用威吓的手段不能成功，他就要用奸诈的方法来欺骗劳动者，如后面所讲的，用种种赏金及种种支付工资的方法等。再者，资本家还企图设置一种生产组织，使得劳动者们无论愿意与否，都要把全身紧张起来去动作。新式的机械，非常迅速地不断地转动着，使劳动者连喘气的时间都没有。因为若是稍微怠慢一点，就要受全机构的威胁，发生事变，甚至于还有生命的危险。

前面说过，提高劳动强度来增大剩余价值，是与劳动力的价值量无关的。可是，也必须附带说明，提高劳动的强度，同时也必然要增大劳动力的价值。实际上，无论什么样的劳动，总要支出劳动者的一定量的筋肉及神经，劳动愈紧张，它所消耗的能力也愈多。筋肉、神经等的消耗既然增加，那么，为再生产劳动力所需要的生活资料，也就不能不增加。

然而这并不是说，提高劳动者劳动的强度，是于资本家不利的。首先我们要知道，在一定范围以内，劳动的强度比起劳动力的价值能够迅速的增大。

就是假定劳动强度的增加与劳动力价值的增加，是一样的速度，对于资本家也仍然是有利的。

假设从前劳动者是生产 1 元钱的必要生产物和 1 元钱的剩余生产物。现在劳动的强度是从前的两倍，劳动力的价值也增加为从前的两倍。所以现在劳动者生产两块钱的必要生产物和两块钱的剩余生产物。那么，榨取率虽然和从前一样，仍旧是 100％，但现在资本家却可以从每个劳动者身上得到两倍的剩余价值。

假设我们注意到这时机器与建筑物所需要的费用，并没有增大的话，那么，资本家的利益就更加明显了。

（三）延长劳动时间与提高劳动强度的界限

然而无论是延长劳动日或提高劳动强度,都有一定的界限。

无论资本家怎样想无限制地延长劳动日,而一昼夜总是 24 小时。就是"万能"的资本家,也没有法子把它延长到 24 小时以上。况且这 24 小时还不能完全用在榨取剩余价值的上面,劳动者为要保持他唯一的商品即劳动力的出卖的可能性,为要维持劳动的能力,就不能不有数小时用在睡眠、休息、饮食上面。为恢复能力所绝对必要的最小时间——生理上的最小限度,就是劳动日的第一个限制。

然而劳动日的延长,除了这个物理的（及生理的）界限以外,还有道德的界限（所谓道德的,并不是正义人道的意思,而是风俗习惯的意思）。如我们在上面所说过的一样,这是由于一定国家中,资本主义发展之历史的诸条件,及劳动阶级的抵抗力所决定的一定的文化水准。所以劳动日的长短,一方面由于恢复体力所绝对必要的最小限度所决定,他方面由于文化的水准所决定。在这两者所决定的界限的范围以内,劳动日的长短,还有种种的变动。

提高劳动的强度,也和延长劳动日一样,是和由劳动者的体力及其神经系组织所决定的生理的界限以及文化的界限相冲突的。所以资本家的榨取,在实际上,极相对地表示着这些界限。

二、相对剩余价值的生产

（一）相对剩余价值的概念

上述这些事实,使资本家又要寻求其他的方法,以增大他从劳动者所得到的剩余价值量。然而除掉延长劳动日与提高劳动的强度以外,还有什么可能的方法呢？现在先回到图解上去看一看。

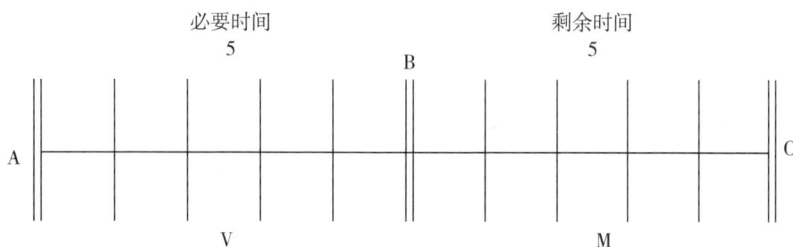

剩余价值率是 $\dfrac{M}{V}$ 即 $\dfrac{5}{5}$，也就是 100%。

要增大这个剩余价值率，不但可以用延长劳动者的剩余时间于 C 点的界限以外的方法，还可以用其他的方法，就是缩短构成必要劳动时间的 A—B 部分的方法。假如资本家能把 A—B 缩短为 4 小时，那么情形如下：

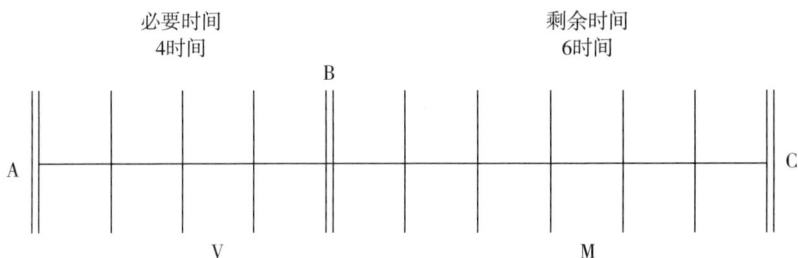

必要时间　　　　　　　　　　　　　剩余时间
4时间　　　　　　　　　　　　　　　6时间

$$A \quad\quad\quad B \quad\quad\quad\quad\quad\quad\quad\quad C$$

$$V \quad\quad\quad\quad\quad M$$

在这个场合，很明显的，虽然全体的长度 A—C（即全劳动日）没有变动，但是剩余时间却增加为 6 小时。这就是说，因为必要时间缩短，剩余时间及剩余价值率就自然地要增大起来。所以榨取率 $\dfrac{M}{V}$ 就增大为 $\dfrac{6}{4}$，即 150%。由此我们可以知道，这种情形是和第一种情形一样地诱惑资本家。

这种由于缩短必要的劳动时间，由于变更构成劳动力的两个部分的长度而产生的剩余价值，就叫作相对的剩余价值。

（二）生产相对剩余价值的方法——提高劳动生产率

然则资本家用什么方法去缩短必要的劳动时间以增大相对的剩余价值呢？

我们应当记着，我们的说明，是暂时假定资本家是按照价值偿付劳动力，即按照再生产劳动力所必要的消费资料的价值偿付工资的。所以我们现在暂时完全不考虑到那把工资减低到劳动力价值之下借以缩短必要劳动时间的事情。在这样条件之下，要缩短必要劳动时间，必须减低劳动力的价值本身，才有可能。那样的减低，可以由减低劳动者的消费资料，如食料、衣服、鞋等的价值去达到的。要减低消费资料的价值，只有在减少生产它们所支出的劳动量的场合，才有可能，并且它又只有由于增大劳动生产率才有可能。

增大劳动生产率，与增大劳动的强度不同，它并不是由于支出更多的劳动者的劳动,而是由于变更劳动的条件来达到的。如采用新机器、改良机械的装置、除去不必要的动作,改良光线与通风等。在实行了这一切改良以后,支出同样的劳动量,可以产生比较多量的商品。

要增大相对的剩余价值,就要在生产劳动者所需要的生活资料的部门中,以及生产这些部门所需要的生产手段的部门中,提高劳动生产率。

照那样,生活资料价值的降低,劳动力价值的降低,即是剩余价值的增大。

这是很明显的事情,要用这种方法来增大相对的剩余价值,必须在劳动条件的改良(采用新机械等)已经不是个别的性质,而且它普及的程度,已经影响到该产业部门之社会的必要劳动时,才有可能。

然而能够增大相对剩余价值的,并不限于技术的改良(一般的劳动条件的改良)已经一般的普遍了的时候。当这种改良还没有普遍实行时,就是当一定的企业之个别的劳动生产率,超过了该生产部门的生产率之社会的必要水准时,劳动生产率的增大,对于资本家更是有利的事情(不问这个生产部门是否生产劳动者的生活资料)。

在一定的企业中,由于那样的增大了劳动生产率,那企业的生产物之个别的价值,就降低到它的社会价值以下。然而资本家在市场上出卖他的生产物时,并不是按照个别的价值出卖的,而是按照社会的价值(这已经在讨论个别的劳动与社会的必要劳动的问题中说过)出卖的。这商品的社会的价值与个别的价值之间的差额,就形成了所谓企业主即资本家的额外剩余价值。

(三)额外剩余价值亦应算入相对剩余价值之中

可是在这里发生了如下的问题:这种额外剩余价值是否应当加在相对剩余价值的生产里面?

仔细考察起来,就可以明白,在这个场合增大了的剩余价值之生产,也是由于缩短必要的劳动时间以及和它相当的延长剩余劳动时间而来的。假设举一个企业做例子,这个企业的劳动日照下面那样分为必要时间与剩余时间两部分,如图:

再假定在这个企业中,劳动的生产率,是适应于平均的社会的生产条件的。它生产一个单位的商品,例如 1 尺棉布,所支出的平均的社会的必要时间

必要时间
5

剩余时间
5

B

A   C

V   M

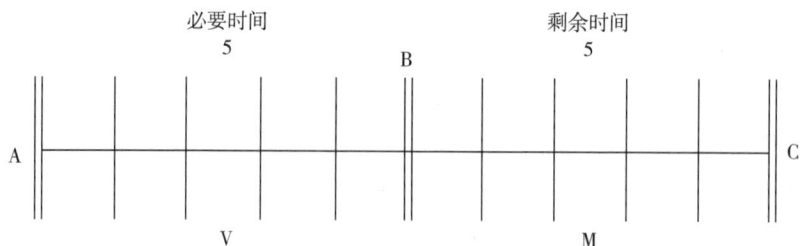

是 30 分钟,那么,在这个条件之下,10 小时劳动日之间,可以生产 20 尺棉布。再假定每 1 小时之货币的表现是 1 元,那么,1 尺棉布,就相当于 5 角;20 尺棉布就相当于 10 元。在这 10 元之中,5 元用来支付工资,其余 5 元就形成了资本家的剩余价值(在这里,我们为简单起见,在生产物之中,并不加入劳动手段,原料、补助材料等的价值)。

再假设因为某种技术改良的结果,这企业的劳动生产率,增加为从前的两倍,那么,因为劳动者在 10 小时的劳动中,支出了更多的劳动,所以能生产两倍的棉布,就是说不是生产 20 尺,而是生产 40 尺的棉布。于是这个企业,生产 1 尺棉布所消费的时间,不是 30 分钟,而是 15 分钟,因而它的价格也就从 5 角降低为 2 角 5 分。在这个场合,劳动率的增大,仅仅限于一个企业,而社会的必要时间仍然没有变动。如我们所知,在市场上出卖这商品时,并不是按照个别的时间,而是按照社会的必要时间的。所以这企业的所有者即资本家,出卖 1 尺棉布时,并不是按照与它的个别的价值相当的 2 角 5 分出卖,而是按照 5 角钱出卖。那么,40 尺棉布,就可以有 20 元收入。在技术没有改良以前,资本家榨取 10 小时劳动,只能够得到 10 元,现在却可以得到 20 元。虽然这样,而支付给劳动者的工钱,还和从前一样,仍旧是 5 元,因为劳动力的价值没有变动。现在劳动者为补偿自己劳动力的价值所消费的已经不是半劳动日,而仅仅是四分之一的劳动日(20 元:5 元 = 4),即在 10 小时之中,仅仅费掉 2 时半,用图式表示如下:

剩余价值率是 $\dfrac{M}{V}$,即 $\dfrac{7.5}{2.5}$ 为 300%。

必要时间　　　　　　　　　　　　　剩余时间

$2\frac{1}{2}$ 小时　　B　　　　　　　　　　$7\frac{1}{2}$ 小时

A

　　V　　　　　　　　　　　　　　　　　M

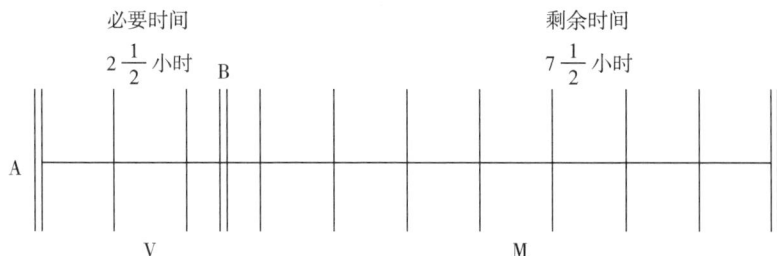

在这里,剩余价值虽是增大了,而劳动日全体的长度与劳动的强度全都照旧,它是由必要时间与剩余时间比率的变动而得到的,所以这里的问题,很明显地是相对剩余价值的问题。

不用说,资本家所以能够得到这样大的额外的剩余价值,是因为在大部分的工场里都还没有达到和它同样的劳动生产率。

(四)绝对剩余价值与相对剩余价值的同一与差异

我们知道,在资本主义初期,资本并没有变更生产的技术而支配着生产。可是,从这时候起,劳动日便分为必要时间和剩余时间,劳动者就拿这剩余时间为资本家造成剩余价值。在这里,我们是看了绝对剩余价值的形态。

所以,绝对剩余价值的生产,是资本主义生产方法之一般的基础。

然而,在这种技术基础上支配生产的资本,不久就开始改革这技术基础。同时,资本主义便从绝对剩余价值的生产推移到相对剩余价值的生产。

所以,绝对剩余价值又是相对剩余价值之发展的出发点。

但同时,相对剩余价值之发展,又引起了绝对剩余价值的发展。例如,我们见到,机械的发达与大工业的发展引起劳动时间之过度的延长。

在这种意义上,我们知道剩余价值这两个形态的某种同一性,而这同一性,在资本主义发展的现阶段中,特别明显地表现出来各个生产部门的资本主义技术的发展是伴随着劳动日之延长的。

总之,一切剩余价值,一方面是延长劳动日的结果,即把劳动日延长到补偿劳动者的劳动力的价值所需要的必要时间以上,在这种意义上,它是绝对的剩余价值;同时,另一方面,一切剩余价值又是劳动生产率向上的结果。因为必须劳动生产率升高到相当程度,使劳动者能够靠自己的劳动创造出比较再生产自己的劳动力所需要的消费资料的价值更多的价值,这时候才有榨取的可能。因此,在这种意义上,一切剩余价值又是相对的。

三、资本主义发展的三阶段与相对剩余价值

(一)单纯协业

我们已经知道剩余价值的二种形态,即绝对剩余价值和相对剩余价值。我们又知道,相对剩余价值是因为劳动生产性之增进,由于缩短必要劳动时间而得到的。研究相对剩余价值之发展,即是研究资本主义的劳动生产性之发展。

我们知道,资本主义,是基于单纯商品经济的发展、在封建制度的崩溃基础上发生的。如上所述,最初,资本并未变更生产技术而掌握生产过程。这时,资本主义企业和小商品企业或手工业企业不同的,只是"同时隶属于同一资本下的劳动者数较多"。即是,在这里生产技术虽还没有变更,然而,多数劳动者结合起来,同时在一个资本家的指挥下劳动,这一点,已经"在劳动过程之物材的诸条件上,唤起了革新"。这种革新,由同时从业的许多劳动力的结合与协业这一事实所引起。即劳动者之最简单最基础的结合,也形成新的生产力。

所谓单纯协业,就是"在同一生产过程,或虽不是在同一生产过程,而是在相互关联的各生产过程上,互相协力,有计划的进行的许多劳动者的劳动形态"。

上面已经说过,单是许多劳动者结合在一起,有计划的工作这一点,便已经形成新的社会生产力;单是集合手工业的原始生产手段这一点,便已得到莫大的优越,"在劳动过程之物材的诸条件上引起革新"。所以,"协业不但是增进个别的生产力,而且在其本身上,形成一种新集合力的生产"。

在前资本主义的生产方法里,也有单纯协业。在封建制度和奴隶制度时代的农业共同体中,也采用单纯协业。

可是,资本主义的单纯协业,在生产关系的体系上,和前资本主义的协业形态根本不同。

资本主义的协业,以把自己的劳动力出卖与资本家的工钱劳动者为其基

础的前提条件。

在前资本主义的社会机构中,虽然也有单纯协业,然而以单纯协业为基础而达到的劳动之社会化,是资本主义的发展的出发点与必要的前提条件。

要使资本家自身能够在人格上从肉体劳动解放,而他自己专注意于管理生产,就需要某种最少限度的资本量和适应着资本量的被榨取的劳动力量。生产更为社会化,又使资本家先摆脱指挥生产的事情,把这些事情委托给专门的雇员。后来,如我们所知的,在股份公司的企业形态上,资本家完全切断了和生产过程的关系,变成纯然吃金利的寄生虫了。

许多布尔乔亚学者们都想把剩余价值看作资本家管理生产这种高级劳动的报酬,来辩护资本对于劳动者的榨取。

可是,现实上,就是自行管理企业的资本家,根本上也和代行这种职务的雇员不同。"资本家并不是因为是产业上的指导者,所以是资本家;而是因为是资本家,所以是产业上的命令者"。

他方面,资本家所得到的剩余价值,绝不是和雇员的最高工资额一样。资本家所得到的剩余价值,并不是适应着他管理生产的个人劳动,而是适应着他所使用的资本的多少。

资本家之管理生产,同时又是榨取劳动者的机能。资本主义生产之根本方式是劳资间不能排除的抗争。

同时,他所使用的劳动者的数目,因为是依存于在劳动过程上结合劳动者的资本之大小的,所以,由单纯协业所形成的新的社会生产力,纵令在现实上是劳动之协业形态的结果,使资本家不需要什么代偿而可以获得莫大利益的,然而,表面上看来还好像是资本的生产力。

(二)工场手工业

资本主义的单纯协业发展的结果,发生了工场手工业。可是,大家知道,这工场手工业是基于分工的协业。

工场手工业,在历史上,曾经过两条路线发生。第一条路线是:资本家把各种专门劳动者,把各种职业的劳动者——这个劳动者只生产生产物的一部分——结合于一个大工作场中。劳动的这种结合的结果,表现为全体完成了的生产物。譬如制造一辆四轮马车,需要车匠、马具师、裁缝师、锁钥工等。资本家可以把这一切专门家结合起来,在一个工作场里完成一辆四轮车。在这以前,这一切手工业,只是在各人自己家里制造四轮马车的各个部分。要之,在社会分工的一定阶段上所发生的这种工场手工业形态,因为更发展这个分工,而把它推移到资本主义工场手工业去。

第二条路线是,资本家把从前的手工业者——这些手工业者并不是生产生产物之一部分,而是生产完成的制品的——结合在他的工作场去。这种形态,本质上,正是单纯的协业形态。结合起来的劳动之分配,已经必然地要推移到发挥极大优越性的劳动者间的分工去。结果,分工过程变成有系统的,而且急速发展。

工场手工业,是从手工业和小商品生产到机械的大工业去的过渡形态。

它和手工业不同的地方,是以工资劳动的榨取和普遍采用的分工为基础的资本主义大生产。它和资本主义的大机械工业不同的地方,是用手工作。

工场手工业的分业,异常地提高劳动生产性,所以能使缩短必要时间以延长剩余时间的新方法发展起来。

在工场手工业上,因为是实施劳动者毕生致力于某种细密工作的细密分工,所以,完成的总体生产物,是这各部分作业的成果。工场手工业的全"生产机构",是以部分的劳动者为其各器官的一种机构。

把一个劳动过程分割为细密的部分作业的工场手工业,把劳动者所用的各种工具简单化,把它们增加和改良,所以很能提高劳动生产性,使相对剩余价值增加。

工场手工业,由于把劳动者一生束缚在某一部分的作业上,使他变成不完全的畸形者。

在这一点上,工场手工业具有和手工业与大机械工业不同的特征。

地域的分业……是工场手工业之特征的形相。即小规模的职业没有作出这种广大的生产地区。工场打破了那些小规模职业的封锁性,使建筑物和劳动者容易移到其他地方。

工场手工业又造出农业与工业分离之特殊的、独自的、固有的形态。"在这里,农业和工业之分离,无论在工场手工业的技术上,在其经济上,在其生活的(或文化的)特性上都有很深的根据。技术把劳动者束缚在一种专门工作上。因此,一方面,使他变成不适于农业的人(体力衰弱等),他方面要求他进行无间断的连续的工作。"

我们知道,精神劳动和肉体劳动的对立,是由分工发生的。工场手工业更使这两者的对立异常深化与成长起来。

在自己的很小的工作场中,用原始的工具工作的手工业者,包办某一生产物的全生产过程。虽说是在很狭的范围内,然而,他总是在各方面启发自己,因而多少需要各方面的知识。他是生产的指挥者,同时又是生产的执行者。即是,他没有把劳动之智的方面和肉体的方面分开。在单纯协业中,管理生产的机能,已经是在资本家和领高薪的资本家的助手手里,劳动者方面只剩下肉体劳动。这种倾向,在工场手工业里,异常加强了。

(三)社会的分工与技术的分工

社会的分工是商品经济的基础。那么,社会分工的本质是什么?

我们知道:"加工工业和采取工业不同。这各种工业更分为更小的部门与分门。后者以各种商品的形态生产特殊生产物,将这生产物和其他一切生产物相交换。商品经济之发展,使各个独立的产业部门的数目增加。这种发展倾向不独使各个生产物的生产转化到特殊的产业部门去,连生产物各部分的生产也转化到特殊的产业部门去;不独使生产物的生产,连生产物的精制和消费上的各种工作都转化到特殊的产业部门去。"这就是社会分工的本质。

但是,我们必须把社会分工和企业内部的技术上的分工区别出来。我们已经晓得,资本主义技术发展的始点——工场手工业的生产,其基础是企业内部之极复杂的分工,这是和一切过去的生产形式不同的。

发生于工场手工业中的企业内部的分工,往后日益成长与发展。

近代资本主义企业,是在各个作业场与工作场间具有极复杂的分工体系的复杂组织,是在企业内各个劳动者、职员、技术家间具有极复杂的分工体系的复杂组织。

关于社会内部的分工和企业内部的分工之差异,我们可以借下面一段话来说明。"使饲畜业者,皮革业者和制鞋业者个人的独立劳动关联起来的是什么?那是他们个人的生产物都是商品这一事实。……而工场手工业的分工的特征,是部分劳动者不能生产独立的商品这一事实。因为各部分劳动者的生产物要综合起来变成一体的时候,才转化为商品。社会内部的分工,为不同的劳动部门的生产物之买卖所限制;工场手工业内部的部分劳动相互间的关联,由各种劳动力贩卖于资本家这一事实所媒介。工场手工业的分工,以生产手段集积于一个资本家手中这一事实为前提;社会的分业,以生产手段分散于许多独立的商品生产者间这一事实为前提。……工场内部的分工是一开始便有计划的遵守着的有规律的分工;社会内部的分工,是要通过市场价格之晴雨计的变动才能够知道的、事后才发生作用的、统制商品生产者的无规律的内在盲目的必然性。工场手工业的分工,是以资本家对其总机构之组织部分的劳动者有着无条件的权力为前提;而社会的分工,却使各个独立商品生产者互相对立。这些商品生产者,除竞争的权力以外,除他们相互间的利害压迫所生的强制以外,不知道其他任何权力。"因此,我们可以知道,资本主义生产方法的特征是:"社会分业之无政府状态和工场手工业分工之专制。"本质上不同而直接相对立的这两者,在资本主义社会中,互相补充,互相限制,而一起地存在着。企业内工场手工业分工之专制,随着资本主义的成长而成长,因而全社会上生产之无政府状态也越是成长。

(四)机械和大工业

我们知道,工场手工业准备了变革生产之技术基础的一切必要条件。因为,由于把劳动过程分割为一联的部分的作业,使劳动工具单纯化、多样化,易于改良,使它适应各部分的作业,因而造成了机械出现的物质的前提条件。

机械之发明,在资本主义生产方法之发展上,划了一个新纪元。

假使"在工场手工业里,劳动力是生产方法之变革的出发点",那么,"在大工业里,劳动手段就是生产方法之变革的出发点"。

一切机械都由动力机、传力机和作业机三部分构成。

动力机供给动力于全体机械。传力机以中间的器具——调带、齿轮等——调整动力,变化动力,将动力传达于作业机。通过传力机接受必要的动力的作业机,用各种工具进行从前手工劳动者用同样的工具或器具操作的一切工作。

机械把生产从人类有机体之精神的肉体的特性与限制性中解放出来。

一个弱女子操纵的巨大的起重机,能够很容易提起和移动巨大的铁块和其他材料。工场内敷设的轨道和其他机械的改良,能够以比最能干最精确的劳动者更精确更细致的工作。

机械不独使人类的筋力变成不重要,而且使手工业者的技术、手艺、精锐的眼力以及经过长年累月得来的工作上的熟练,也变成不重要。许多秤量器,获得了手工业和工场手工业的生产方法中梦想不到的精确性。现在,劳动者的任务,大部分变为只是机械的管理人和监督者了。

机械的生产和工场手工业一样,也是采取协业形态。和工场手工业不同的地方是:在工场手工业,协业是部分劳动者的协业,在机械的生产中,是部分机械的协业。

机械的协业,分为二类:即分为同一种类的许多机械的协业和机械的体系。"在以机械的生产为基础的作业场,即工场里,常常再现出单纯的协业。这种协业,第一——关于劳动者方面的事,这里暂时撇开不谈——采取同时共同工作的同种类的各作业机之空间的集合这种形态。因此,由于在同一建筑内设置许多织机而成立机织工场。""可是,严密意味上的机械体系,是各种不同而互相补充的一联的作业机所执行的各阶段过程上互相关联的一系列,为劳动对象所通过,才代替各个独立机械位置的体系。在这里,也还是实行基于工场手工业独特的分工的协业,然而,这协业已呈现为部分工作机械的结果。"

机械的发达,更使它变成独立的自动机械,即使它变成不用劳动者之助,而能做一切工作,只要求劳动者管理的自动机械。这已经是自动的机械体系了。

机械的生产,开始发展于工场手工业的基础之上。最初,机械是工场手工业的劳动者和巧妙的手工业者在工场手工业的工场里生产出来的。

可是,后来随着机械的生产方法之日益发展,机械的生产日益变成与工场手工业的技术相冲突,结果,乃开始用机械生产机械。"这样,大工业才形成完备的技术基础,才能够自己站起来"。

机械扫荡一切摆在前面的前资本主义的技术,逐步占领资本主义的各生产部门。以非常的速度日益扩大工场建筑和机械的机构。因而引出了根据各机械间之(同时表现技术之统一的)细密分工的复杂协业。

机械的技术,以各生产过程之科学的研究和调查代替了手工业者当作"家传秘诀"代代相传的个人经验。实验室成为一切技术的发明和改良的中心。

资本主义的技术发展上最新的倾向,是以大量生产为特征,即以各种企业大量制造同一物品为特征。

和这相关联着,就发生了生产标准化的问题。生产标准化的本质,是在减少所生产的商品的类型。因此,生产不是从满足消费者个人的趣味这个要求出发,而是以消费大众为目标,从尽量制造实用的廉价的一种生产物的类型这种要求出发。

生产物类型的数目之限制,引起了生产的标准化,即限制制品各部分的类型的数目,不管种类之异同,例如一个螺旋钉,要使之在各种机械上都可以用。

这一切,使机械、工作台、器具等必须"从适合于多种工作的一般的器具,转化为完全适合于某种一定的任务的工具"。

生产过程日益合理化。工作台的装置、器具和材料的供给、合理的光线等,这一切,尽可能地使劳动者不浪费一分一秒,使劳动者不必因为拿器具拿材料而走动以致浪费时间。

在这一点上,有特别大作用的,是所谓传送装置。即从这一作业场至另一作业场装有传送带,把工作材料(例如铁料)运到劳动者面前去的工场内的搬运装置。做好了的物品(例如车轴),再放在传送带上,运到其他作业场,更行加工(例如把车轴装在车轮上)等。不绝地转动着分配材料,精密地停留一定的时间,要求加工于材料的传送带,使劳动者的机能变成不需要什么熟练的极简单的动作。这一切使生产费异常减少,使劳动生产性异常向上。

在资本主义生产力的发展上,有很大意义的是化学和电气技术。"化学上的一切进步,不单是增加有用元素的数目,增多已知元素的利用方面,增大资本,扩大资本的投入部门;而且能够使生产过程上和消费过程上之排泄物循环于再生产过程,使它不用先行投资而造出新资本素材。"

电气技术的使用,更异常助长生产的集中,即助长生产集中于少数巨大企业,而形成一国或几国的单一技术组织的前提条件。

资本主义之利用机械,一点也不是为了减轻劳动者的劳动,那不过是资本家加强榨取劳动者的剩余劳动、获得增加剩余价值的手段。

正因为这样,所以这种进步,只带来了资本家榨取劳动者之空前的强化,人类劳动力之空前的浪费,用机械力劳动的劳动者之空前的紧张化。

(五)资本主义下技术发展的界限

使资本家想尽可能地多得剩余价值的欲求,及他们相互间的竞争,——这是驱使资本家努力改良企业的技术的原因。

资本家采用新机械或改良的目的,不在于减轻人们的劳动,而在于个人的利益。

正因为那样,所以资本主义社会中技术的进步,常有一定界限,资本家是不会立即采用任何改良的技术的。

假若某种新机械的价值,比它所能代替的劳动者的劳动力的价值更高些,那么,无论这种机械是怎样好,怎样能减轻人们的劳动,资本家是不会采用它的。

我们举例来说明。假设某种新发明的机械,值 1000 小时的劳动日,它所能代用的劳动量是 1200 小时,那么,在这里所能省下的是 200 小时。但这并不是说,机械对于资本家有利,他便会使用它。资本家所支付于劳动者的东西,不是劳动者在一定时间内给予于资本家的劳动,而只是劳动力的价值。两者之间的差额是非常之大的。劳动者在一个劳动日中,给予资本家的劳动量,比较工资要大得多。假若劳动的价值即资本家所支付的劳动,是 600 小时,那么,采用这种机械对于资本家并不是有利的事情。因为这种机械虽然能够代替比较生产它自身所需要的更多的劳动量,但是资本家所支付劳动者的价值,却比收买那机械还要少些。在实际上,虽然价值 1000 小时的机械,能够代替 1200 小时的劳动,而资本家是以 600 小时的代价,向劳动者收买 1200 小时的劳动的。所以必须资本家收买机械的价值比工资还要便宜的时候,例如 500 小时,就是说,它所节省的不是 200 小时而是 700 小时的时候,他才采用这种机械。因此，从古以来，不知埋没了多少可以减轻人类劳动的贵重的发明！

我们知道，因为中国"苦力"的劳动非常便宜，所以起重机及其他西式的码头上所必要的大汽舶起运货物的一切设备，都成了对资本家不利的东西。这不但在中国这样落后的国家，就是在最先进的资本主义诸国，许多极贵重的发明，都因为只想榨取剩余价值的资本家的贪婪而被埋没了。

（六）资本主义的发展与榨取的增大

资本主义社会中，技术虽然发展得很快，但是它并不能使人类从劳动中解放出来；也不能使他们不为"每日的面包"而忧愁；更不能创造各种条件，使大部分人可以脱离非人的状态。

任何技术的发达，都使劳动者更受痛苦，更加强对他们的剥削。

机械技术的发达之最初的结果，就是普遍地采用儿童劳动及妇女劳动。因为机械使得人类的筋力变得不重要了。

妇女与儿童加入于生产的结果，是劳动力的价值下降，而榨取率增大。现在先就以一妻三子的某一劳动者来说。根据劳动力的价值法则，他的工资必须足够养活他自己和他的家族。假定他的妻子和一个儿子，都加入于生产，能够独立的由工作得到自己的生活资料。结果，这个劳动者从前为养活妻子和这个儿子所必须取得的生活资料的一部分就要被截取去了。全家所得的工资总额，也许增加到从前一人做工的劳动者——家长——所得的工资的两倍。但是这劳动者本身工资却是比从前低落了。同时，不用说，他的妻子及小孩所得的工资比他还要少些。

不但如此，因为有妇女及儿童的劳动者的竞争的结果，劳动者对于资本家的斗争就越发困难，甚至使他们的地位更为不利。

资本主义的技术发达之第二个结果，就是大大地增大了劳动的强度。

采用机械，最初是使劳动日延长。我们知道，机械不但在使用时，就是在停止时，也是不断地消耗着。然而只有在动作时，它才能把自己的价值转移到生产物。不但这样，我们必须还想到所谓机械之"道德的"消耗。就是说，有时机械自己的一定的寿命还没有终了时，就被其他更完全的机械所代替，而成为无用的东西。

这一切,就驱使资本家无限地延长劳动日,不分昼夜的,在 24 小时间,采用生产的数次换班制。但是,这种对于榨取劳动力的急性的欲求,必然要遇到劳动者的坚决的抵抗,所以资本家不得不于某一个期间,缩短或限制劳动日。然而,同时资本家就倾注其全力于增加劳动的强度,以代替延长劳动日的办法。

增大劳动的强度一件事,是由于现代机械之迅速的速度而完成的。随着技术的发达,劳动者愈加成为机械的附属物,所以他自己的劳动的速度,就不能不和机械的速度相吻合。劳动者的注意力,紧张到最高的程度。

现今极快地普及于全资本主义世界的"传送带组织",使劳动者"不歇气的"在全劳动日中,只是不断地重复着几种单调的机械的动作,俨然变成一种自动的机械。他自己已经不能决定劳动的速度,他必须在所予的几分钟甚至几秒钟之间,完成一定的工作。对他最悲痛的事情,就是他一旦疲劳过度而手足不能如意动作时,就要障碍整个的劳动过程,从这天起,工场就辞退他了。

使劳动的强度特别激进的,就是所谓"劳动之科学的组织化"与"产业合理化",这两者不但是在其发源地美国,就是在欧洲也非常风行。其本质是生产的组织化,即是使劳动日的一分钟,甚至一秒钟也要用在生产剩余价值上面。

还有一点不能不说明的,就是这个制度包含着许多的方法,它不但能增大劳动的强度,还能增大劳动生产率。它除去了机械及工具上的一切缺陷,适宜地配置机械及工具的位置。所以劳动者不必再拿着工具到远处去搜集材料。而且透光和通风等设备都很完全。因此采用这种制度,即令不能增加劳动的强度,也可以增大制造额。

然而资本家常是希求着以最少的支出而增大其生产的。资本家不单以生产率向上为满足,所以他要用种种方法去鞭策劳动者,提高劳动的强度(在这一点上有最大作用的东西,就是各种各样的支付工资的方法,这层到后面论工资章中再说)。

实际上,技术的发达,怎样使劳动阶级的生活条件更加恶劣,怎样助长劳动的强度化,这只要看看关于劳动者的寿命及其劳动能力的统计,就可以知道。这种统计,告诉我们现代劳动者的肉体遭受了极大的损失。

神经极度紧张的结果,使得劳动阶级间的神经病症非常普遍。劳动者,尤其是"先进"资本主义诸国的劳动者,为要维持自己的体力,尽可能地寻求刺激物。像这样为了资本家的利益,而毁灭自己的身体!在近代资本主义社会里,大部分劳动者,到了三十五岁至四十岁的光景,就已经丧失了他的劳动能力。

然而最近数年来,我们在资本主义诸国中,可以看出又有要延长劳动日的倾向,都激烈地攻击着劳动者由斗争得来的 8 小时劳动制。结果,最有价值的劳动运动的胜利品,劳动阶级长期的坚决的斗争与莫大的牺牲的代价,差不多完全取消了。许多国家里面,劳动日已经达到 10 小时、12 小时甚至 15 小时了。

劳动日的延长与劳动强度异常增大的这两种榨取方法的结合,使我们不难想象到劳动力是怎样极快的就被消耗的情形。这些事实告诉我们,谋劳动阶级的解放,并不在于为各种些少的改良状态而斗争,而是在于消灭资本主义生产方法的本身,同时,也就是消灭一切的剥削关系。

习题八

一、劳动力何以能成为剩余价值的源泉?

二、资本的一般概念为何?

三、何谓不变资本?何谓可变资本?

四、假设有 A、B、C 三种企业如下,试计算各企业中的剩余价值率。

企业别	可变资本	不变资本	剩余价值
企业 A	1000	500	1000
企业 B	2000	1000	500
企业 C	3000	1000	1000

五、资本家用什么方法提高劳动者的榨取率?

六、我们根据什么理由把由提高劳动强度所增大的榨取率算为绝对剩余价值?

七、假如资本家在自己的企业中,实行某种技术的改良,而得到额外的剩余价值,这时,资本家对于劳动者的榨取是否增大了?

八、绝对剩余价值与相对剩余价值对于劳动阶级的状态及技术的发达有什么影响?

第三节　工　资

一、当作劳动力价值的变形看的工资

(一)劳动与劳动力的区别

乍看起来,工资就是劳动的报酬。固然,劳动者如果用 10 小时的劳动换得 2 元 5 角,而这 2 元 5 角也无非是他支出一整天的全劳动的代价。但是这样的答案真是正确的吗? 要答复这个问题,首先就有严格的区别劳动和劳动力的必要。

我们已经说过,劳动力是人的肉体的和精神的能力之总和;劳动,是人类这种能力作用的过程,而使自然适合满足人类欲望的人类的合目的的活动。

(二)工资是劳动力的价值

资本家在市场上买进的不是劳动而是劳动力;他给予工人的报酬不是它的劳动的价值,而是劳动力的价值。这劳动力的价值是由于它的再生产时所需要的消费资料的价值来决定的。

自然,资本家收买劳动力,不是以这劳动力的本身为目标,而是以因它而得到的剩余劳动为目标的,但是无论怎样说,他买的是劳动力而不是劳动。那恰同他在市场买葡萄酒所支付的钱是葡萄酒的代价,不是由于饮酒所生出来的醉的代价一样。若是资本家完全支付工人的全劳动日间所支出的劳动的价值,那么,便会没有任何剩余价值,因而也简直没有任何资本主义存在的余地。

所以在前例中,纵然工人支出了 10 小时的劳动换得了 2 元 5 角,但是,却不能认为这 2 元 5 角钱是他在 10 小时劳动日内资本家对于全部劳动所给予的支付。我们只可认为那些仅仅是对劳动力的价值的支付。若是按照我们以前的假定,工人支出劳动日之一半的 5 小时,是为着补偿自己的劳动力的价值,那么,用劳动日的后半的 5 小时所创造出来的价值,便是为资本家形成剩余价值。

所以,资本家用工资的形态支付给工人的,不是劳动的价值而是劳动力的价值。

因此我们得到了如此的结论:

在资本主义的诸条件之下,劳动力是一种商品,这种商品,具有由其再生产时所需要的消费资料的价值所决定的价值。用货币表现了的劳动力的价值是劳动力的价格。工资无非是劳动力的价值或价格的变形。这个变形的本质,主要的是在下述的一点:因为劳动力的价值和价格采取着工资的形态,所以表面上好像工人所领受的支付是他给予资本家的全部劳动的支付,而不是对于单纯劳动力的价值的支付(实在是那样的)。

二、工资的基本形态

(一)时间工资

工资有时间工资和产额工资(包工工资)的两个基本形态。

时间工资是对于一定时间即每日、每周或每月等的工作的支付,产额工资是对于生产出来的商品的个数、件数或总计起来的一定量的支付。

我们先考察时间工资。

> 劳动力常是就一定时间被贩卖的。所以直接表现劳动力的每日价值或每周价值等的、被转化了的形态,就是像日工工资、周间工资等的"时间工资"的形态。

但是,"随着劳动日的长短,因而按着工人一日所供给的劳动量的大小,同样的日工工资和周间工资等,也能代表不同的劳动价格,换句话说,即代表对于同一量的劳动所应支给的不同的货币额,这是明显的事实。于是,在时间工资中,关于日工工资、周间工资等的总额和劳动的价格之区别,也是必要的。那么,这个价格(就是一定劳动量的货币价值)是怎样被求得的呢? 劳动的平均价格,是用平均劳动日的时数除劳动力的平均日价值得到的。""这样得来的一劳动时间的价格,才正是充用为衡量劳动价格的单位尺度的东西。"

时间工资的特征是：工人在一定期间的劳动中所领得的工资，无关于他的劳动强度的如何。假定工人一天作 10 小时的工作，得到了 2 元 5 角，这 2 元 5 角，和他用怎样的强度工作、在一定期间内做过多少动作、生产了多少生产品、把一个机械运转了几个钟头等，都完全没有关系。因此，时间工资对于工人不能刺激其提高自己的劳动生产率的欲求。从企图无限的增加剩余价值的资本家的立场上看来，时间工资的这种性质是最大的缺点。

于是，资本家就不能不讲求种种的手段，去免除这种缺点。

因此，他就设置专门的监督、工头等干部，使他们做资本家的忠仆，监视工人的举动，不给工人以喘息的余暇。在最近竟形成了惊人的正确的统制着机械的一切运转顺序的专门的统制装置。

（二）产额工资

我们已经说过，产额工资不是按照一定时间而是按照商品的单位计算的。工人生产出来的商品单位愈多，他所得的工资也愈多，生产的商品单位愈少，工资也愈少。

这就是说，在产额工资中，工资额只由工人的能力或努力所决定，和刚才考察过的时间的计算方法没有任何的关系。工人已经消费的时间量，在这个场合的计算中，似乎完全没有加入。

但是事实是怎样呢？"事实上，产额工资正和时间工资是劳动力的价值或价格的转化形态一样，也无非是这个时间工资的转化形态。"实际上，工人自己生产出来的每个商品所得到的工资，是由什么决定的呢？假设把需要供给的不均衡置之度外，认为工资是给工人维持生活的社会上所必要的生活资料的价值，那么，产额工资便必要以能在一日间得到恢复普通工人的明天的劳动力所需要的为基准去计算，这是不难判断的。

所以，"至少在工资的支付形式上的种种差异，它本身不会变更任何工资的本质，这是显然的"。

在时间工资中，劳动直接用时间去衡量，在产额工资中，由一定时间的劳动所凝结而成的生产物数量去衡量。劳动时间本身的价格，结局是由日劳动的价值等于劳动力的日价值的方程式来决定的。所以，产额工

资只不过是时间工资的变态。（见前章）

例如，一个女裁缝匠每日平均做 5 件衬衣，假使她的劳动力的日价值，就是她一整天内所需要的生活资料的价值，是 2 元 5 角。在这样情形下，很明显的是每个女工每做一件衬衣要得 5 角钱。假设资本家定下了这样的工资，各个女工每天就只做 5 件吗？不是，她为使自己的生活更充裕些，她要再稍微多做一些，例如每天做 6 件，而得到 3 元钱。继续这个勤苦的女工，其他的女工也一定要仿效她。于是发生了竞争，结果恐怕是大多数的女工已经不只做 6 件，这样一来，她们的工资也必然增加。这些事实，恰能使人认为产额工资是对工人有利的，是提高工资，改善他们的物质条件的。当然最初本是那样的。工人因按照出产额领受工资，都努力多多制造。资本家为提高一般劳动的能率，就如前面的例来说，大多数的女工都想做到一天做 6 件衬衣的事，资本家给她以提高那种工资的可能性。但是一旦达到了这个程度时，就是到了大部分的工人的劳动能率已提高时，资本家立刻就提高生产额的标准，减低对于商品的各单位的估价——报酬，借以努力降低和劳动力的价值相应的日工工资。

据我们的假定，劳动力的一日的价值是 2 元 5 角，那么，在每天平均不是生产 5 件而是能生产 6 件衬衣的这种时候，资本家早已不肯一件给 5 角，而是一件给 4 角 2 分钱即 2.5 元∶6 了。

从产额工资制度发生出来的过度的劳动强度化的事实，给予工人阶级以悲惨的影响，并且促成慢性疲劳、神经病、人体的早衰的结果。包工制度除了减少工资以外，还能惹起工人的竞争、嫉妒与不和。而且在这个制度下，工人热心所得到的报酬是失掉工作。因为工人若是努力劳动，这种工作便可由少数人来完成。最后，产额工资因为省去了监督的工作，给家内劳动的发展以绝好的机会。

产额工资，一方造成介乎资本家和工人间的寄生者，使劳动的转嫁容易实行……归于这个媒介者的利润，是完全由资本家所支付的劳动价格和媒介者自己现实的支付于工人的价格部分之差额产生出来的……另一方面，资本家和工头（手工工场中的组长、矿山里的煤炭及其他物品的采据工、工场中的严密意义的机械工)之间,订立每件支付几何的契约,根据这个价格,使后者自身包任募集工徒和支付工资的方法,也可以在产额工资制度下进行。资本的榨取劳动,在这个场合里,经过工人榨取工人的形式而实现出来。

资本家方面对于产额工资的估价,和这个不同。从资本家的观点看来,在提高劳动能率到最大限度,不需要专门的监督和统率者的一点上,产额工资制是极显著的有利的制度。

因此,在比较了计算工资的两个方法——按时间计算的和按产额计算的方法——之后,我们就得到了这样的结论:产额工资制是最适于资本主义的榨取精神的支付方法,所以工人就常常爆发了反对这个支付方法的斗争。

三、工资的其他形态

(一)工资的赏与形态

在资本主义社会里,工资的形态,除了上述的两种基本形态以外,还有在资本主义的实践中表现着很大任务的许多滋生出来的形态。这些形态,虽然样式复杂,但它们的特征,都是以掩蔽资本主义社会的阶级性、蒙蔽榨取的事实、用欺骗诱惑的手段使劳动者不受外部强制而提高劳动能率为目的的。

其中最引人注目的是工资的赏与形态。这个制度总括说来是这样的:首先规定工人每日应该生产的一定标准(就前面的裁缝匠的例子说,假定每天做 5 件衬衣),他们的每日工资(假定是 2 元 5 角)也是一定的时候,如果他一天的生产超过了这个规定的标准以上,他便可以在基本工资以外领到一个多少的附加的"赏钱"。

这样的制度,本质上是包工制度最坏的一种。总之,这是资本家把标准以上的生产额的报酬,看作不是给工人的普通的报酬,而是一种"津贴",不过对他所认为的额外生产额给以微细的报酬罢了。譬如,一个女裁缝匠额外多做了两件衬衣,资本家为了奖赏她的"辛苦",给她 5 角钱——所以实际上是对她在额外生产出来的每件衬衣,只给 2 角 5 分钱,虽然是若在标准额内每件应给五角钱。

（二）额外劳动

额外劳动的使用,也产生和赏金制度同样的结果。

额外劳动的本质,是在以一定时限,例如 10 小时,为正当的劳动日,对于超过这个时限的劳动时间可以支付一定的工资。但是事实上,劳动日有时也被延长到这个限度以上。工人以自己的标准而劳动的时间,即 10 小时以上的时间当作额外时间,对于这额外时间:用标准以上的比率,支给工钱。资本家用这个高价的比率,拼命要使完全筋疲力竭的工人在劳动日的终了的刹那用出最后的马力。

乍看起来,工人在额外劳动上所得到的工资,似乎是劳动力的价值以上的超过价格;然而实际并不是那样。资本家对于标准以上的额外劳动按时间支付的事实,是丝毫也不能弥补工人在那时所支出的增大了的力量;那不过是只有这种补偿的假象罢了。并且,资本家通常只是对额外时间规定着很好的支付比率,但是他把对于标准劳动的各时间的报酬降低,作为补偿。这时,工人在总额上虽然得到和在通常的时间工资上完全相等的工资,但劳动时间很多,因而是支出多量的劳动。

额外劳动,不消说,给予工人以很坏的影响。第一点,额外劳动的通用,不外是掩蔽了的劳动日的延长。其次,额外劳动的适用致使劳动人数的减少,因而至于使失业者增加。不过,这种失业者,像以后所能看到的,不仅对于失业工人的地位,就是对于幸而就业的工人的地位,也给予不利的影响。所以各地工人阶级都对额外劳动制做坚决的斗争。

（三）分红制和物价制

分红制度,是工人除了基本工资以外,在每年年底,从他的主人那里领到一看好像是资本家的利润之一部分的少许津贴的制度。

在这个"分红"制度之下,隐藏着些什么? 这是不难知道的。这就是资本家要使工人关心企业的利润,使他们以为仿佛他们的利害和资本家的利害完全一致,而更加努力。

很明显的,这种分红制度只是一种欺骗,是对于工人有百害而无一利的。资本家所特别留给工人的部分不过是微乎其微的小钱,而且这又是事前从"基本"工资中所克扣下来的。还有,因为资本家不在一定期间后不给"红利"，所以工人往往长期地被羁系于这个企业之内。在罢工显然不利于资本家时，这种制度，往往表现为资本家反对罢工的重要工具。不过，因为工人多能觉悟到这种制度的害处，所以它终于不见有普遍的流行。

在物价工资制度下，工资是随着商品的贩卖价格变动的。这种制度的害处，在把工人的工资委诸市场的变动。譬如，当资本家为和竞争者斗争而减低自己的商品价格时，由这价格降低而来的大部分危险，是要使工人负担的。这种制度中所包含着的蒙蔽和骗局，现在我们不必再赘述了。

（四）现物工资和货币工资

工资可以用现物形态和货币形态支付。工资用生产物支付时，是现物工资；用货币支付时，是货币工资。

工资的现物形态，在资本主义制度的曙光期中，曾一时极流行过。当时的资本家，或用自己企业的生产品（例如，在纺织工业中用纺织品，在皮革工业中用皮鞋等），或用他为自己工场的劳动从市场买来的消费资料支付工资。这种工资形式对工人是极不利的。资本家努力用种种方法榨取工人，要减少他的工资。例如，在用自己工场的生产品支给工人时，他把在市场上卖不出去的脚货强给工人；在从工场附属商店里供给消费资料时，他把粗杂的物品用高价出售，要从消费者的工人身上剥夺利益。

现物工资，不仅加强了劳动剥削，而且使工人对资本家的斗争变成困难。此外，现物工资，使工人的消费品只限于资本家所指定的物品，工人不能以自己的眼光来支配工资，因而极端阻害了工人的文化和政治的发展。

这一切事实，都必然使工人不得不对工资的现物形态做坚决的斗争。现在除了最落后的国家或资本主义经济的最落后的部门，几乎无处不用货币形态支付工资了。

（五）名目工资和实质工资

在流行着货币工资制度的情况之下，货币工资并非常常反映工人工资的实质水准。

实际上，譬如一个工人每月可以拿到25元，我们能够仅仅凭这个数字而立刻说他赚钱多么？这是不能的！我们还更要知道工人的消费资料的市价是多少，这25元钱能买多少生产品的必要。这样，我们才能确定工资的实质的水准。但是消费资料价格是因地而异的。例如，拿一个在资本主义国内的一个农产物丰富的地方的企业来观察，在那儿，占工人的预算的最大部分的伙食费，比在其他一个商工业大中心地的更便宜得很多。所以虽是同样领 25 元的工人，但是前者在这 25 元内用以充当饭费的部分，可以用得比后者的少。因此，虽然两人所领到的金额，从货币的名目上说，正是相等，然而在实质上，在农业地方做工的工人，因为饭费便宜，算是得到较高的工资。

所以，我们要把实质工资和名目工资严加区别。我们把名目工资解做工人领到的货币的总额，把实质工资解做用这货币在市场上买得的消费资料的分量。

（六）工资之国民的差异

在各个资本主义国家间，工资的水准上有很显著的差异。

当比较国民的工资时，考察决定劳动力价值的大小上的变化的一切要件——自然的历史的发达起来的第一次生活必需品的价格及范围、工人的教育费、妇女劳动和儿童劳动的任务、劳动的生产力、劳动的外延（时间）的及内包（能率）的大小等，就成为必要。

现在，当比较资本主义诸国的国民的工资时，先要考察工人的"自然的和历史的发达起来的第二次的生活必需品的价格及范围"，换句话说，就是工人阶级的文化的水准。这些差异是有很大的意义的，我们已经指出过了。要了解这些差异的重要性，比较一下美国和革命前的俄国就已经够了。这时有极严重的意义的东西，是这两国的资本主义在其下面发展了的，因而这国家的工人阶级在其下面形成了和构成了的历史的诸条件。革命前的俄国工人阶级，在封建——农奴的诸关系的胎内形成了。从这些情形出发，在俄国便长期地流行了落后的工人的榨取方法——过度的长劳动日、低廉的工资及表示其结果的低度的文化程度。

在美国我们看到另一种光景。美国完全没有封建——农奴关系，在初期中，并且连独占的土地所有者都没有，在这样的条件下，美国的人口，主要地是从西欧移植到美洲的人们所形成的。这些条件一方面，适于高度技术生产的发达,他方面,又适于美国工人文化水准的提高。

劳动的能率,在国民之工资的差异的问题上,也是重要的一个要因。

在各国有一定的平均劳动能率;当耗费于商品生产上的劳动能率,若是在这个水准以下的时候,这个商品就需要社会的必要劳动时间以上(的劳动),所以不能当作标准的品质的劳动,列入计算之中。

在愈发达的国家里,工人的文化水准愈高,劳动的能率和生产性也高,因而名目工资也高。

在这里应该注意的是:技术发达的国内的名目工资的增加,几乎不能促进实质工资的增加,即几乎不能促进工人所管理的生活资料的增加。

日工工资或周期工资,在资本家生产方法发达了的国民方面,比较不发达的国民的方面要多些;反之,在相对的劳动价格(换句话说,即与剩余价值及生产品的价值相比较的劳动价格)上,后者的国民的方面比较前者的国民的方面要多些;这种事实,是常见的。

所以在发达的资本主义国家的较高的工资之后,隐含着较高的榨取率、极端提高的劳动强度以及生活资料价值的昂贵。后面我们可以看到,随着资本主义的发展,不仅相对的工资,即连绝对的工资,也经常有降低的倾向。

习题九

一、工资的概念如何?

二、何谓时间工资与产额工资?

三、现物工资与货币工资以及各国工资与实质工资之差异何在?

四、试说明工资的各种计算方法(时间工资、产额工资、分红工资等)给予工人阶级以怎样的影响?

五、决定国民工资水准之诸因素为何?

第五章 资本的再生产与积蓄

第一节 再生产及积蓄的一般概念

一、再生产的概念

（一）再生产的一般概念

对剩余价值及工资诸法则的考察,使我们知道了资本主义的生产关系。

但是资本主义的生产,也和其他一切生产一样,不是一回就终了的,而是不断地更新着。实际上,生产之终极的目的,是以满足人类的欲望为主。可是一次生产出来的生产物,只能在某一期间满足人类的需要。所以为要周期性的满足社会的需要,生产过程之周期的"更新"与"反复"就成为必要的条件。如我们所知,消费资料的生产本身,在生产过程中是要消耗劳动手段的。与消费资料的生产相并行的劳动手段以及一切生产手段的生产若不更新,那么,生产过程之不断的反复,不用说是不可能的。

无论是在生产手段的领域或消费资料的领域,生产过程之更新与反复,就叫做再生产。

"不问社会的形态如何,生产必须是连续的,换言之,必须是周期的不断地通过同一的各阶段。一个社会之不能停止生产,正如它之不能停止消费一样。""所以,一切社会的生产过程,从其不断的关联与更新的不断的流动的方面观察起来,同时也就是'再生产'的过程。"

谁都知道,在生产过程中,不仅生产出一定分量的生产工具、生产手段及消费资料,并且发生人与人的某种生产关系。因此,在生产过程的更新与反复之时,伴随着物的再生产,在生产过程中发生的人与人的生产关系也被再生产,这是明显的事情。

216

例如农奴经济,不但每年再生产一定量的谷物、木材及劳动手段,同时也发生如下的情形:生产者的农奴,在他的劳动生产物中不过获得仅够维系他的生命的分量;而给与领主的分量,不但够他维持豪奢的生活,并且还够豢养家臣、军队,以加强自己对于农奴的权力。

由于生产过程中人与人的关系,就发生这样的生产物的分配,即对于支配阶级处处保障着将来的支配地位,对于被压迫阶级不过勉强维持着奴隶地位。直到旧社会制度消灭新社会制度代兴之时为止,绵延不断的生产关系之再生产的本质,就在于这种处所。

新制度一出现,同时,再生产过程也就成了新生产关系的生产。

以上,对于一般的再生产,已经说完了,现在我们要考察资本主义诸条件下的再生产。

(二)资本主义再生产的特征

和前资本主义的经济形态相比较,即是和奴隶的、农奴的、单纯商品经济的再生产相比较,资本主义再生产的特殊性在哪一点呢? 这个特殊性,当然是从上述经济诸形态所特有的生产关系本身之差异中发生的。在资本主义的生产方法之下:(1)生产手段是资本家的私有财产;(2)劳动者和奴隶或农奴不同,在法律上是自由的,可是他和手工业者也不相同,他没有生产手段,因此他不能不把自己的劳动力卖给资本家;(3)资本家对于劳动者的榨取,采取剩余价值的榨取的形态,这剩余价值成为资本家的生产方法的目的。

由于前资本主义的即封建的手工业者经济形态的解体所生出来的一切特殊的资本主义的诸关系,必然是不断地被再生产着。

可是,这资本主义诸关系的再生产,是怎样实行的呢? 就劳动者方面说来,他常常是没有生产手段的劳动力的贩卖者,他的工资不过刚够维持自己的劳动力,即维持一种劳动的可能状态,及扶养一个普通的家庭。若是长期的工资额是在劳动力的价值以上,而超过保障资本家榨取之必要的界限,那么,劳动者就有了积蓄的可能,而且会脱掉对于资本家的经济隶属。可是这种事情,是绝对没有的。就是在资本家完全照着劳动力的价值支付工资的时候,劳动者也是不断地把自己的劳动力出卖给资本家,任凭资本家去榨取。

从资本家方面说来,在生产过程中的他的支配地位之再生产,因下述的事实而成为可能。就是:他在生产过程之后收到制造品,而其价值,除掉补偿消耗了的资本部分的价值外,还给他以剩余价值。资本家卖出这商品收到货币,从这里面扣除他个人的费用之外,其余都用以买进新生产手段与新劳动力。这样,他不断的重新成为生产手段的占有者,以后再继续收买劳动力这种商品,由这种商品再得到榨取剩余价值的可能性。

要之,资本主义的生产过程,由于它自身的进行,再生产劳动力与劳动条件的分离,因而再生产和扩大劳动者的榨取条件。这种过程,迫使劳动者为了生活不得不继续出卖他的劳动力,并且使资本家为着致富而不断购买这劳动力。现在,资本家和劳动者在商品市场中当作购买者与出卖者而互相对立,已经不是一种偶然的事情了。由于生产过程之固定的运行,劳动者当作劳动力的贩卖者而不断地出现于商品市场,并且不断地把自己的生产物转化为资本家的购买工具。

所以,资本主义的生产过程,如果在一般的关联上,当作再生产的过程来观察时,不仅生产商品和剩余价值,而且生产和再生产资本关系本身,生产和再生产一方的资本家和他方的劳动者。

二、资本主义再生产的两个形态

(一)资本主义的单纯再生产

我们知道,当资本家贩卖所生产的商品时,除收回他自己的资本价值之外,还实现了剩余价值。

资本家可以任意把出卖自己商品所得的剩余价值,供给自己个人的需要,或是拿去扩大再生产。

资本主义的单纯再生产,就是资本家把榨取劳动者所得的全部剩余价值都消费在供给自己的需要上的那样的再生产。

单纯再生产,不外是同一规模中的生产过程的反复。可是在资本主义的诸条件下,单只生产过程之反复一件事,就会发生许多资本主义的新姿态,并且使劳资间的关系显明起来。

若是忽略生产过程之不间断的更新,把资本主义的生产完全当作一次的东西去观察,那就会得到这样的印象,即资本家在出卖劳动者所生产的商品于市场之前而支付工资,就好像是预先把自己财产的一部分借给劳动者似的。可是若从再生产的见地来看这个问题,便得到完全不同的印象。

资本家所付给劳动者的工资,绝不是他自己的财产,而是他实现了劳动者在前次生产过程生产了的价值所得的货币。

我们假定资本家以 1 万元的最初资本(假定是由他本身劳动所得的)投于生产,其中不变资本为 8000 元,可变资本为 2000 元,剩余价值率为 100%,那么,这 2000 元的可变资本,将同样产生 2000 元的剩余价值。再假定生产周期为 1 个月。我们知道,在单纯的再生产条件之下,资本家为了供给自己的需要,每月把这 2000 元用尽了。假使劳动者不生产剩余价值,而资本家每月仍然消费 2000 元,那么,他最初的 1 万元,只需 5 个月就用完了。纵令最初的 1 万元,是资本家"辛苦"的成果,但是现在(5 个月以后)的全部资本,已经完全是劳动者的剩余价值了。

> 要之积蓄一层暂时不论,单就生产过程的单纯反复说,即单就单纯再生产的进行说,在相当期间之后,任何资本也会转化为积蓄了的资本或资本化了的剩余价值。

最后,由于单纯再生产的考察,我们就得到关于劳动力的再生产的结论。

如我们所知,生产过程同时就是劳动力的消费过程。这种消费的进行有两种形式。当劳动者在生产过程中,用自己的劳动而消费机器、原料、补助材料等生产手段时,这样的消费叫做生产的消费,这是在不属于劳动者而属于资本家的工场之内举行的。这种场合,在生产的消费过程中,劳动者显然是替资本家服务的。这是与劳动力的再生产完全不同的事情。劳动力的再生产,不外是劳动者满足自己的需要,即如饮食、穿衣、休息、阅读报纸、抚养家族等。他们这种个人的消费,大部分是离开生产过程而进行的,一看好像只是劳动者自己的私事。但是,实际上却大不然。

实际上,劳动阶级的个人消费,也就是为资本家再生产劳动力。劳动者由于休息、睡眠、穿衣、教养儿女,而替资本家再生产劳动力。

（二）资本主义的扩大再生产

我们已经知道,在资本主义的诸条件之下,单纯再生产是怎样进行的。但是事实上,在现实的资本主义中,单纯再生产之存在,并不是经常的现象,而只是偶然的现象。实际上,资本主义的特征,是扩大再生产。

在资本主义经济的条件之下,扩大再生产,只有在以下的场合,才能实现,即资本家并不把他的剩余价值的全部,都用在自己个人的需要上(在单纯再生产之下,就是这种情形),而把它的一部分转化为追加资本,以扩大将来的生产。就是用来购买追加的机器、原料、辅助材料及劳动力,以生产新的剩余价值。

这样剩余价值之转化为资本,就是所谓资本的积蓄。"剩余价值之当做资本使用,或剩余价值之反而转化为资本,就是资本的积蓄。"

然则这种资本的积蓄,在怎样的条件之下,才有可能呢?

生产过程终了以后,不论是从不变资本转移来的最初价值,或新生产的必要价值及剩余价值,都同样采取商品的形态而存在,这商品在市场上被交换,就从商品形态转化为货币形态。

资本家为要能在扩大的规模中开始生产过程,他就不得不在市场上寻找在将来生产上所必要的一切商品。

但是,既然以扩大再生产为前提,这些商品的现存量就必须大于市场的必要。

这里必须特别申明,扩大生产的可能性,不但与资本家手中所现存的货币形态上一定量的资本有关系,还要看他是否能够在市场上找着为扩大生产所必要的物资,以及是否能够找到这物资之必要的分量。

总之,为要进行积蓄的过程,就不得不把全体剩余价值的一部分,拿来生产追加的生产手段及生活资料。

这就是说:"剩余价值本身,如果那把它作为价值的生产物不预先包含着新资本之物的要素,是不能被转化于资本的。"

可是,除了追加的生产手段及追加的生活资料以外,还有追加的劳动力,也是扩大生产所必要的条件。

这件事,也由资本主义的生产自身的机构所处理,即,由于这个机构,劳动阶级就被当作隶属于工资的阶级而再生产,他们的通常的工资,不但够维持他们的生活,还够繁殖他们的子孙。劳动阶级每年供给大小年龄的追加劳动力,资本只要使一年生产中所包含的追加的生产手段,与这些劳动力结合起来就行了,这样,剩余价值的转化就告完成。

资本主义的积蓄,就在这样的诸条件之下实现了。

我们所指出的资本积蓄之本质的特征表明,它与在没有资本主义诸关系的其他经济的构造中所看见的扩大再生产,是决然不能混同的。

同时,还要特别注意,资本的积蓄,与只是想要在自然形态或货币形态上去保存手中的价值物的储蓄,也绝不可以看作是同一的东西。这种的积蓄形态,只有在商品关系的初期,才能看见。因为在这个时代,经济在根本上还只是以私的消费为目的,转化于货币的不过是过剩的使用价值。从资本主义的见地看来,使货币离开流通界,或将商品在现物形态上蓄藏起来,那是完全没有意义的事情。资本家不断地把货币从新投入于商品流通,投入于生产,以使货币增殖新货币。使资本家活动的根本动机,并不是使用价值,也不是将交换价值仍旧不变的蓄藏起来,而是不断地增大价值。

当资本家扩大他的生产时,虽然他不能把全部剩余价值都消费在满足自己的欲望上,而必须把剩余价值的一部分投在扩大生产的事业上,但是,这对于他并不要求什么特别的牺牲。

剩余价值的增大,不与资本家之个人的节俭成正比例,而是与被榨取的劳动力分量及榨取的强度成正比例的。对于劳动阶级的榨取愈是强化,结果,资本家无论怎样过奢侈的生活,而他个人消费的增大,也赶不上利润的增大。所以他自己的利润中充当私人消费的部分,愈加减少。因而资本主义的发展过程本身,使资本家可以从对于财富的消费的诱惑和对于保存并繁殖财富的欲望两者之精神的斗争中解放出来。

总括以上的话,我们可以得到以下的结论:资本主义的扩大再生产或资本积蓄,当资本家不私自消费所占有的剩余价值的全部,而以其一部投入于生产而作为追加资本的场合,才是可能的事情。

资本积蓄的结果,资本就被增大,剩余价值的生产也被扩大。

资本家并不关心一切生产的扩大,而只是关心保障剩余价值的增大。这种事情,构成着资本主义的积蓄之根本的特征。

从这个见地上看来,使用价值的扩大再生产,若不伴随着剩余价值量的增大,那就不是在资本主义的意义上的扩大再生产。

第二节　资本积蓄与大生产的长成

一、资本的集积与集中

(一)大生产的优越性

我们既然说明了资本积蓄的进行的一般条件,现在就要进一步考察这个积蓄将要发生什么结果,它在资本主义经济的发展过程中,如何表现?

如我们所见,资本主义的诸法则,使得资本家必须设法去积蓄。资本家无论是怎样"性质"的人,只要做了资本家,就必定要在仅仅保持已有的幸福的名义上不断地进行积蓄。

"这样也好,那样也好,尽管积蓄吧!"——这是资本家的标语。为要保障这积蓄,他们是完全不择手段的。剩余价值及利润的增大,不但是独立的目的,也是将来积蓄的手段。

即使资本家主观上满意于他已得到的财富水准,但是为要保持这个水准,他就不能不扩大生产——积蓄。因为在资本主义的竞争之下,如果不扩大生产,就要落后,就会在竞争中失败。

但是为什么积蓄会使资本家在竞争上获得胜利呢? 其根本的原因,就是积蓄能使他扩大企业的规模。

企业越大,越坚实,就越有利。这是通例。

大企业对于小企业的优越点,是在什么地方呢?

商品的低廉,在资本家彼此间的激烈的竞争战中,是主要的武器之一。想要降低价格,就必须讲究一切技术的进步。可是在这点上,大生产比较小生产要容易些。它能够利用科学及技术之最新的发明,建设附属的研究所,招聘最好的有能力的技师或发明家。如我们所知,假设某企业拥有比其他企业更高度的技术,那么,它就能够以少于社会必要劳动时间的劳动时间生产商品。结果,虽然这商品是以低于市场价格的价格出卖,还是能够得到差额(超额)的利润。

此外,大生产因为能够支配庞大的劳动力,所以能使劳动更加专门化,种类分得更详细,因此又可以减低原价。

还有许多的经费,如维持建筑、保持温度、透光、保管、管理等所需要的费用,并不是与生产规模的增大或企业运转速度的增大成比例的增加,而是在比较更低的程度上增加的。所以随着生产规模的扩大和企业运转的加速,生产单位商品所分担的费用就减少了。

同时,大生产在市场行动上,无论出卖它的生产物,或收买原料、辅助材料等的场合,它所占的地位比小生产所占的要优越得多。这是因为它大批地贩卖,可以不用中间人,又可以压迫其他贩卖者。此外,大生产在商业界享受极大的信用,它能以很快很有利的条件,得到比较长期的信用交易。

大生产因为所得的利润大,所以它扩张起来比较小生产要快得多,并且一旦遇到因沉滞、灾害、恐慌等而发生的打击时,大生产也比小生产容易保持些。

根据以上所说的一切理由,随着资本主义的发展,大企业必然生长起来,并且必定发生生产的集积与集中,以及资本的集积与集中。

这两个概念有什么区别呢?

(二)资本的集积与集中

一切单个的资本,都是生产手段之或大或小的集积,并且适应这集积的大小,支配相当的劳动军。任何积蓄都是新的积蓄的手段。任何积蓄,都使当作资本而作用的财富的总量扩大,同时还使各个资本家的财富的集积扩大,因此,把大规模的生产,尤其资本主义的生产方法的基础扩大。社会资本的增大,是由许多个别资本的增大而显现的……同时,最初资本的各部分分离出来,当作新的独立的资本开始其机能。这时特别演着重要作用的事情,就是资本家家属内部之财产的分割。所以随着资本的积蓄,而资本家的数目,也或多或少的增加起来……

一方面虽然有社会的总资本这样被分裂为许多单个资本的事实,以及社会的资本这些断片互相排斥的事实，但是另一方面，却有资本间互相吸引的事实，对它起反作用。所谓资本间互相吸引这件事，已不是与资本的积蓄含有同样意义的生产手段及劳动支配之简单的集积；它的意义是：已成的资本再集合起来，扬弃其个别的独立性；并且资本家对资本家的收夺实行起来，多数的小资本家，转化为少数的大资本家。这种过程，与积蓄过程不同的地方，就在于它只是以变化已存的机能资本的分配为前提，所以它的作用范围，并不限于社会的财富之绝对的增加，即积蓄之绝对的界限。一方面多数人丧失了资本，另一方面，集中在一部分人手中的资本却庞大起来。这是与积蓄及集积不同的严密意义上的集中。

从上面的话看来，集积与集中的差别，可以很明显地归纳如下：所谓集积，就是企业的增大，是剩余价值的资本化，即由于剩余价值转化为追加资本而来的企业的扩大。在这个意义上，集积的概念，与我们在前面所规定的资本积蓄的概念是一致的。

这就是资本家把一部分剩余价值转化为资本而来的个别企业的扩大。所谓集积，就是把更多的劳动力与生产手段集中在一个资本家手里的意思。

这个过程的特征是：在这个场合，"社会资本的增大，是经过许多单个资本的增大而显现的"。

然而在资本主义社会中，与这并行的是：集积过程到了某种程度，既成资本的分立过程也就进到相当的程度。这个分立过程，是由"资本家家属之财产"的分配而显现的。

一方面有分立的倾向，另一方面又有所谓与集积不同的资本集中的倾向，对它起反作用。

所谓资本集中，并不是由于剩余价值资本化而来的个别的企业的扩大；它是由于大企业合并小企业的方法，或由于相互间竞争战的结果而在大企业间缔成的协调而显现的现有资本的结合。资本的集中，是以减少个别资本的数目，来增大大资本的。

资本的集积与集中，都是资本主义积蓄的结果，同时，它们又很大程度上助长了积蓄的发展。

新企业的创立与已有企业的扩大,都要求巨大资本家所有的大资本的投资。可是资本主义愈加发展,创立新企业所需要的最低限度的资本,也愈加增大。

若没有资本的集积与集中,在资本主义的条件之下,技术的发达是不可能的。

资本的集中,把分散的资本,统合在一个强大的力量之下,因此才能实现个别资本家所不能实现的巨大企业;同时它非常地增大了资本的威力,进而又能助长积蓄的强化。然而,尽管资本集中在将来的积蓄与资本主义的一般发展过程上具有极大的意义,但无论如何不能有决定的意义。我们要知道,只有已积蓄了的资本,才能集中;所以集中所必要的先决条件,是一定程度的剩余价值的资本化,即资本与生产的集积过程。所以,在经过集积和集中这两种形态而实现的资本主义的单一过程中,决定的作用,不属于资本集中,而属于资本集积。

在历史的发展过程中,小商品生产,因其内在的社会劳动与私有形式间的矛盾,转化为资本主义的生产。在这种转化中具有决定意义的,是生产与资本的集积过程。这种过程,使小商品生产者分裂为资本家和劳动者;而资本集中,更大大加强了这种过程。因为由于资本集中,大资本家才能收夺小资本家,使他们与生产手段分离出来。所有这一切,结果促进了劳动的社会化,使个人的小生产转化为社会的大生产。同时,私有财产的内容也改变了。基于私人劳动的财产,让位于因占有他人劳动而来的财产,即资本主义的财产。在社会劳动与私有形态间的矛盾中所发生的生产的集积过程,使这个矛盾发展为社会生产与资本主义占有间的矛盾。于是小商品生产就被资本主义的生产所代替了。而资本主义的生产,更变革一切生产技术,更促进了劳动的社会化,因而更增大社会生产与资本主义占有间的矛盾。

二、资本的有机构成的高度化

(一)资本的技术构成与有机构成

我们已经知道,资本主义的发展,经过资本的集积与集中,使个别资本家的企业扩大起来。同时企业的扩大与确立,是与技术的发达相伴随的。技术装置的变更,必然要反映于企业的全资本构成。在任何资本主义的生产中,我们必须分别清楚活的劳动与生产手段(即作为过去劳动之结果的各种材料)。企业的技术到了某种程度,每单位的活的劳动就能够加工在与这种程度相当的某种分量的原料上。"所使用的生产手段的分量,对于使用它的时候所需要的劳动量之比",就表现着所谓企业资本的技术构成。

可是,一切的资本,都表示着某种价值量。谁都知道,从价值及剩余价值的形成的过程看来,作为过去的("死了的")劳动之结果的生产手段,是不变资本;活的劳动是可变资本。因此资本之技术的构成,若要用这各部分的价值来表示,就必须拿不变资本与可变资本之比来考察。

这不变资本与可变资本的比率,当它表现在资本之技术构成上所发生的变化时,就叫做资本的有机构成。

> 资本的构成可以在两重意义上解释。从价值方面来讲,这是由资本所分成的不变资本,即生产手段的价值;与可变资本,即劳动力的价值(工资的总额)两者的比率来决定的。从生产过程中有机能的材料方面来讲,一切资本都被分为生产手段与活的劳动。那么,这个构成,就是由被使用的生产手段与使用这手段时所需要的劳动量的比率来决定的。前者叫做资本的价值构成,后者叫做资本的技术构成。在这两种构成之间,含有密切的交互关系。为表示这种关系起见,把资本的价值,当它为资本的技术构成所决定而且反映这个技术构成的诸变化时,叫做资本的有机构成。

从上面这个资本有机构成的定义中,可以看出资本的价值构成与技术构成之间的统一。但是,却不能因此就认为两者是完全同一,而忽视存在于它们中间的差别。

这种差别在于这一点,即在资本的价值构成中所发生的变化,不一定与在技术构成中所发生的变化相一致,因而不一定就反映后者的变化。

例如在某企业中,在同一技术的装置之下,假定现在使用比以前价高的原料,那么,这个企业的技术虽然仍旧没有变动,可变资本的价值没有变动,而不变资本的价值却变动了,所以资本的有机构成(C∶V)就提高了。

然则技术的进步对于资本的构成有什么作用呢?

(二)技术的进步与资本的有机构成的提高

例如有一个企业,能够采用复杂的高价的机械,并且它的各劳动者能够承受较多的不变资本,这样的企业,在技术上是比较完备的;又如另外一个企业,它的各劳动者只能承受较少的机械、建筑物与原料,就是不变资本比较少,在技术上比较落后。这两者比较起来,前者的资本的有机构成当然要比后者高。

所以,在资本主义社会里,技术的进步必然要提高企业之资本的有机构成,而可变资本的价值愈加追不上不变资本的价值。

这样,在社会的总资本中,可变资本的部分,愈加缩小了。

但是,这绝不是说,在资本主义之下,劳动者的绝对数是时常减少。在绝对数上,不变资本与可变资本,都是增大的。不过前者的增大更迅速。例如,生产扩张为两倍,而劳动者的数目,因技术进步,只是增加了一倍半。

总之,资本主义发展了,技术进步了,同时就提高了资本的有机构成。但是有机构成愈加提高,愈加能够以相对的渐渐减少的可变资本部分,来推动渐渐增加的生产手段。

如我们所知,一切技术的改良,都使商品的价值及价格低落,所以事实上就扩大了它的贩路。另一方面,在某种产业部门或企业中,因为技术的向上与贩路的扩大,结果,就扩大了供给它们以原料、辅助材料等的其他部门的生产。而且若是这种扩大是以本来的技术为基础而完成的,那么,使用劳动力的分量,也必然要增大起来。然而,从事于生产的劳动力的总量,对于不变资本的增加,是愈加相对地减少了。

第三节　资本的积蓄与劳动阶级的地位

一、在技术不变的条件下的积蓄中之劳动者的工资

随着资本的集积及集中而来的资本的积蓄,在劳动阶级的地位上,尤其在他们的工资上,有怎样的反映,我们现在来考察一下。

当我们讨论工资时,是从劳动力由资本家照价支付的假定出发的。我们

所以设立这个假定,是为要详细阐明资本家的榨取的本质;为要证明一切资本家即使照价支付劳动力,也还是榨取了劳动者,还是从劳动者得到剩余价值。

然而这个假定,与实际上资本主义的现实,是不一样的。

我们知道,劳动力的价值,是由再生产它的时候所需要的消费资料的价值来决定的。然而劳动力的价值,以其他商品为媒介,才被表现出来,而采取价格的形态。换言之,就是采取工资的形态。可是任何商品的价格,都因为需要与供给的影响,而与它的价值相背离。就是说,需要超过供给时,其价格就在价值以上;供给超过需要时,就在价值以下。所以为要具体答复资本积蓄的条件下的工资在现实上是怎样变动的问题,就必须阐明这时劳动市场上劳动力的需要与供给的关系如何。

首先要检察一下:当资本积蓄的进行,是在资本之不变的有机构成下,以不变的技术与不变的劳动生产率为基础的时候,工资的情形怎样。

在这个条件之下,资本家为要从劳动者榨取最大限度的剩余价值,它最希望能够最大限度地使用已有的基本的装置,即机械与建筑物。

因此,他最初是想用延长劳动日的方法来达到这个目的。但是,我们知道,这种方法是与一定的生理的界限及劳动者之有组织的抵抗相抵触的。所以资本家就用产业"合理化"的方法,来提高劳动的效率。资本家为了榨取尽可能多的剩余价值,必然努力使所有的时间与装置一分钟也不要浪费,对劳动者的一举一动都要充分地去利用。

这时候,榨取愈强化,剩余价值的数量就愈大,转化为资本的部分也愈多。扩大了的生产,又创造出更多的剩余价值量。用这种办法来增加剩余价值,扩大积蓄,终究是不能没有止境的,因为不可能超过现有劳动者的生理界限。因此,这种扩大积蓄的办法,若是在不变的技术之下进行,资本家就要不断地要求新的劳动力。

结果,在劳动市场上,需要与供给的关系,就要暂时呈现一种对于劳动者有利的状态,因此,工资也就腾贵起来。但是,这种以不变的技术为基础的资本积蓄的强化,虽然可以使劳动力暂时腾高价格,但这种腾高绝不排除劳资间之资本主义的关系,只不过使劳动者稍微减轻束缚他自己的黄金的锁链而已。

而且,劳动力的价格腾贵不能达到威胁资本主义制度的程度。资本主义经济的机构本身,就注意着要抑制工资的腾贵。于是,改进生产技术,提高资本的有机构成就成为必然的趋势了。

所以,上述的积蓄的条件,即在资本有机构成不变之下的积蓄的条件,对于资本主义的生产并不是特征的东西。我们已经说过,竞争使各个资本家不得不扩大企业的规模,提高生产技术含量。所以,资本主义生产的法则,必是在资本有机构成增高的基础上的积蓄。

二、技术的发达与劳动阶级的地位

(一)产业预备军的形成

然则技术的发达,对于劳动阶级的地位有什么影响呢?

我们知道,技术的发达,与资本的有机构成的高度化,是相伴随的。这时候,可变资本的增大比不变资本的增大,要迟缓得多,所以很明显的,劳动力的需要,虽不能说常是绝对的减少,但至少也可以说是相对地减少。

在不变的技术的再生产中所感到的暂时劳动力不足的情形,现在更加稀少了。

生产技术不断进步的结果,为要给予现在生产中所有的劳动者以工作,就需要更多的资本,更多的生产手段,因此,劳动者寻找新的工作,就更加困难。

但是,还不止是这样。

资本主义的发展,使劳动者被机械驱逐于工厂以外,还产生了产业预备军。这种预备军是等待资本家去雇用的。

第一,因各资本家间的竞争及生产的集积与集中的结果,使中小资本家破产而成为失业者。在农业方面,资本的集中和竞争,引起基本农民大众的破产,从这些丧失土地的被榨取阶级中,形成了大量的没有工作的过剩劳动力。

其次,资本主义技术的发达,不但使劳动力的需要相对地减少。还更加把妇女及儿童都引入生产里面。而这些妇女及儿童又与成年男子劳动者相竞争,使劳动力的一部分又相对的变成过剩的东西。

这就是失业之所以变成资本主义发展的产物的根本原因。

(二)资本主义的人口法则

产业预备军对于资本主义的发展,是有很大的意义的。有了他们以后,在产业兴旺期所看到的迅速的扩大生产,才有可能。假若没有期待着资本家雇用的预备军,那么,要扩张生产,除了等待着劳动人口之自然的增殖以外,没有其他的方法。所以,为榨取所必要的追加劳动力,若要等待因自然的增殖而产生,那就必须经过一个世代的(30年)期间。然而在产业的兴旺期,一举就需要大量的劳动力——这是非目前就有不可的。资本家对于新的追加的劳动力,是不能够很耐心地等待着它成长起来的。因为在这个期间,资本主义恐怕要反复着好几次的好市面、好景气、恐慌及不景气了。

因此,资本主义形成了与自然的增殖没有关系的独特的人口法则。

> 资本主义的积蓄,宁肯不断地生产着无用的过剩的劳动者的人口,这种过剩人口,与资本主义积蓄的力量及范围比较起来,是相对的,与资本之平均的利用要求比较起来,是过多的。

> 所以,劳动者人口,一方面产生资本的积蓄,同时,他方面又不断地产生一种手段,这种手段就使他自己变成相对的过剩人口。这就是资本主义生产方法所特有的人口法则。实际上,任何特殊的历史的生产方法,都有它自己特殊的、含有历史意义的人口法则。

> 劳动者的过剩人口,是积蓄之必然的产物,或资本主义基础上的财富的发展之必然的产物;同时,又是资本主义积蓄的杠杆。并且,又是资本主义的生产方法生存条件之一。这种劳动者的过剩人口,形成着资本可以自由利用的产业预备军,它绝对隶属于资本之下,好像是资本以它自己的费用养成了的一样。

产业预备军的存在,是资本主义生产的一个法则。在资本主义之下,一方面有一部分劳动者作着过度的劳动,同时其他方面有大批的人口被强制的失去工作。产业预备军的存在,证明了资本主义体系绝不是为了保障劳动者的工作与饭碗而来组织生产的。

(三)产业预备军对于工资的影响

产业预备军的存在,怎样影响工资与劳动阶级的一般地位,是容易明白的。

我们已经说过:在资本主义积蓄的过程中,也有劳动力的需给关系对于劳动者方面有利的瞬间。这就是积蓄在以不变的技术为基础的时候。

我们可以说,那种时期,正是增高工资的绝好机会;然而预备军的存在却妨碍了工资的增高。

到了沉滞期及恐慌期,几十万挨饿的人们,都在寻找工作的时候,这些预备军的存在,可以使就业的劳动者的地位恶化起来。虽然劳动者因为工资的低落,不能再生产他的劳动力,然而这对于资本家是不成什么问题的。他可以随便辞掉劳动者——因为在他们的后面,还有失业者的大预备军在等待着。这些预备军,都伸着头期望着资本家赐给自己工作,以供给资本家榨取。

不但如此,资本主义之飞跃的发展,不断地使劳动力需要发生变动,因此,使得劳动者非常不安。谁也不能保障,今天为工资而工作着的劳动者,明天是否还能为工资而工作。

从破产的手工业者之中,尤其是从没有教育的、生活程度低的、与资本家斗争时没有一定目标的贫农之中,不断地流出新的劳动力。这事情对于劳动者的工资更给以不断的威胁。

在经济落后的国家中所形成的预备军的洪流,超越国境而流到产业高度发展的国家里,同时到处对于劳动阶级的地位给予了恶影响。

所以,"大体上,工资一般的增减,是由于产业预备军的伸缩(随着产业循环周期的转变而变动)来调节的。所以工资不是由于劳动者绝对人口数的变动来决定,而是由于劳动阶级分割为就业军与预备军的比率的变动,由于过剩人口之相对范围的伸缩来决定的,换句话说,即由于过剩人口之就业与失业的程度如何来决定的"。

第四节　资本主义积蓄的一般法则与资本的原始积蓄

一、资本主义积蓄的一般法则

(一)劳动阶级的贫穷化

我们知道,随着资本主义的发展,而资本的有机构成愈加提高,资本的集积和集中愈加增大了。资本主义社会的财富——生产手段及消费资料,都集中在少数大资本家的手中。在激烈的竞争过程中,小生产者——农民、手工业者小布尔乔亚,都没落下去,变成了无产者。随着无产者人数的增加,与劳动生产性的增进,而产业预备军也增大了。劳动者在社会收入中所得部分的减少,使他们的生活水准降低下去,不仅相对的、而且绝对的贫穷化了。无偿劳动的占有增加,阶级的矛盾扩大,劳资间的鸿沟越发加深了。

　　社会的财富、资本的机能、资本增大的范围和能力愈大,因而无产者绝对量及其劳动生产性愈高,相对的过剩人口,即产业预备军也就愈多。自由的劳动力,是与资本的伸张力以同一原则而发展的。所以,产业预备军的相对量,势必随着财富潜势力的增进而变大。但这预备军比在业劳动军愈大,处于贫困之下的常备的过剩人口也就愈多。最后,劳动阶级中的赤贫阶层与产业预备军愈大,在业者的贫困也就愈甚。这就是资本主义积蓄之绝对的一般的法则。

　　所以,资本主义之发展的法则,就是劳动阶级之相对的与绝对的贫穷化。

　　所谓相对的贫穷,就是说劳动者在社会收入中所得的部分降低了。所谓绝对的贫穷,就是说劳动者生活水准降低、工资减少、消费资料的价格提高、劳动强度增大、劳动时间延长等。

　　所以,"资本正在积蓄的时候,劳动阶级的状态,无论他的工资的高低如何,一定是恶化的"。

　　资本主义发展到帝国主义的阶段,劳动阶级的贫穷,更加深化而尖锐了。

　　在这个阶段,我们看到两种特征。第一,失业人口大大增加,而且成为慢性的失业,即甚至在繁荣期都不能就业。第二,资本主义的合理化不仅引起可变资本之相对地减少,而且在某些部门,引起劳动力之绝对的缩小。结果,就大大加强了工资低落的倾向。尤其在经济恐慌的现阶段,不仅实质工资低落,连名目工资也低落了。

　　从此可以明白,在资本主义之下,劳动阶级的生活状态,不但是相对的并且绝对的恶化了。

（二）劳动组合在为工资而斗争中的作用

如上所述，"资本主义生产之一般的倾向，不是提高而是减低平均的工资"。

组织劳动组合的劳动者，在与资本家作坚决的斗争中，有时虽能稍微提高工资的水准，但这绝对不能消灭劳动阶级的贫困。

　　　就是在罢工斗争中劳动者获得很大的胜利时，工资的增高，也远比劳动力支出的加多更为迟缓。

假使在生产发达时期，资本家在劳动者的要挟之下，稍微增加工资，但是，在生产衰落时期，他们不仅从劳动者手中夺取其胜利品，而且往往减低工资到半饥不饱的生活水准。

这就是表示，直接的经济斗争，至多也不过只能暂时的、局部的改善劳动者的生活状态。

所以，劳动者的经济斗争，不能只限于为工资的斗争，它必然会高涨到为劳动阶级地位之一般的改善而斗争，为最低生活水准之确定及劳动日的缩短而斗争。但是，阶级斗争的经验，必然使劳动者相信，在资本主义的领域内，为改善劳动者的地位而实行的经济斗争，是不能成功的，它不能真正改善劳动者的生活状态。所以，劳动者的经济斗争，必然要转变到政治斗争，转变到为劳动者根本利益的斗争。

这就是说，劳动组合的斗争，并不应限于经济要求的斗争，它要提高劳动组合中劳动者的阶级意识，使他们知道，经济斗争应从属于政治斗争，只有政治斗争，才能使经济斗争达到最后的目的。

二、资本的原始积蓄

（一）资本主义生产方法的必要前提

我们知道，资本主义，是在封建制度与小生产之崩溃的基础上发生出来的。换句话说，资本主义生产方法之必要的前提条件，是在所谓资本原始积蓄的时代形成的。

个人的、分散的生产手段转化为社会的积蓄的生产手段，因而多数的小所有转化为少数的大所有，以及民众的土地、生活资料、劳动工具的掠夺——这对于民众残酷的掠夺，就是资本之史的序幕。

以下我们说明这种掠夺的过程，也就是说明资本原始积蓄的过程。

（二）资本主义原始积蓄的过程

我们已经说过，封建制度，根本上是自然经济的类型。封建领主与其无数的家臣、军队以及隶属于他的农民，根本上都是靠着自己生产的生产物而生活的。当交换尚未侵入封建关系，而生产目的不在交换价值而在使用价值时，封建领主对于农民的榨取，是被限制在狭隘的范围之内。

但是，商业的发达，破坏了农村中封建关系之自然经济的性质，切断了封建的纽带，在人与人之间，除了赤裸裸的利害和冷酷的"现钱计算"外，什么纽带也没有留下。生产的目的，已不是使用价值而是交换价值，货币变成万能的了。表现封建关系的现物租税，都要用货币来支付了。封建统治阶级对于农民的榨取，增大到前所未有的程度。

譬如在英国，因为绒毛产业的发达，结果，封建领主要把耕地改为牧场，于是无数的农奴和小农都被驱逐出去，形成了"自由的"无产阶级的庞大的部队。

在另一方面，商业资本的发达，又表现于手工业生产的崩溃。本来最初商人只是单纯买卖的中间人，可是随着货币经济的发达，交换关系日益复杂和扩大，手工业者对于商人的依赖关系就越发加深了。商业资本一经侵入了手工业，就使后者依存于前者，后来渐渐成为商业资本的附庸，而商业资本就进而指挥和组织手工业生产了。商业资本对于手工业的榨取增大，许多手工业者都破产了，也同样转化为"自由的"无产阶级。

资本原始积蓄的另一方面，就是商业资本对于殖民地的掠夺及奴隶买卖。"美洲金银矿山的发现、土著人民的剿灭或奴隶化或被活埋在矿山中、东印度的占领及残酷的掠夺、美洲之成为黑奴狩猎场等，像这一切，就是生产的资本主义时代的曙光期。"

所有这一切事实的结果，就是封建的农村和都市手工业及殖民地的小生产的被掠夺。

在这种生产者与生产手段的分离之中,就包含着资本原始积蓄的本质。

这样历史的发展过程,一方面准备了大量的劳动力的出现,另一方面,准备了大产业资本家的出现。这样就形成了大资本家生产的发生所必要的前提条件。

习题十

一、何谓再生产?

二、资本主义再生产的特征为何?

三、资本主义的单纯再生产与扩大再生产之区别何在?

四、资本集积与资本集中这两个概念有什么区别?

五、试述资本有机构成的概念。

六、不变资本(C)一〇〇、可变资本(V)七五的企业,与不变资本二〇〇、可变资本一〇〇的企业,其资本的有机构成,哪一个高些?

七、试用数字举出不变资本相同而资本有机构成不同的两个企业的例子,及资本总额相同而其有机构成不同的两个企业的例子。

八、试举出技术水准相同而资本有机构成不同的两个企业的例子。

九、技术的进步,对于资本有机构成有什么作用?

十、在技术不变的积蓄的场合中,劳动者的工资如何?

十一、产业预备军是怎样形成的? 它对于资本主义的发展有什么作用?

十二、资本主义积蓄的一般法则是什么?

十三、在提高工资的斗争中,劳动组合有什么作用?

十四、资本原始积蓄的法则之本质何在?

第六章 资本的循环与回转

第一节 资本的循环

一、资本循环的一般概念

（一）资本主义的生产与流通

我们已经说过，剩余价值不是在商品与货币的流通过程中形成的，而是在资本主义的生产过程中形成的。

在资本主义的生产过程中，不变资本与可变资本都被消耗了。资本家为要继续生产过程，首先要在市场上实现由自己资本所生产的商品——在这商品中，体化了所消耗的资本的价值及由劳动者从新形成的价值。换句话说，为了生产过程不断地更新与资本的运动，不但要通过生产过程，而且要通过流通过程。这也就是说，资本家必须要走入市场流通之中，出卖自己的商品，换得货币，然后再用这货币，去从新购买继续生产所必要的生产手段。如果资本家不能卖出制成的商品，即不经过流通而实现包含在商品中的价值与剩余价值，不购买新的生产手段和劳动力，他就不能继续生产，更不能扩大生产。

所以，"当作总体看的资本主义的生产过程"，即当作不断地更新过程看的资本主义的生产过程，"表现着生产过程与流通过程的统一"。

流通过程，受资本主义生产的特性所决定。但是，随着生产的发展，而流通又获得若干特征的差别；这种差别，对于生产又给以"第二次的影响"，使它复杂化，并加深它的矛盾。

所以，在我们考察了资本主义的生产过程以后，就需要研究在它的基础上成长起来的资本主义流通的特性，然后再来研究当作生产与流通之统一看的总体的资本主义的生产。

（二）资本循环的三阶段与三形态

如上所述,在资本主义的生产中,资本不仅通过生产过程,而且通过流通过程。所以,资本必然要变换它的形态,即发生某种转化。

在资本家开始生产之前,就不能不有一定的货币手段,即货币形态的资本（货币资本）。他必须以货币买进生产手段及劳动力,即生产所要的一切。于是,最初采取货币形态的资本,不得不采取生产资本的形态。

当劳动者和生产手段相结合而使后者运动时,资本主义的生产过程才开始,剩余价值才形成。生产过程的结果,造出了新的商品,同时,生产资本就转化为商品资本。

但是,资本的转形并未完结。我们知道,资本家拿资本生产商品,不是为自己消费,而是为在市场上贩卖。所以,他必须作为商品贩卖者再出现在市场。从这时期（商品贩卖的时期）开始,采取商品形态的资本,又成为货币形态。资本家再更新生产过程,使自己的货币资本变为生产资本,再使生产资本变为货币资本等。

因此,可以把这个全过程,用下面的公式表示出来。

$$G—W <^{Pm}_{A} \cdots P \cdots W' — G' (= G + g)$$

G,表现为循环过程始点的货币形态的资本。这个 G 转化为 W,即转化为资本家因组织生产而买进的一定量的商品。这个 W,包含着生产手段 Pm 和劳动力 A。然后进到以…P…表示的生产过程。生产过程一完成,于是制成品 W′便出现。但是这个 W′,体化了在生产过程上所形成的剩余价值,所以它的价值大于最初的 W,并且具有与最初的 W 不同的使用价值。在商品卖出时,就使 W′变为 G′,即商品转化为一定量的货币。而这一定量的货币,除包含最初的 G 的价值之外,尚包含若干剩余部分（g）,即还包含被实现出来的剩余价值。

因为资本的转化,在第一次循环以后,就开始第二次、第三次的循环,所以,资本主义再生产的全过程,可以采取下面的形式:

$$G—W <^{Pm}_{A} \cdots P \cdots W' — G' \qquad G—W <^{Pm}_{A} \cdots P \cdots W' — G'$$

总之,在再生产过程中,资本顺次采取三种形态:（一）货币资本形态,（二）生产资本形态,（三）商品资本形态。同时,它又顺次经过三个阶段:

（一）货币资本转化为生产资本，（二）生产资本转化为商品资本，（三）商品资本再转化为货币资本。第一个和第三个的阶段，是在流通部门进行的，第二个阶段，是在生产部门进行的。

资本之由一形态向他形态的转化，及经过三个阶段的资本运动，就叫做资本的循环。

以上，关于资本的循环，即关于资本之由一形态向他形态的转化，都以货币资本为循环的始点。

但是，事实上，资本的运动，不仅可以从货币开始，也可以从生产过程开始，甚至也可以从商品开始。

现在，我们先来说明从生产过程开始的资本循环。在这种场合，资本的循环，是以生产开始并以生产告终的。其全部的运动过程，包含着下面的几个阶段：生产过程一旦完成时，就产出了新商品（W'），在这新商品中，包含着剩余价值，所以它的价值大于原来商品的价值；资本家拿这新商品换成一定量的货币；然后再把这些货币作为资本，投入新的生产过程，即购买新的劳动力和生产手段，使两者结合起来，形成新生产过程——这是大于第一循环始点的生产过程的另一个生产过程。这扩大的新生产过程，可以用 P' 来表示。于是，我们可以把这全部的运动，用下面的公式表示出来。

$$P \cdots W' - G' - W <^{Pm}_{A} \cdots P'$$

其次，再来说明从商品开始的资本循环。在这种场合，资本的运动，采取了别样的形态：首先由附加了剩余价值的商品资本（W'）出发，把它换成货币（G'），然后再拿这些货币购买新商品，即劳动力和生产手段，使两者结合，而开始新生产（P），结果生出新商品，可是，这新商品在价值上自然大于最初的商品（即运动始点的商品）及用货币买进的商品（劳动力与生产手段），我们用 W'' 来表示它。因此，我们可以把这全部运动用下面的公式表示出来。

$$W' - G' - W <^{Pm}_{A} \cdots P \cdots W''$$

（三）资本循环的三种形态之特征

根据上面的说明，我们知道，资本循环因其循环的出发点之不同而具有 3 种形态。即货币资本的循环、生产资本的循环及商品资本的循环。

然则这三种循环形态，各具有怎样的特征呢？

货币资本循环（$G—W <^{Pm}_{A} \cdots P \cdots W'—G'$）的特征，在于循环的始点和终点都是货币。在这里，循环的目的，显然是在于价值的增殖，即在于获得比原来的数量更多的货币。而且，这种循环，又是以流通过程（$G—W$）为始点并以流通过程（$W'—G'$）为终点的，而生产过程，显现为这两个流通过程间的媒介阶段。这种事情，极端掩蔽了资本主义诸关系的本质。因为循环既始于流通且终于流通，那么，就好像流通过程是资本家的根本目的，而生产过程反倒无关轻重了。

其次，看一看生产资本循环（$P \cdots W'—G'—W <^{Pm}_{A} \cdots P'$）的特征。这种循环的始点和终点都是生产，在这里，流通显现为两个生产过程间的媒介阶段。这种循环，也隐蔽了资本主义诸关系的本质。因为循环既以 P 开始以 P'告终，就容易使人认为资本循环的最后目的在于扩大生产，而抹杀了资本主义扩大再生产的特殊性，隐蔽了在资本主义下扩大生产的目的是创造和占有剩余价值的欲求这一事实。同时，循环的这种形态，显然表示出商品——货币流通不能是资本主义收入的源泉，因为在商品——货币流通（$W'—G'—W$）中，任何价值的增殖，也看不出来。

最后，商品资本循环（$W'—G'—W <^{Pm}_{A} \cdots P \cdots W''$），是由两个相反的商品——货币流通（$W'—G'$与$G'—W$）开始，在这两个流通过程之后，才开始生产过程。在这里，资本的运动过程既由包含着以前生产的剩余价值的 W'（$W'=W+w$）开始，那么，很显然，这种循环必然以先行的其他循环为前提。并且在这循环的终点（W''），也可以表现出剩余价值的生产是资本主义生产的目的。

所以，这种循环，特别显示出资本家在其资本的循环过程中是依存于其他资本家的资本循环的。这也就是说，资本家在生产以前，首先要把自己的商品卖给其他的资本家，然后再向别的资本家购买其他商品。因此，商品资本的循环，表示出不仅要考察个别资本的循环，而且要考察社会总资本的循环，才能完全理解资本主义的再生产过程。

以上就是资本循环的三种形态的特征。此外还有一点应当注意，就是我们所说的资本循环的 3 个阶段和 3 种形态，并不是说有 3 个不同形态的个别资本，而是说同一资本的 3 种形态，即是说资本在其循环过程中顺次经过的 3

种形态。这改变自己形态的一个资本,就是产业资本。

二、当作运动的资本

(一)资本在运动中才能发挥其机能

我们已经说过,剩余价值,是在资本主义的生产过程中形成的,也就是在资本家榨取劳动者的无偿劳动的过程中形成的。现在我们又看到,剩余价值生产之不断的反复,即当作创造剩余价值之价值的资本机能之不断地更新,如果没有资本的循环,是不可能的。

假定某产业资本家,有货币资本,但因为某种理由,不能使它转化为生产资本。那么,很显然的,他的货币资本就不能给他生产利润,就是说不能发挥其创造剩余价值的机能,因而它就不成为资本,而是单纯的储藏物了。

再假定资本家已经用货币购买了生产手段和劳动力,可是如果不使生产手段与劳动力结合起来,生产资本也不能发挥其产生剩余价值的机能。最后,如果在生产出商品之后,资本家不能把这商品卖出去,即不能把商品资本转化为货币资本,剩余价值的生产仍旧不能更新,资本也不能再来产生利润,因而也就不成为资本了。

由此可见,资本只有在运动中、在循环过程中,才能继续发挥其创造剩余价值的机能。

(二)资本运动的连续与中断

当我们在运动和循环中,即在由一形态到他形态的转化过程中,去考察资本时,并不是说所有资本的全部,今天是采取这种形态,明天就转化为他种形态。"事实上,任何个别的产业资本,都同时包含于 3 种循环的总体之中。这3 种循环,即三种资本姿容的再生产形态,是互相并行而连续运动的。"

譬如某资本家的资本,有一部分是采取货币形态,这随时可以拿去购买新机器和原料,或支付工资;其他部分是采取生产资本形态,它们的价值,全部地或部分地转入制品中;同时第三部分,是采取商品资本形态,而这部分资本的实现(即由商品转化为货币),是与其他资本部分由生产资本转化为商品资本和由货币资本转化为生产资本同时进行的。

所以,同时存在于各阶段的资本的各部分,是互相密切的依存着,因为它们同是一个资本的各部分。"既然个别的产业资本,是表现着依存于资本家之资力的一定的大小,而这个大小,在各产业部门又有一定的最低限度,所以,这产业资本的分配,必然按照一定的比率才行。"

所以,某部分资本的循环(例如由商品形态到货币形态的转化)之能否顺利进行,依存于其他资本部分的循环(例如由生产资本到商品资本的转化)之能否顺利进行。假若资本家不能卖出自己的商品,那么,其他部分资本的循环,例如由生产资本到商品资本的转化,也就不能顺利进行了。因为如果不能卖出已制的商品,资本家就没有货币去购买原料和支付工资,因而投入于机器的资本,也势必同样要停止运动了。

总之,"只有在三种循环的统一中,才能实现全过程的连续性"。如果在资本循环过程中,发生任何中断,都能使产生剩余价值的活资本变成死资本。所以,资本家总是想使自己资本的任何部分,都能不断地运动,而不停滞在死资本的状态中。

但是,事实上,各个资本及其各构成部分之连续不断的运动,是绝不能保证的。

例如在生产带有季节性的许多部门中,生产资本只有在一定的季节内,才能发挥其机能,才能转化为商品资本(例如渔业和农业),在这季节以外,资本的运动就中断了。又如在商品贩卖带有季节性的各部门中,商品是在一定的季节才能卖出,在其他时期,存货就变成死资本了。

不仅如此。个别资本之停止在某一形态,以及这资本和它各部分的循环之中断,也可以由资本循环的各阶段所有的特性及各资本部分的循环所有的特性而发生。我们在下面就进而考察这些特性。

第二节　资本的回转

一、资本回转的一般概念——生产时间与流通时间

(一)资本循环与资本回转

如上所述,资本只有在运动过程即循环过程中,才能作为活动资本,发挥其机能。同时我们又看到,资本不断地由一种形态转化为他种形态,即由货币

形态的资本转化为生产资本,由生产资本转化为商品资本,由商品资本再转化为货币资本;然后再顺次转化为生产资本、商品资本等等。换句话说,资本在它的循环过程中,不断地重新回复到原来的形态,这样它就经过了许多次转化的循环和回转。

这样,"不是当作个别事象看的、而当作周期过程看的资本循环,就是资本的回转"。

一个回转时间,是由一种资本形态再回到原来的资本形态的期间来决定的。譬如货币资本先转化为生产资本,再转化为商品资本,然后再回到原来的货币形态,这全部转化时间,就是一个回转时间。

资本在每一回转时间内,经过生产过程和流通过程。资本在流通过程的时间,叫做流通时间,在生产过程的时间,叫做生产时间。所以,资本的每一回转时间,是由生产时间与流通时间的总和构成的。

我们为了说明资本回转的各阶段及各部分资本在总循环中所有的作用和意义,及其对于剩余价值量的影响,就必须先来考察资本的生产时间及资本的流通时间是依存于什么,并且在资本主义的生产过程和流通过程中,具有怎样的意义。

(二)生产时间与劳动时间

生产时间,包含着由生产资本转化为商品资本的全部时间,这是劳动过程的时间,也就是生产手段与劳动力相结合的时间。但是,生产时间并不只限于劳动时间。

首先我们要知道,不变资本的某一部分,如机器和房屋的价值,不是一次性转移到商品上去,而是部分地渐次地转移到商品上去的。所以,这些部分的资本,不只参加一次劳动过程,而是参加几次劳动过程,因而它们的生产时间,就包括几次反复的劳动过程。

再者,生产资本转化为商品资本的时间,不仅包含着劳动者对劳动对象加工的时间,而这劳动过程,譬如在夜里、吃饭时间和休息时间,是要中断的。这中断时间,虽是生产时间的一部分,但并不是劳动时间。

此外,资本家为了在预定的规模下进行生产过程,就不能不预备若干的原料和辅助资料,以免每日购买的麻烦。这些存货在储藏着的时间,虽然未由劳动者加工,也要算入生产时间之中。

生产过程所包含的时间,比劳动者对劳动对象加工的时间要多。不仅如此,在许多生产部门,尤其在化学生产或农业生产中,生产品最后的完成,不仅需要人类加工的时间,而且需要自然力作用的时间。例如农产物麦子,要在一定时间内才能成熟,制酒的酒糟,要有一定的时间才能发酵。而在这一定时间,人工直接的作用是中止的。

由此可见,生产时间,比实际劳动支出的时间要长得多。

这种事情对于资本回转的全过程,及对于剩余价值的生产,有极大的意义。

因为我们知道,实际上,商品的价值和剩余价值,是由劳动者的劳动形成的。所以,在劳动过程的中断期间,并不能形成新价值,可是,房屋、机器等生产手段却是消耗了(如机器生锈、房屋毁坏等)。并且储藏的一部分生产资本,在这个时间内,也没有参加剩余价值的直接形成过程,而变成死资本了。

因此,在生产时间内,非劳动时间愈长,商品就愈贵;如果其他条件不变,这资本所产生的剩余价值就愈小。

所以,资本家总是尽量地想缩短劳动的中断时间,即缩短与直接劳动过程无关的诸过程。

现在考察流通时间对于资本回转有什么意义。

(三)流通时间与流通费用

制成的商品,必须在流通过程中,才能转化为货币,才能实现其中所体化的剩余价值。并且在这流通过程中,还应当买进继续生产上所必要的新生产手段。这就是说,已制成的商品,必须在资本主义的流通过程中去贩卖。去换成货币。然后再把这货币转化为继续生产上所必要的商品。

因为我们假定商品是按照它的价值被买卖的,所以,显然地在资本主义的流通中,商品的买卖,即 W—G(商品到货币)和 G—W(货币到商品)的转化,只是同一价值由一种形态到他种形态的转化,即由商品形态到货币形态。由货币形态到商品形态的转化,在这里,任何价值和剩余价值都没有创造出来。

但是,资本的流通过程,即资本家商品的买卖过程,有时需要很长的时间和一定的劳力和费用。譬如资本家为了购买原料、燃料、机器等,尤其想有利的买进这些东西,及雇用廉价的劳动力,不仅要耗费自己的时间,并且雇用特别的代理人,专司其事。

其次,在资本主义社会,商品的贩卖,需要更多的时间、劳力和费用。资本家为了出卖自己的商品,往往雇用大批工作人员,支出大量的广告费。更有许多大资本家,派遣代理人到极远的地方去宣传和推销商品。此外,在资本家商店中,通常都雇有许多店员、会计等。所有这些工作人员在商品买卖上消费的时间,也应加入资本的流通时间之中。

根据上面的说明,可以知道,资本的流通,不但需要很长的时间,而且需要许多的费用。

(四)生产劳动与非生产劳动

但是,上述这些工作人员,因为他们的劳动是消费在商品和资本的相互转让之中,所以,这种劳动,虽为资本流通所必需,但不能创造价值和剩余价值,因而不是生产的劳动。

但是在资本流通过程中,有些时间和劳动是用在某些机能上的,这些机能,本质上是生产过程在流通过程中的继续。

这首先就是耗费在商品运输上的时间和劳动。

商品的运输,本质上是生产行为,因为只有商品达到消费地点时,才完结了剩余价值的创造。既然商品的运输是生产过程的继续,那么,显然运输劳动是生产的劳动,能够创造价值和剩余价值。

其次,包装和保存商品的劳动,只要它是使用商品和保存商品使用价值所必要的,也是能够增加价值和剩余价值的生产劳动。

总之,我们可以把流通过程的劳动分为以下两类:(一)用于狭义流通的劳动,即用于商品与货币之相互转化的劳动,它是非生产的劳动,不能创造价值和剩余价值;(二)用于在流通中继续着的生产过程的劳动,是生产的劳动,不过它的生产性为流通的形态所掩盖了。

以上面所说,我们可以知道,资本家在流通中所费的手段愈多,其资本在流通中停留的时间愈长,假如其他条件不变,资本家所得的剩余价值就愈少。所以说,"流通时间与生产时间,是互相排斥的"。

所以,资本家总想尽力缩短流通时间,节省流通上的各种费用。

邮电、运输的发达,新广告方法的采用,自然可以减少商品的流通时间和流通费用;但是,随着资本主义生产的发展,又发生了延长流通时间与增大流通费用的倾向。因为随着资本主义的生产、运输及一般交通手段的发展,国际贸易也发展了,生产地点与贩卖地点的距离也变大了,商品的贩卖也困难了,因而广告和代理人等费用也增多了。

二、固定资本与流动资本

(一)固定资本与流动资本的概念

资本回转的反复,不仅依存于各回转时间的特性,而且依存于资本各构成部分回转的特性。

现在首先看一看可变资本在总循环中所起着怎样的作用。

资本家按照一定时间,买进劳动力,劳动力就在这一定时间内发挥其作用。于是在这一定时间内所耗费的劳动力的价值,全部转移到在这时间内制成的并转化着剩余价值的商品上去。转化在商品上的可变资本的价值,因商品出卖而全部实现,并采取货币形态,以购买下次生产的劳动力;而第二期所生产的商品价值的实现,又可以全部补偿本期所支出的可变资本;并且在这商品价值实现以后,资本家就取得货币,又可以购买第三次生产的劳动力,等等。这样继续的反复和更新,就形成了可变资本之不断的回转。

不变资本的某一部分,也有与可变资本这种回转形式相类似的回转。这一部分不变资本,在生产过程中,其价值也被完全转移到制成的商品上去,其价值和劳动力的价值一样,由该商品的出卖而全部收回了。不变资本的这些部分,就是原料和补助材料(如燃料、电力等)。

因此,劳动力、原料及补助材料,在一个生产时间内,把它们的价值全部转移到商品上去(关于剩余价值,我们暂时不管),当商品卖出后,它们的价值,每次都采取货币形态再回到资本家手中,然后资本家又用它去购买劳动力、新原料及辅助材料。这部分资本,就叫做流动资本。

至于机器和房屋,就完全不同了。它们在一次生产周期中,并非全部消耗净尽,它们的价值,也是部分地转移到商品上去的。很显然地,在它们的价值未被全部转移到商品上去的整个时间,它们在每次生产过程中是一样作用着的。必须经过多次生产过程以后,它们的价值,才以货币形态完全回到资本家手中,那时,这些价值才完全转化为新机器,投在这上面的资本,才完成了全部的回转。

根据这种特性,我们就把不变资本的这一部分,即机器与房屋,叫做固定资本。

这样看来,现在我们知道,资本有两种分类:一种是从剩余价值形成过程中各部分资本的作用出发,就分为不变资本与可变资本;另一种是根据在价值转移和生产过程期间之价值形成中各部分资本所尽的不同的作用,及其在流通部门上所发生的不同的作用,就分为固定资本与流动资本。

最后,我们要特别指出:固定资本与流动资本之不同的流通方式,是由于它们在生产过程期间之价值转移及形成中的不同的作用所产生的。

(二)固定资本流通的特性

我们已经说过,固定资本,在一次生产过程终了以后,还可以在几次生产过程中继续发挥其机能。这时候,已制成的商品就被拿到市场上去,实现它的价值,所以,在旧机器和房屋全部耗费的时期以前,由于商品的贩卖,而转移到商品中的机器和房屋的价值,早已一部分一部分地以一定货币的形态,回到资本家手中。这种货币,将以预备货币的形态而积蓄起来,并且将随着固定资本之不断转移其价值于商品而逐渐增大。直到固定资本全部消耗净尽,其价值也全部转入商品时,资本家才能用积蓄的货币,购买新机器,建筑新房屋。这时,固定资本就完结了一次回转时间,而开始下次的回转。

这种预备货币之渐次的积蓄,就叫做固定资本的收回。

然则固定资本的更新与预备货币的利用,是怎样进行的呢?

我们知道,固定资本首先是在生产过程中消耗的。无论任何机器,在工作过程中,总有一部分被消耗,机体逐渐松弛,而发生某种损坏。但是,除了工作时所生的原因外,还有许多自然的原因。例如机器生锈,房屋因风化作用而损坏等。由于这两种原因的作用,机器和房屋,无论如何修理,但经过相当时间,在生产上就不能再使用,就必须更换。

但是,实际上固定资本在其物质的消耗以前,也有时需要更新的。因为在资本主义社会中,资本家互相竞争,都想要获得更多的利润,因而就竞相采用改良的新机器,于是旧机器的生产,就成为不利而被更新了。固定资本,因新机器的普及而不适用时,这种消耗,我们把它叫做"道德的"消耗。

现在我们必须指明:各部分资本之物质的消耗,并不是同时的,机器的消耗时间,与房屋的消耗时间不同,这架机器与那架机器的消耗时间也不同;而且一切机器和房屋,也绝不是同时参加生产的。

由此可见,固定资本的收回额,在其全部消耗以前,并不是储藏着不动的。实际上,它是不断地再投入生产中去,以更新一部分的固定资本。但是,这部分金额,并不是在资本家卖出商品和收回体化于商品中的固定资本的价值以后,立刻就投入生产的。这些金额,必然以休息的预备货币的形态积蓄起来,直到达到相当数目,才能拿去购买新机器,或建筑新房屋。因此,由于固定资本流通所有的特性,在各个资本家手中,必然要以货币形态积蓄着尚未转化为生产资本的休息的货币手段。

（三）流动资本的再生产与追加资本

以上说明了固定资本回转的特征对于资本总回转及资本再生产所生的影响;现在我们要说到流动资本的回转对于资本的总回转,尤其对于这种资本再生产所必要的货币资本量及货币资本的运动,也能发生一种特殊的影响。

我们已经知道,流动资本,即原料、补助材料、劳动力等,在一次生产时间完结时,就需要更新的。所以,资本家在进行下次生产以前,必须先有相当的货币,去更新其流动资本。

这些货币,是在资本家卖出商品以后才能得到的;因此,就需要一定的时间,而且往往需要相当长的时间。但是,如因此而暂时停止生产,这对于资本家是非常不利的。因为在生产停止的时间内,资本家不仅不能获得利润,而且机器房屋等,也要因风化作用而受自然的耗损,此外,还要支付看守费与机器房屋的保护费等。所以,资本家为要使生产过程不断地继续下去,在生产开始时,就只有先拿一部分货币去购买原料和劳动力,以充第一次生产之用,而把其他部分,仍以货币形态储存起来,作为预备的追加资本。

在第一次生产时间内,这追加资本是不活动的,是作为准备的。在第一次生产时间完了以后而第一批商品尚未卖出时,资本家就拿这预备的追加资本,从新购买原料和劳动力,以继续生产。当第一批商品出卖以后,体化于其中的资本,就作为预备费而不活动了,当由追加资本所生产的第二批商品开始出卖时,这部分资本再被投入生产之中。等到第二批商品出卖以后,这追加资本又作为预备费而不活动,以待必要时再投入生产,等等。

这样看来,在资本循环过程中,某企业的资本,总有一部分停留在货币形态上,暂时不放在这企业中使用。因而这些资本,就不能参加剩余价值的生产,所以资本家总想尽量缩小这部分资本。

三、资本回转的速度及其对于剩余价值量的影响

(一)资本回转的速度与剩余价值

我们已经说过,生产时间与流通时间对于剩余价值的生产所有的意义。现在,我们来看一看资本的总回转(包括生产时间与流通时间),在剩余价值的生产上,有怎样的意义。

首先要知道,总资本的回转愈速,假如其他条件不变,就能以等量资本生产较多的价值和剩余价值,或以少量的投资获得等量的价值和剩余价值。

假定这里有资本 10 万元,每年回转 2 次(为简单起见,关于资本各部分回转上的差异,我们暂且不管)。这就是说,在一年中,由这 10 万元资本所产出的商品,包含着 20 万元的不变资本与可变资本的总价值(因为这两种资本都是回转 2 次),和若干的剩余价值,假如是 25000 元(剩余价值率是 100%)。这也就是说,资本家在一年中,投下 10 万元资本,因为资本回转了 2 次,他就获得了 25000 元的剩余价值。

假定这 10 万元资本,每年不是回转 2 次,而是回转 1 次,同时其他条件也不变,那么,资本家要想在一年中生产等量商品,获得等量的剩余价值,很显然的,他不能像从前那样,只投下 10 万元,他就必须投下 20 万元。

再假定在这 10 万元资本中,有 12500 元是可变资本,我们为求简单起见,假定可变资本也和不变资本一样,每年回转 2 次,这就是说,资本家购买劳动力的这 12500 元金额,在商品卖出后,同年内就回到资本家手中,而且同年内再用去购买劳动力。于是资本家虽然支出了 12500 元的可变资本,但因为对劳动者支付了 25000 元的工资,所以就从他们得到 25000 元的剩余价值。

如果资本回转的速度,不是一年两次,而是一年一次,其剩余价值率仍相

等,那么,资本家要想获得等量的剩余价值,那就非一次投下 25000 元的可变资本不可,这是明白的事情。

由此可见,资本家之所以加速资本的回转,无非是要想以等量的资本,从劳动者获得较多的剩余价值。

(二)资本回转的平均速度

在现实上,资本各部分的回转时间是完全不同的。不但流动资本与固定资本的回转时间不同,即固定资本各部分的回转时间和流动资本各部分的回转时间,也是各不相同的。

在一定单位时间(普通为一年)内资本回转的次数,表示它的回转速度。可变资本及原料、辅助材料等,通常在一年内可以回转数次;而固定资本,往往数年内才回转一次,在一年中只回转几分之几。

从资本各部分的回转速度,可以计算总资本的平均回转速度。假定某资本家投下固定资本 10 万元,其中 4 万元是房屋,6 万元是机器。再假定机器的全部回转为 5 年,房屋为 10 年。那么,很显然的,每年从投入机器的总额中收回 $\frac{1}{5}$,即 12000 元,从投入房屋的总额中收回 $\frac{1}{10}$,即 4000 元,合计一年中收回的固定资本总额,是 16000 元(12000 元+4000 元)。固定资本的总额既为 10 万元,其平均回转时间即为 $\frac{100000}{16000} = 6\frac{1}{4}$ 年,一年的平均回转速度为 1： $6\frac{1}{4} = \frac{4}{25}$ 或 0.16 次。

在上面,我们只计算了固定资本的平均回转速度和时间,关于总资本的平均回转速度,也可以用同样方法计算出来。

假定有一个企业,固定资本 8 万元,流通资本 2 万元,固定资本的回转时间为八年,流动资本的回转时间为一月,那么,一年间收回的资本总额如次:

固定资本……80000 元÷8＝10000 元

流动资本……20000 元 × 12＝240000 元

一年间收回资本的总数……250000 元

投下的资本总额,是 80000 元+20000 元＝100000 元,所以收回的资本总额 25 万元,即等于投下资本额的 2.5 倍。换句话说,企业的总资本,在一年间,回转了二次半。

然而,随着资本主义与技术的发展,资本回转的平均速度,表示出一种缓慢的倾向。这是因为在技术发展与资本有机构成增高之下，固定资本比较流动资本愈加增大，固定资本的回转愈加缓慢，因而资本回转的平均速度，也就变得缓慢了。

第三节　社会资本的再生产与回转

一、社会资本的运动与个别资本的运动之差异

（一）社会资本运动之特性

以上我们所研究的，是个别资本的循环过程。但由于这种研究，我们已经明白：个别资本的运动是不能离开其他资本的运动的。一资本家的商品资本之转化为货币资本，必须以他资本家的货币资本之同时转化为商品资本为前提。所以，"个别资本的循环，是互相交错，互为前提，并互相决定，而形成全社会资本的运动"。

在考察个别资本的运动时，我们并没有注意到资本家的商品是怎样实现以及实现后怎样消费等的问题。我们只是说明，生产之后，采取商品形态的资本在流通过程中转化为货币资本，由货币资本再转化为生产资本的诸要素，这样的继续其循环过程。至于资本家在自己资本的范围以外，从什么地方取得生产手段，资本家和劳动者从什么地方取得消费资料，商品在怎样的条件之下才能实现，实现后又消费到什么地方去。所有这些问题，在考察个别资本的运动时，是没有什么意义的。因为在那种场合，生产物的自然形态，对于资本家是无关重要的。资本家唯一的目的，不在于生产什么使用价值，而在于商品的价值和剩余价值。

社会资本的循环，却完全不然。在这种场合，各生产物部门的生产比率、生产的实现及其消费的性质等，含有极大意义。实际上，不但为了更新和扩大生产过程需要一定量的生产手段，同时为了恢复劳动者的劳动及满足资本家的欲望，还需要一定量的消费资料，而这些生产手段和消费资料，都是在各该部门中生产的。

所以，当分析社会资本的再生产时，必须把它分为二个基本的生产部门：（一）生产生产手段的部门；（二）生产消费资料的部门。第一个部门，给全体

资本家供给生产手段,第二个部门,给全社会的劳动者和资本家供给消费资料。

无论在哪个部门中,如从价值形态看来,其资本都是由不变资本与可变资本构成的,并且由这些资本所造出的全部生产物,按照它的价值形态,可以分为三个部分:第一部分是不变资本,这要拿去交换再生产时所要的生产手段;第二部分是可变资本,这在流通过程中,交换劳动者所要的消费资料;第三部分是剩余价值,这要拿去交换资本家所要的消费资料,如在扩大再生产之下,还要交换追加的生产手段和追加的消费资料。

(二)资本主义的矛盾在社会资本运动中之表现

由上所述,我们可以知道,在社会资本的再生产之下,无论在价值形态中,或在自然形态中,都表现出资本主义生产的各部门的比率。社会资本的再生产,明白地表现出资本主义的生产中自然形态与价值形态的统一和矛盾,表现出价值与使用价值间的矛盾之发展。

实际上,在资本主义社会中,各部门所生产的生产物,按照它的使用价值,不是用去更新生产手段,就是用去充作消费资料。换句话说,生产生产手段的产业,只能尽量生产其他各部门所必要的各种机器,而生产消费资料的部门,只能按照其生产能力和设备等,去生产与劳动者和资本家所必要的消费资料。但是,假定各部门生产物的价值失去均衡,那么,社会生产之不断地进行,就显然被破坏了。

这种假定,并不是纯然任意的抽象。实际上,资本主义生产方法的矛盾之发展,显然表现于资本主义社会的生产与消费之极端尖锐的矛盾之中。它不断地引起社会生产过程的搅乱和沉滞。

资本主义的生产方法,带有无限的扩大生产的倾向。生产的扩大,首先要引起生产手段的生产之扩大及"生产的消费"(即生产手段的消费)之增大。但是,生产手段的消费,常常与个人的消费(即消费资料的消费)结合着,即生产手段的增大,终究要引起消费资料的生产之增大。然而,另一方面,广泛的大众,却一天一天地贫困化了,结果自然把消费限制在极度狭隘的范围中。这不是显然的矛盾吗?

所以生产的扩大与消费的缩小这种矛盾(这是生产的社会性与私的占有

形态间的根本矛盾之表现），是在社会资本的再生产及流通过程中显现的。

二、社会资本运动的两种形态

（一）单纯再生产之下的社会资本的运动

社会资本的运动，有两种形态，一种是在单纯再生产的条件之下的运动形态，一种是扩大再生产的运动形态。现在我们首先说明在单纯再生产的条件之下，社会资本的运动及价值和剩余价值的实现，是怎样进行的。

我们已经知道，在资本主义社会中，商品的总量，可以用总额 C+V+m 表示出来，C 是表示不变资本转移的价值，V+m 是表示劳动者创造的新价值。又在资本主义之下，所有各种各样的物材，都可以分为生产手段与消费资料的两大部门，并且在这两大部门中，又可以按照价值分为 C+V+m。

现在，假定在生产生产手段的第一部门中，投入 50 亿元，其中，不变资本（C）为 40 亿元，可变资本（V）为 10 亿元；在生产消费资料的第二部门中，投入总额 25 亿元。为了简单起见，假定资本的有机构成都是 4∶1，那么，在这 25 亿元中，不变资本为 20 亿元，可变资本为 5 亿元。再假定两个部门的剩余价值率，各等于 100%，固定资本也和流动资本一样，在一个生产周期后，把其价值全部转入生产物中。那么，我们就可以得到下表：

第一部门——生产手段的生产：

4000C+1000V+1000m＝6000

第二部门——消费资料的生产：

2000C+500V+500m＝3000

第一部门社会总生产物的价值，等于 60 亿元，这完全是生产手段，即机器和补助材料等等。

第二部门总生产物的价值，等于 30 亿元，这完全是消费资料。

我们首先看看，在单纯再生产之下，第一部门的生产物是怎样实现的。

生产手段的一部分，首先是由于交换而在第一部门内各企业之间实现的。因为在生产过程终了以后，机器、房屋及其他不变资本的诸因素，都消耗净尽而需要更新。但是，在第一部门中，只有 40 亿元不变资本，所以，在价值 60 亿元的总生产物中，在第一部门内部，只能实现 40 亿元的生产手段。

照这样,没有实现的生产手段,还剩下 20 亿元。其中一半(10 亿元)表现着生产时间内所耗费的劳动力的价值(可变资本),一半表现着剩余价值。但是,这余下的生产手段,是不能在第一部门内部消费的。因为取得 10 亿元工资的第一部门的劳动者和取得 10 亿元剩余价值的资本家,不是拿这些金额购买生产手段,而是要购买消费资料。

这与 20 亿元相等的可变资本价值及剩余价值的生产手段,是在第二部门实现的。因为第二部门要想更新不变资本的诸因素,就必须向第一部门购买新机器和原料等,在这里,第二部门的不变资本是 20 亿元,就需要向第一部门购买总额 20 亿元的生产手段,于是在第一部门内部不能实现的 20 亿元的生产物(即生产手段),恰好满足了第二部门的需要。

这就是说,表现第一部门可变资本与剩余价值的第一部门的 20 亿元生产手段,与第二部门的消费资料——这恰好表现着第二部门不变资本的价值——相交换。于是第一部门的全部生产物,都实现了。但在第二部门中,还有 10 亿元消费资料没有实现。这部分消费资料,由于交换而在第二部门内部实现了。实际上,第二部门的劳动者,取得 5 亿元工资,资本家取得 5 亿元剩余价值,而在第二部门尚未实现的 10 亿元可变资本与剩余价值,就用去满足该部门的劳动者及资本家的需要。

所以,这两大部门的交换,就采取如下的形态:

第一部门　　$\boxed{4000\text{C}} + \boxed{1000\text{V} + 1000\text{m}} = 6000$

第二部门　　$\boxed{2000\text{C}} + \boxed{500\text{V} + 500\text{m}} = 3000$

第一部门,在其内部,实现了等于不变资本价值的自身的生产物,第二部门,在其内部,实现了等于可变资本与剩余价值的自身的生产物;余下的生产物,在两部门间交换。因此,在单纯再生产之下,两部门商品的实现,只在下述的场合才有可能,即第一部门在其价值上需要等于第二部门的不变资本价值的消费资料,同时,第二部门在其价值上必须供给等于第一部门的可变资本及剩余价值的消费资料。所以,第一部门的 V+m,必须等于第二部门的 C,即(V+m)I = CII。

上面这个公式,是说明当社会生产物的实现保持理想的比例时,单纯再生产条件下社会资本各构成部分的转化过程。但是,在资本主义生产中,必然引起社会资本再生产的不均衡和中断,因而暴露出生产与消费间的矛盾。这些矛盾发展的结果,就发生了资本主义生产过剩的恐慌。

(二)扩大再生产条件下社会资本的运动

现在来考察扩大再生产条件下社会资本的实现和转化是怎样进行的。

这里假定资本家在一生产周期终了以后,在扩大的规模上开始第二周期。

第一周期的结果,第一部门的生产总额,等于$CI+VI+mI$,即表现着生产手段的一定量。

在这个生产中,等于CI的一定量,用去在原来规模上更新自己部门的不变资本。但是,这个部门的资本家为了扩大生产,就需要追加不变资本。很显然的,这追加的不变资本,当然要从该部门的生产物中,即从尚未卖出的$(V+m)I$中取得。然而同时,第二部门为了更新或扩大自己的CII,也需要从这$(V+m)I$中取得生产手段。由此可见,在扩大再生产中,$(V+m)I$必须大于CII。

假定第一部门的资本家,从第一生产周期所造出的剩余价值总量中,只消费等于Ia的部分,以满足个人的欲望;再假定第一部门在第二生产周期所必要的可变资本为IV'。那么,显然的,第一部门为了满足资本家个人的欲望及新生产周期中所雇用的劳动者的需要,对第二部门要求$IV'+Ia$的消费资料。假定第二部门为了扩大生产,对第一部门要求总额IIC'的不变资本,那么,要想实现这种运动,就必须保持以下的等式,即:

$$IIC' = IV' + Ia$$

现在根据下面的公式,作为扩大再生产的始点,来说明社会资本转化的情形。

第一部门——生产手段的生产

$$4000C + 1000V + 1000m = 6000$$

第二部门——消费资料的生产

$$1500C + 750V + 750m = 3000$$

假定第一部门的资本家,在第一次生产周期终了以后,拿剩余价值的一半(即5亿元),去购买生产手段和劳动力,以扩大第二次生产。如果资本的有机构成不变,这 5 亿元中,生产手段是 4 亿元,劳动力是 1 亿元。我们知道,生产手段的总量是 60 亿元,其中 40 亿元用去更新第一部门的不变资本,15 亿元用去更新第二部门的不变资本,下余 5 亿元生产手段。在这余额中,4 亿元生产手段,用去扩大第一部门的第二次生产,此外只有 1 亿元生产手段没实现了。然而,很显然的,这余下的生产手段,当然要和追加的劳动者——其工资恰好等于 1 亿元——所需要的消费资料相交换了。

然则第二部门的消费资料,是怎样实现的呢?

15 亿元消费资料,与更新第二部门的不变资本所必要的生产手段相交换,而转入第一部门,7 亿 5000 万元的消费资料,用去满足第二部门中劳动者的需要,这样,就只有 7 亿 5000 万元的消费资料不曾实现了。其中 1 亿元消费资料,可以用去满足第一部门追加劳动者的需要,以换得等额的追加生产手段。既有追加的生产手段,当然需要追加的劳动力。我们知道,第二部门的不变资本与可变资本之比为 2:1,那么,生产手段既增加 1 亿元,追加劳动者的消费资料,就得增加 5000 万元。而这追加的消费资料,正可以由第二部门资本的 7 亿 5000 万元剩余价值中取得。这样看来,在这 7 亿 5000 万元中,1 亿元用作追加的生产手段,5000 万元,用作追加的消费资料,余下的 6 亿元,为第二部门的资本家拿去满足自己的欲望。

这样,在第二次扩大生产周期开始时,其资本分配如下:

第一部门——生产手段的生产

第一周期的生产物价值——$4000C+1000V+1000m=6000$

追加的生产手段与追加的消费资料——$400C+100V=500$

新扩大生产周期开始时生产物的分配:

投入生产部分——$4400C+1100V=5500$

资本家消费——$500m$

第二部门——消费资料的生产

第一周期的结果——$1500C+750V+750m=3000$

追加的生产手段与追加的消费资料——$100C+50V=150$

新周期开始时生产物的分配:

投入生产部分——$1600C+800V=2400$

资本家消费——600m

总之，在扩大生产的第二周期开始时，第一部门资本家，共有 4000C 与 1100V，第二部门资本家，共有 1600C 与 800V（在剩余价值中，满足资本家个人欲望的部分，在其消费后，对于再生产已经没有意义了）。

如果在这种基础上，再行扩大生产，其资本分配情形如下：

第二周期 = $\begin{cases} \text{I} & 4400C+1100V+1100m=6600 \\ \text{II} & 1600C+800V+800m=3200 \end{cases}$ = 9800

第三周期 = $\begin{cases} \text{I} & 4840C+1210V+1210m=7260 \\ \text{II} & 1760C+880V+880m=3520 \end{cases}$ = 10780

第四周期 = $\begin{cases} \text{I} & 5324C+1331V+1331m=7986 \\ \text{II} & 1936C+968V+968m=3872 \end{cases}$ = 11858

第五周期 = $\begin{cases} \text{I} & 5856C+1464V+1464m=8784 \\ \text{II} & 2129C+1065V+1065m=4259 \end{cases}$ = 13043

第六周期 = $\begin{cases} \text{I} & 6442C+1610V+1610m=9662 \\ \text{II} & 2342C+1172V+1172m=4686 \end{cases}$ = 14348

上面这个公式，是假定一种理想的比率，以描写社会生产物向各部门分配的抽象情形。然而这绝不是说，在资本主义社会中，生产物是有比例的被分配的。相反的，从这公式中可以看出，生产手段的增大超过消费资料的增大，因而在社会资本基础部门的发展之下，必然引起不均衡，而加深生产与消费之间的矛盾。

习题十一

一、资本在其循环过程中所采取的三形态及所经过的三个阶段各如何？

二、货币资本循环，生产资本循环及商品资本循环，各有何种特征？

三、为什么把资本当作运动的东西去观察？

四、为什么生产过程比劳动过程较长？这对于资本的回转过程有什么意义？

五、流通时间依存于什么？

六、在流通过程中，何种劳动（和费用）是生产的？何种是不生产的？

七、何谓固定资本与流动资本？其资本区分之根据为何？其与不变资本、可变资本有何不同？

八、试述固定资本流通的特性。

九、在流动资本的再生产之下，何以需要追加资本？

十、假定有一个企业，可变资本 30 万元，机器和房屋 50 万元，原料及补助材料 10 万元，固定资本 10 年回转 1 次，投入原料的资本，1 年间回转 1 次，可变资本，1 月间回转 1 次。该企业总资本的平均回转速度如何？

十一、生产时间及资本回转的平均速度，对于剩余价值量有何影响？

十二、社会资本运动与个别资本运动之差异何在？

十三、在单纯再生产之下，社会资本的运动，是怎样进行的？

十四、在扩大再生产之下，社会资本的运动，是怎样进行的？

第七章　剩余价值的利润化

第一节　生产费与利润

一、生产费

（一）剩余价值的分配问题之提起

以上我们首先说明了资本主义生产的特征,然后说明了资本的流通过程。现在我们应该指出当作总体看的资本,即当作生产过程与流通过程之统一的资本的运动在资本主义的现实上所采取的具体形态。

在研究资本主义生产方法的内在法则时,我们已经说明资本主义榨取的根源,指出资本主义社会的两个基本阶级的矛盾的发生,及其发展和深化的过程。

然而,在前面我们是假定各个劳动者直接的只受"自己的"资本家榨取的,即资本家利用生产手段的独占权,购买劳动者的劳动力,占有劳动者所形成的全部剩余价值。

现在,我们要来考察当作总体看的资本的具体运动形态时,就知道这个问题在现实上更为复杂。我们将要看到每个资本家不仅占有自己的劳动者所形成的剩余价值,并且在资本的运动过程中,剩余价值是分配于产业资本家之间的。产业资本在其循环过程中所发挥的各种机能,又分化出与产业资本相分离而成为特殊的资本——商业资本及借贷资本——的机能。这种资本的代表以及土地所有者,同样可以获得劳动者在生产过程中所造出的剩余价值的一部分。

以前,我们是假定在资本主义社会中,只有产业资本家,而且各个资本家都占有全部剩余价值。由此我们才能够阐明产业资本家各个集团的差别及剩余价值之分配的原因,指出劳动者不仅受"自己的"资本家所榨取,而且为全体产业资本家所榨取;因而指出社会资本的各种机能,即商人、银行家、地主等各个集团,如何与产业资本家相分离,而各占有剩余价值的一部分。

（二）资本支出与劳动支出

资本家为了开始生产以获得剩余价值,必须对于自己的企业投下一定额的资本。这种资本,在商品生产中,是渐次支出的。总之,在每单位商品中,不仅要支出一定量的不变资本,而且要支出一定量的可变资本。

例如某资本家的机器和房屋的价格为 1 万元,在其存在时期内,生产 1 万单位的商品。再假定生产每一单位商品所必要的原料和补助原料为 2 元,劳动者在一周中生产 500 件商品,共得工资 1000 元。这样,每一单位商品的生产上所必要的费用如下:

不变资本的固定部分之支出……10000 比 10000 即一元

不变资本的流动部分之支出……2 元

可变资本的支出……1000 比 500 即 2 元

在每一单位商品上,共支出了总额 5 元的不变资本与可变资本。

资本家对于每一单位商品的总支出,就是该商品的生产原价或生产费（即费用价格）。

在资本主义社会中,商品的贩卖价格,因包含着利润,所以必然大于生产费。否则,商品生产对于资本家就完全失掉意义了。商品的贩卖价格所以大于生产费,是因为商品价格不是由于该商品生产上的资本支出来决定,而是由于它的价值,即由于它的生产上所必要的社会劳动量来决定的。这也就是说,商品生产上所必要的劳动支出,大于资本支出。

然则,事实上商品生产上所必要的劳动,究竟等于什么呢? 在每一商品的生产上包含着:（一）体现于不变资本部分（这部分转移到该商品上去）的劳动,（二）补偿已消耗的可变资本价值及形成新剩余价值的活劳动。所以,商品的价值,即商品生产上所必要的劳动支出总额,可用 $C+V+m$ 这个公式表示出来。而商品的生产费,却只等于 $C+V$ 之和（在这里,不变资本和可变资本,当然不是全部算入,而只是算入每一单位商品中应包含的一部分）。

总之,我们知道,商品生产所必要的劳动支出,即现实支出的劳动量,与资本支出,即资本家的生产费是截然不同的。

固然,商品价格不是由资本支出来决定,而是由劳动支出——这里包含着创造剩余价值的剩余劳动——来决定。然而,资本支出的计算,即所谓资本主义的生产费的计算,也具有现实的意义。因为它反映出下面的事实,即在资本主义的现实中,生产每一商品,必须支出生产资本价值的一定部分,这部分价值因以后生产过程之继续,经过流通而被收回,然后再转化为生产资本。

所以,在资本循环中,资本主义的生产费,是和现实的劳动支出相分离的。而且后者因含有剩余价值,而显然大于前者。

(三)生产费的拜物教

资本主义的生产费与现实劳动支出的分离这一事实,加强了资本主义诸关系的拜物教性质。因为资本主义的生产费,蒙蔽了商品的真实价值,蒙蔽了在商品生产上支出劳动者剩余劳动的事实,掩盖了这剩余劳动是商品生产所必要的劳动的构成部分的事实。实际上,当计算生产费之时,就会以为资本家因出卖商品而实现的剩余价值,好像是生产费的附加额,好像它和生产上的支出无关,而在流通过程中发生的。这样一来,下面的事实就被掩蔽了,即剩余价值在劳动过程中早已形成,它是被包含在真实的生产费之中,即包含在商品生产所必要的劳动支出之中,而流通只不过实现在生产过程中已经形成的东西而已。

不仅如此,资本主义的生产费之计算,更抹杀了资本各部分在剩余价值的创造中所尽的作用。

我们已经知道,不变资本不能创造价值,它本身的价值是由于劳动而转移到商品上去(在这里,它是全部转化或部分转化,是无关重要的)。至于可变资本即发挥机能的劳动力,却不只是把它的价值转移到商品上去,它不但完全补偿了可变资本的价值,而且产出了剩余价值。

这两部分资本的差别,在资本主义的生产费中消灭了。资本家无论对于不变资本或可变资本同样要支出一定量的货币,他把这些支出和剩余价值分开。因为这些支出,在更新生产时,必然回到他的手中,而剩余价值就变成了更新生产的必要额之外的附加部分。这样一来,资本主义的生产费,经过流通过程,和利润同时并合为一种不变量,而回到资本家之手。于是,在资本主义生产过程中所发生的价值上的一切变化,和生产费是任何关系也没有了。换句话说,可变资本在生产过程上的特殊作用,在这里消失了。

假定某商品的生产,不变资本的支出为3元,可变资本的支出为1元,剩余价值率为200%。很显然的,转入商品中的不变资本价值当然是3元,而可变资本因在生产形态上发挥其机能的结果,形成了超过自身价值的200%即2元的新价值。在这里,可变资本和不变资本显然不同,它可以引起价值的增殖。但是,不变资本与可变资本的作用之差别,在生产费上就消失了。在这种场合,如果某商品的生产支出了3元不变资本,那么,这3元是照旧加入生产费上去,而1元可变资本,同样是照旧加入生产费上去。至于这1元增大为3元的事情,对于生产费是没有意义的,因为在生产费中并没有包含着剩余价值。既然在该商品生产上共支出了4元资本,那么,这4元就构成了资本主义的生产费,要想更新已消耗的资本部分,只有4元就够了。于是,由可变资本造出的2元剩余价值,好像和资本主义生产完全无关了。

在这里,可变资本的支出,即劳动力价值的支出,采取了劳动价格的形态,这一点,我们在考察工资时,已经知道了。在那里,我们曾经说明,劳动力的价值与价格,因资本主义生产的特性,而采取了劳动价值的转化形态。即当资本家由劳动者取得劳动生产物时,以为这种劳动(不是劳动力的价值),已由于自己支出可变资本而全部支付了,劳动者并没有造出新价值,只是把自己的劳动价值,由可变资本转移到商品上去。这样一来,就抹杀了不变资本与可变资本的差别,而使生产费更加物化了。

总之,生产费的范畴,掩盖了资本主义榨取的根源,抹杀了不变资本与可变资本的区分,掩饰了资本各种形态之原则上的差别,以及资本各部分在价值转移及剩余价值的形成过程中所尽的不同的作用。

二、利润与利润率

(一)剩余价值转化为利润

我们研究生产费时,是注意到商品价值的一部分,即注意到转入商品中的不变资本价值与体化于该商品中的可变资本价值。现在我们要看一看商品的其他部分的价值,即剩余价值。

剩余价值,是劳动者在生产过程中形成的,所以,它的唯一的源泉,是生产形态中的可变资本,至于不变资本,并不能形成剩余价值,只是形成剩余价值的条件,这些,我们都已经知道了。

资本家的可变资本愈大,无偿劳动的占有率愈高,无论不变资本的大小如何,劳动者所造出的剩余价值就愈大。

然而这绝不是说,资本家可以任意投下多少不变资本的。实际上,各个资本家投入于生产的手段,都有一定的限制,即充当不变资本的手段愈多,而充当可变资本的手段就愈少,反之亦然。

不但如此,当考察生产费问题时,我们曾经看到,资本家把出卖商品后所得的价值分为生产费(包含着不变资本与可变资本)和剩余价值,而拿他的全部剩余价值和投入于生产的资本总额相比较。

剩余价值与总资本的对比,在决定企业的利润率上,对于资本家是非常重要的。

假定有两个企业家,其剩余价值相等,例如年额 3 万元。其中一人(例如火柴工场主),对于自己的事业,投资 15 万元,其他一人(例如纺织工场主),却投资 30 万元。

那么,这两个资本家,是否因为剩余价值量相等,就认为各人的事业有同样的利益呢? 当然不是。前者投下的资本,每一元可得 $\frac{30000}{150000} = 0.2$ 元的利润,后者投下的资本,每元只得 $\frac{30000}{300000} = 0.1$ 元的利润,显然的,前者比后者较为有利了。

总之,我们决定资本家榨取劳动者的程度时,是比较剩余价值与可变资本;而资本家决定其企业的利益时,是比较剩余价值与总资本。这剩余价值与总资本的比率,表示出资本家企业的利润率。

在这里,我们又看到资本主义社会生产关系的蒙蔽和物神化。因为剩余价值一和总资本作对比,就好像不变资本也和可变资本同样是剩余价值的源泉似的,于是剩余价值由劳动者所形成的事实,就被遮蔽了,被神秘化了。

所以,"剩余价值,当作垫付总资本的这种观念的产物去看时,就采取了转化为利润形态"。

这里所表现的利润,和剩余价值是同一的东西,不过它具有必然从资本主义生产方法成长的一种神秘化的形态而已。

很显然的,剩余价值到利润的这种转化,并不是人类主观表象的产物,而是根据客观的必然性,从资本主义生产方法中发生的。问题并不在于资本家愿意将他所得的剩余价值和支出的总资本相比较的一点。无论资本家的表象和愿望如何,要之,在资本主义关系的支配之下,那获得等额利润的两个企业中,投资额较小的一方,当然是有利的。正是基于这种事实,当它反映到人类的头脑时,就生出这样的表象,好像是全部资本,都以同等的资格,参加了剩余价值的形成一样。

(二)利润率与剩余价值率

如上所述,对比于总资本的剩余价值,采取了利润形态。这种决定资本家企业的利益的、剩余价值对总资本的比率,就叫做利润率,通常用百分率来说明。

我们用 P′ 这个字表示利润率。如果资本家以利润的形态实现了全部剩余价值,那利润率就可由下式表示出来:

$$P'(利润率) = \frac{m(剩余价值)}{C + V(总资本)}$$

此外还要注意的,资本家决定利润率时,是指在一定期间(普通为一年)所得的利润说的。所以,我们所引用的例子,在两个资本家于同一期间获得同额利润的场合,是正当的。

体现着剩余价值对总资本之比的利润率,必然低于剩余价值率。因为后者是表现着剩余价值和可变资本的关系的。假定某资本家,有不变资本 12 万元,可变资本 3 万元,剩余价值 3 万元。其利润率将等于 $\frac{30000}{150000}$ 即 20%,而剩余价值率却等于 $\frac{30000}{30000}$ 即 100%。

但是,利润既是被转化了的剩余价值,所以,从劳动者剥削得来的剩余价值越大,如果其他条件不变时,利润率也越大。

尽量获得最大的利润率,这总是资本家所希求的。

假使在两个企业中,劳动者人数和榨取的程度都相等,而一方的利润率较高,另一方的较低,那么,这高的一方便被认为是更有利的企业了。但是,在资本家看来,把自己的资本投入何处——或投于制钉工业,或投于制鞋工业——都是完全一样的,所以,他当然要把资本投入利润率高的地方去。

三、决定利润率高度的因素

(一)资本有机构成与利润率

利润率的高度,依存于什么条件呢?

为要回答这个问题,我们首先假定各个资本家是把劳动者形成的剩余价值全部实现的。

如我们所知,利润率既然是由剩余价值对总资本的比率构成的,所以,在其他条件不变时,利润额愈多,利润率就愈高。而利润额之依存于可变资本量与剥削率,这是不待言的。

所以,我们说,向劳动者榨取的剩余价值量愈大,剥削愈强,在其他条件不变时,利润率就愈高。

然而,这不是说,榨取率增高多少,而利润率在百分比上也增高多少。

譬如有资本 30 万元,榨取率为 100%,剩余价值为 3 万元,在这里,利润率将等于 10%。

然而,假定榨取率再增加 100%,这时剩余价值将等于 6 万元,而利润率却等于 20%,即只增加 10%。

但在这里,如果我们不管百分数如何,而只注意到榨取率与利润率增大的倍数,那么,显然两者都增大了 2 倍。

但是除了利润额外,利润率还会受资本有机构成与资本回转的速度的影响而发生变化。

资本的有机构成,对于利润率有什么影响呢?

资本的有机构成愈高,即不变资本比可变资本愈大,在其他条件不变时,利润率就愈低。

事实上,剩余价值是由可变资本生产出来的。既然利润率是决定于剩余价值对总资本的比率,那就很显然的,它是依存于可变资本的大小及可变资本与不变资本之比的。所以,资本有机构成愈高,即可变资本的部分愈少,利润率也就愈低。

假定有两个企业,资本同为 30 万元,剩余价值率同为 100%,资本回转的速度也相同;但一个的资本有机构成为 3:1,另一个则为 4:1。即第一个企业中,可变资本等于 7 万 5000 元,第二个企业中,可变资本等于 6 万元。这样,第一个企业的剩余价值就等于 7 万 5000 元,第二个企业的剩余价值就等于 6 万元。

所以,在资本有机构成低的第一个企业中,利润率等于 $\frac{75000}{300000}$ 即 25%,而在资本有机构成高的第二个企业中,利润率等于 $\frac{60000}{300000}$ 即 20%。

利润率之依存于资本有机构成,以及由不变资本相对增加而来的利润率的减低,使资本家寻求种种方法,以节省不变资本。首先便是延长劳动日,因为劳动日的延长,虽然需要支出追加的原料,但不需要重新支出不变资本——机器和房屋。其次是扩大生产,因为在其他条件不变时(即在同样的技术之下),企业越大,支出于每一劳动者的不变资本的费用越少。此外就是采用廉价的机器和原料、利用废物等。所有这些增大利润率的方法,必然引起劳动榨取程度的增大、劳动条件的恶化及劳动大众消费物之质的恶化。

这就是资本有机构成对于利润率的高度所有的意义。

(二)资本回转速度与利润率

现在我们看一看资本回转的速度对于利润率有什么意义。

我们已经知道,资本的回转愈快,在其他条件不变时,这资本在同一时间内由劳动者取得的剩余价值量就愈大。

由此可见,资本回转愈速,资本家在同一时间内所得的利润就愈多,利润率也愈高。

所以,资本家认为资本回转——无论固定资本或流动资本——的迟缓,对于自己是一种直接的损失。在自然经济条件之下,地主们往往在自己仓库中,贮藏着好多年的存货,而现在的资本家,决不愿意买入大批原料,存放多年。因为譬如存在纺织企业主仓库中的棉花,虽说是暂时不用,它也要转化为"死资本",因而就延迟总资本的回转,减低了利润率。其他久未卖出的商品和久未动用的机器,也可以发生同样的影响。

第二节　平均利润率与生产价格

一、平均利润率的法则及其意义

（一）利润率平均化的倾向

以上，我们是从各生产部门把劳动者在该部门内所形成的剩余价值全部实现的假定出发的。

在这种场合，各部门的利润率，依存于该部门的资本有机构成、资本回转速度及剩余价值率。

但是，在资本主义社会中，各生产部门的资本有机构成和资本回转速度，是各不相同的。例如在采用复杂的高价机构的机器制造业中，资本的有机构成，就比纺织工业或食品工业的高得多。因而，在不同的产业部门中，资本可以生出不同的利润率，即在资本有机构成最高的部门中，资本就出现较低的利润率，反之，在资本有机构成较低的部门中，资本就生出较高的利润率。

在各生产部门中，资本既然可以生出不同的利润率，那么，这显然是说，在许多生产部门中，有一部分投下资本，是比较有利，而其他部分，利益就较少。所以，各产业部门利润率的不同，必然引起资本家间的竞争，使资本退出利润较少的部门，而转投到利润较多的部门。

这种竞争和资本移动的结果，究竟怎样呢？

大量的资本，将转投到资本有机构成较低而利润率较高的部门中。于是这部门的生产，就扩大起来，结果这部门所生产的商品的价格逐渐低落，因而它的资本所产生的利润率也降低了。反之，资本如果退出资本有机构成较高而利润率较低的部门，那么，这部门的生产必开始缩小，因而，利润率便随之增高了。总之，各部门的利润率，表示出一种均等化的倾向，即表示出趋于某种平均水准的倾向。

（二）平均利润率的形成

这种平均（或一般）利润率，大概等于平均有机构成（及平均的回转速度）的资本所生出的利润率。

我们可以举例说明。假定社会的总资本等于 12 万万元,这社会的所有企业,分为下列三种:(1)高度有机构成的部门,例如机器制造工场;(2)低度有机构成的部门,例如面包作坊、饭馆、裁缝铺等等;(3)其他部门,例如纺织工场等。假定三部门的劳动者数目都相等,各部门的可变资本都是 1 万万元,剥削率也是相等的(例如 100%)。再假定资本有机构成较低的部门的不变资本总额是 1 万万元,较高部门的是 5 万万元,其他是 3 万万元。我们为简单起见,不仅假定剥削率相等,就连资本的回转速度也都是相等的。

在这种条件之下,怎样规定资本的平均构成和平均利润率呢?

我们首先要计算所有企业的不变资本与可变资本的总额,及劳动者在这些企业中所形成的剩余价值。

这样,就可以得到下表:

(单位:百万元)

	不变资本	可变资本	剩余价值
高度资本有机构成部门 (机器制造工场等)	500	100	100
低度资本有机构成部门 (饭馆、裁缝铺等)	100	100	100
其他部门(纺织工场等)	300	100	100
总　　计	900	300	300

这样,这社会不变资本总额是 9 万万元,可变资本总额是 3 万万元。

社会总资本的有机构成,是 9 万万比 3 万万,即 3:1。这个比率,等于纺织工业等部门的资本有机构成(不变资本 3 万万元比可变资本 1 万万元)。

在这些企业中,我们看到平均的资本有机构成。

社会总资本(C+V)是 12 万万元,剩余价值(m)是 3 万万元,所以,平均利润率 $\left(\dfrac{m}{C+V}\right)$ 是 $\dfrac{300}{1200}\times100=25\%$。

这社会所有企业的利润,就趋向于这个平均率。

然而,这绝对不是说,因为利润率相等,所有资本家便能得到完全相同的利润(这恰和平均资本构成的企业的利润相一致)。实际上,在资本主义社会中,因为支配的无政府性,而资本常常不断地从这一部门移动到那一部门,并且各部门的利润率,也不断动摇,有时高于平均利润率,有时低于平均利润率。不过这种动摇,是以一定的界限——相当于平均资本构成的企业的平均利润率——作中心的。

假定我们在一定期间内去考察资本主义的生产,那就可以知道,以平均利润率作中心的各企业的利润率之变动,是经过一定期间,而趋于均等的。

所以,当我们研究平均利润率的法则时,可以抽去这种背离,而从下面的假定出发,即各产业部门的利润率,与平均资本构成部门的平均利润率完全一致。

此外,我们还要注意,资本的移动,并不是容易进行的,这一事实,就妨碍了各部门利润率平均化的倾向。这就是说,因为投下的固定资本,需要经过几年,才能完成一次回转,所以,资本家不能一下就结束其不利的企业。

然而,这种事实,并不能消灭各种利润率的平均化,只能对它加以相当阻碍而已。

(三)剩余价值在资本家间的再分配

如上所述,资本家间的竞争与资本的移动,引起利润率的平均化。在这种情形之下,资本主义各产业部门的劳动者所形成的剩余价值,显然是要再分配于各资本家之间的。

这时,资本有机构成较高的产业部门的资本家,就获得比自己劳动者所形成的更大的利润。这是因为他的劳动者造出的剩余价值量虽然是相当于平均以下的利润率,而这个部门的资本家却和其他部门的资本家同样获得了平均利润。

反之,资本有机构成较低的产业部门的资本家,则获得比自己劳动者所形成的更少的利润。

只有在平均的资本有机构成的部门中,资本家所得的利润,才和他的劳动者所形成的剩余价值恰相一致。

试看我们上面举的例子,在高度资本有机构成的部门中,劳动者形成了1万万元剩余价值;而这类资本家投下的资本总额是6万万元,若按25%的平均利润率计算,他应得1万万5000万元。这样,他的利润比他的剩余价值多

5000万元。

反之，在低度资本有机构成的企业中，劳动者同样造出1万万元剩余价值，但这部门的资本家，却只获得五千万元的利润（2万万元的25%），即比其劳动者形成的剩余价值少5000万元。只有在平均资本构成的企业中，资本家所得的利润才能等于其劳动者所形成的剩余价值（4万万元的25%即1万万元）。

由此可见，各资本家所得的，不是自己劳动者造出的剩余价值，而是按照他的资本额在社会全部剩余价值中平均分得的一部分。这就是说，一切资本家，表现为一个巨大企业（即作为总体看的社会的全部企业）的股东；各个资本家，从利润的总额中，按照自己资本量的大小，而获得相当的部分。

这种剩余价值在资本家间的再分配，显然表示着劳动者不但被自己的直接的主人，即各个资本家所剥削，而且被整个资本家阶级所剥削。平均利润率表示出，不仅是各个劳动者和各个资本家相对立，而且是全劳动者阶级和全资本家阶级相对立。

体现全劳动者阶级和全资本家阶级间的矛盾的平均利润率，同时又掩盖了这些矛盾。

当利润率形成时，曾经发生过利润是由总资本所引起的那种错觉，到了现在，这种错觉更加强了。无论个别资本的内部构成如何，无论资本所运用的劳动力的量之大小如何，无论对于劳动者的剥削程度如何，凡属在其总量上相等的两个资本，都能引起相等的平均利润。资本总额一有变化，它所引起的利润额，才发生变化。这样一来，在一定资本的有机构成和它所引起的利润率之间的直接的依存性，好像是没有了。于是，引起较大利润的资本的性质，更加表现为资本一般之神秘的性质了。

二、生产价格与价值

（一）生产价格的一般概念

根据上面的说明，我们知道，在平均利润率之下，各生产部门的资本家，有时失去由他们劳动者所形成的剩余价值之一部，有时又获得某种的余额。那么,很显然地,他们所出卖的商品的价格,是比较它的价值或高或低的。

这样看来,在利润率的平均化之时,资本主义的各生产部门的商品价格,由什么来决定呢?

各资本家当出卖自己的企业上所生产的商品时,首先就得收回该商品的生产时所支出的货币额,即收回原料、劳动力、机器的磨灭部分等,换句话说,即收回商品的原价或生产费,这是不待言的。

资本家除收回这种生产费之外,当卖出商品时,还可常常实现某种数额的利润。但是那种利润,是在不断地变动中,而趋向于该社会的平均利润率的。

所以在资本家的各生产部门内被生产了的商品价格之不断变动中,显现出商品是以生产费加平均利润而出卖的倾向。

像那样形成了的价格,就叫做生产价格。

> 生产价格,是与下述两者之和相等的价格:这两者之中,一是商品的生产费;一是从那被充用于该商品生产上的资本所引起的一年间的平均利润率之中,按照回转条件而被附加于商品中的部分。

可是,虽然说资本家的各生产部门的商品价格,具有趋于生产价格的倾向,却不是说商品的价格,在现实上,是和生产价格一致的。"在资本主义的生产全体上,一切普遍的法则,只是极错综的且近似的方法,只表现为不断变动的绝不能确定的平均的倾向罢了"。这话也可以适合于生产价格。资本家贩卖商品时,绝不是以得到生产费和平均利润为满足的。他无论何时,总是尽量地追求多的利润。但是,他如果在生产价格以上,卖出他的商品,而获得了平均以上的利润,资本便会马上拥到这部门来,随着使利润落到平均以下,商品的价格也落到生产价格以下。

这样,我们知道,在资本主义社会中,各生产部门的商品所出卖的市场价格,是以生产价格为中心而不断地变动着的。

生产价格,通过市场价格的不断的变动,调剂资本主义社会的资本的运动,调剂"社会总资本向各生产部门的分配"。

在一定的时期,市场价格在生产价格之上,资本便拥到该生产部门去;反之,市场价格在生产价格之下,资本便又从该部门流出。

在资本主义社会中,劳动是随着资本的变动而变动的,所以,资本从部门到部门的不断的"周流",同时,也就引起劳动从部门到部门的自然的移动。

要之,生产价格本身,由于调剂各资本家的生产部门的资本之自然的运动,同时又调剂各该部门的劳动之自然的运动。

(二)生产价格与价值

如上所述,因为平均利润率普遍和资本主义各产业部门的劳动者所形成的剩余价值不相一致,所以,这些部门的商品的生产价格(由生产费和平均利润组成的),和价值也不相一致,而是或高或低的。

然而,这并不是说,在商品生产下,商品价格所依以摆动的价值不能统制价格的变动。在现实上,生产价格并不起破坏价值法则的作用,而只是表现为"商品价值的变形"。

各部门的生产价格,尽管和价值相背离,那不过是对于价值的偏差,而在它的根柢上,价值法则仍然存在着。

全产业部门的生产价格,综合起来,是与其价值总量完全一致的。

上面说过,社会的总剩余价值,在平均利润率之下,被分配于一切资本家之间,而各资本家就从总剩余价值中,获得正比例于自己资本的一部分。这样,当然有些资本家可以多得一部分,有些资本家便会失去剩余价值的一部分,但是如果把全资本家所得的部分都加算起来,它就会和社会的全劳动者所形成的总剩余价值,恰相一致。既然所有资本家的全体,共同获得了所有劳动者的总剩余价值,那么,商品生产价格的总额,必然完全等于商品价值的总额。

现在,我们可以用上面举的例子来证明。在那里,我们假定全社会的资本为 12 万万元,因资本有机构成之不同,而分生产部门为 3 类。现在假定所有部门的不变资本与可变资本都在一年内用完,各部门的不变资本量、可变资本量及剩余价值率,仍和从前一样。在这里,平均利润率等于 25%。由这些前提出发,就可以算出各部门的商品生产价格和价值:价值等于不变资本加可变资本加剩余价值,生产价格等于不变资本加可变资本加平均利润。已知各部门的生产价格与价值,就不难算出社会的总额。结果如下:

（单位：百万元）

	不变资本	可变资本	剩余价值	商品的价值（C+V+m）	生产价格（C+V+25%的利润）	生产价格与价值之比
资本有机构成最高的部门	500	100	100	700	750（其中 600 为生产费，150 为利润）	50（+）
资本有机构成中等的部门	300	100	100	500	500（其中 400 为生产费，100 为利润）	相等
资本有机构成最低的部门	100	100	100	300	250（其中 200 为生产费，50 为利润）	50（-）
全社会的总计	900	300	300	1500	1500	相等

在第一类部门中，因为这些部门的平均利润是 1 万万 5000 万元，比这些部门的劳动者所造成的剩余价值大 5000 万元，所以，生产价格比价值大 5000 万元。但同时第三类部门所得的利润，却比该部门劳动者所造成的剩余价值少 5000 万元，所以，在这里，生产价格比价值小 5000 万元。在中等的资本有机构成的部门中，剩余价值和利润相等，因而生产价格和价值也相等。

不但如此，我们知道，生产价格是由生产费加平均利润而成的，而平均利润又是由一定社会中的总剩余价值对社会总资本的价值之比率而成的。所以，如果离开了价值，就不能理解剩余价值，也不能决定它的数量，并且也不能决定资本的价值，因而也不能决定平均利润率。

社会资本的价值或各部门资本的价值比率（它的有机构成）之一切变动，以及劳动者所造成的剩余生产物的价值之一切变动，都会影响于平均利润率及生产价格。

但是，生产价格的其他要素——生产费，也是一样的和价值结合着。社会的劳动生产性一有变动，而一定商品的价值（一单位商品中所包含的劳动量），以及该商品的生产费，也随之变动。

总之，各商品的生产价格，是以它的价值为基础；生产价格的运动即它的变动，则是受价值法则所支配。

（三）价值到生产价格的转化

价值转化为更复杂的生产价格的形态，是商品生产之长期发展的结果。

在生产手段属于生产者自身的单纯商品经济中,不是剩余价值的生产,也没有利润与平均利润;这时,价值还没有采取生产价格的形态。

后来,随着商品经济的发展,随着劳动者和生产手段的分离以及劳动力之转化为商品,于是商品生产才转化为资本主义的生产,在剥削过程中,才发生了剩余价值。

然而,并不是资本主义一经出现,就引起平均利润率的形成的。利润的平均化及价值的生产价格化,只有随着资本主义关系的发展并成为支配的东西时,才发生出来的。

在资本主义的初期,资本主义各企业相互间的关联,还很薄弱,资本与劳动力从一部门到他部门的多少自由移动的前提条件,还很缺乏,所以,这时期中的各个资本家,差不多能够实现自己劳动者所形成的剩余价值。

但是,随着资本主义的发展,各部门间的联系,以及资本由这部门到他部门的移动,也加强了。因而利润率平均化的倾向和价值的生产价格化,就被实现了。

总之,价值的生产价格化,是基于从单纯商品经济到资本主义经济之历史的发展,以及资本主义诸关系的发展而显现的。

这时候,表现于价值中的商品经济的一切特征,到价值转化为生产价格时,并没有消失,反而采取了更复杂的发展的形态。

在单纯商品经济形态中,价值一方面表现人们间的相互合作与相互依存,同时他方面又表现当作私有者而互相对立的商品生产者间的社会关系。在价值上,表现出商品经济中劳动的社会性质与其私有形态间的矛盾。价值表现着隐蔽于"物的外衣"中的、由于物的运动而互相结合的、人与人的诸关系,因而带有拜物教性质。

在资本主义社会中,人们不单出现为商品一般的生产者、所有者,并且出现为资本及劳动力的所有者。在这里,商品生的矛盾发展起来,采取了生产的社会性质与占有的资本主义形态间的矛盾形态。这种矛盾,表现于资本主义生产的两个主要阶级——一方占有他方的劳动——的矛盾中。人类诸关系的拜物教性质,在这里采取了更复杂的形态。因为在这里"物的外衣",不仅掩盖了单纯商品生产者的各种关系,而且掩盖了阶级间的各种关系。即是说,好像物不仅具有"交换力"的神秘性质,而且由于它转化为资本,更取得了给其所有者生产利润的一种新性质。

这一切,都表现于生产价格之中。

生产价格,即是发生于各生产部门的利润的平均化,那么,它显然是表示资本主义社会中人与人的各种关系的。即是各个资本家的利润率都在生产价格上被平均化,那么,生产价格,显然不是表示各个资本家与各个劳动者的诸关系,而是表示全劳动者阶级与全资本家阶级的诸关系。生产价格,更表示着资本主义生产各部门的社会的联系及其分裂性(相互竞争)。

这时候,商品经济的社会关系之"物化"及其拜物教性质,在生产价格中,较之在价值中采取了更复杂的形态。生产价格,一方面是由剥削劳动者的结果而发生,但他方面,它又涂抹了这种事实。因为进入生产价格中的东西,是平均利润,所以,就好像商品的价格并不依存于该生产部门的劳动者所费去的劳动量,又好像平均利润不是剥削劳动者的结果,而是全部资本的性质。此外,因为在生产价格中,除利润以外还包含着生产费,所以,就好像各部分资本,在价格形成上,都发挥了同样的作用,它们的一切(包含不变资本和可变资本),都像是同样的进入于生产费之中。

这样,在生产价格上,不仅抹杀了对劳动者的剥削,而且抹杀了决定商品价格的东西终归是劳动的这一事实。"由于价值转化为生产价格,而决定价值的基础本身,就被遮蔽了。"

总之,表现于生产价格中的人与人的关系,比较单纯商品经济的价值关系,表现得更为复杂、更为丰富。换句话说,生产价格,是把在价值中已经萌芽的东西,以极发展的复杂形态表现出来。

三、平均利润率低落的倾向及其矛盾

(一)平均利润率低落的必然倾向

我们知道,资本主义经济的自然成长的法则,离开各个资本家的意志,生出了利润率平均化的倾向,这种平均利润率的高度,除依存于剥削率以外,又依存于该社会的资本之一般的有机构成及一般的回转速度。

随着资本主义的发展,社会资本之技术的水准便因而提高,因而社会总资

本的有机构成,也随着提高,而它的一般回转速度,就变得缓慢了。但是,因为资本的平均构成越高,它的回转越慢,利润率就越低落,所以,在资本主义社会中,生产力的发达,必然引起平均利润率的低落。

平均利润率低落的这种倾向,在资本主义社会中,是违反各个资本家的主观意志而发生的。

我们知道,资本家所以各自采用进步的技术,是为了提高自己的利润,或得到特殊的超越(差额)利润。这种技术的改良,如仅在一个资本家手中时,它不会改变社会总资本的有机构成(与回转速度)及一般利润率;但这进步的技术一旦普及时,那就不仅要反背资本家的意志,消灭他的差额利润,而且要提高社会总资本的有机构成,延迟回转速度,引起社会一般(平均)利润率的低落。以后,如果各资本家再采用进步的技术以企获得超越利润,那么,在这新技术普及以后,自然又要重新提高社会总资本的有机构成,而使平均利润率又重新低落。

在资本主义社会中,平均利润率低落的倾向,事实上会遇到由于减低利润率的同一原因所引起的障碍。

(二)提高利润率的原因及其界限

首先,如前面所说,资本主义生产方法的发展,一方面引起资本有机构成的提高及回转速度的缓慢,同时他方面也引起剥削率的增大。这是在利润率上发生作用,而使之增大的。

在现实的资本主义社会中所见到的工资低落到劳动力价值以下的情形,也在利润率上发生作用,而使之增大。

此外,随着劳动生产性的增大和不变资本各要素的生产上所要的社会必要劳动量之相对地减少,而出现于资本主义社会中的机器、房屋、原料等之相对的低廉比,即不变资本诸要素之相对的低廉化,也能够多少阻止平均利润的低落。

不但如此。随着资本主义的发展,劳动者成为过剩,这些大批的相对的过剩人口,势必拥到一种极落后的产业部门去——这种部门,如果不靠着残酷的剥削劳动者就不能存在。这种拥有大量可变资本和较小的不变资本的落后产业部门的存在,也会减低社会资本有机构成的一般水准,因而阻止利润率的低落。

再如外国贸易的结果,也能够多少提高利润率。即当资本家从外国廉价买入不变资本的诸要素及生活资料,而在本国高价卖出制品时,便是如此。

但是,上述这些提高平均利润率的原因,虽能多少阻止利润率低落的倾向,却没有完全阻止其低落的力量。

总之,"引起一般利润率低落的同一原因,同时又阻止它的低落,使它变得缓慢,并且还引起使它一部分麻痹的反对作用。但是,利润率低落的法则,并不因此而被扬弃,而只是把作用减弱一些。这也就是说,不是一般利润率的低落,而是这低落的进行,相对地缓慢而已。要之,利润率低落的法则,只是在一定的情况之下,并在长期间之中,当作表示确实的结果之倾向而起作用的"。

譬如就对劳动者阶级剥削的增大一事——这是提高利润率的根本原因——来看,无论剥削怎样加强,而由总体劳动者所得来的剩余价值量之增大,毕竟追不上不变资本增大的速度,并且同时,也追不上总资本增大的速度。

至于其他的原因,更是不能消灭利润率低落的倾向,而只能削弱它的作用,这是不待言的。

(三)表现于利润率低落的倾向中的矛盾

如上所述,如果资本主义生产的发展,必然引起平均利润率的低落,那就是说,随着资本主义的发展而分配于同一资本的利润额,会日益减少。即如果平均利润率为15%时,而对于1万元的资本获得了1500元的利润,那么,在平均利润率低落到12%时,对于同一资本所分的利润,已不是1500元,而是1200元了。

然则,随着资本主义的发展,各个资本家不是因所得的利润额日益减少,而要成为相对的贫乏吗?

如果各资本家所有的资本量,不能随着资本主义的发展而发展,仍保持它原来的数量,的确是要变成那样的,但是在现实上,却不是这样。我们已经知道,资本的集积和集中,是随着资本主义的发展而必然发生的,结果,各个资本家对于自己资本的每一元所得的利润虽少,然对于自己总资本所得的利润,现在却比从前多得多了,因为构成他的资本的元数,因资本集积和集中的结果,而极端增大了。

例如有 1 万元资本的资本家,如在平均利润率为 15% 时,得到 1500 元的利润,那么,随着资本主义的发展,利润率低落到 12%,但他的资本已超过 1 万元,假定为 15000 元,这时候,尽管利润率低落了,而他所得的利润额,却有 1800 元,即比从前增加了 300 元。

利润率额的这种增大,我们不仅在增加自己资本量的各个企业中可以看到,就是在总体的全资本主义社会中也可以看到。因为随着资本主义的发展,尽管机器对于劳动者有相对的驱逐,而劳动者总数却是绝对的增大,所以,由他们所形成的剩余价值总量,因剥削程度的加强,便日益增大了。

于是,随着资本主义的发展而来的平均利润率的低落,由于剩余价值量的增大,而多少是可以弥补的。

但是,我们知道,资本主义生产方法的特征,就是对于利润的无厌的欲求。

资本主义越发展,利润率越低落,于是各个资本家为了增大利润额以多少填补平均利润率的低落,势必更要增殖他的资本。

所以,利润率的低落,至少要强制资本家增大自己的资本量,换句话说,是强制资本家加强资本积蓄的速度。

如果,资本家无厌地追求利润,势必使他尽力地多多积蓄,但是这积蓄的本身,是基于技术和资本有机构成的高度化而来的,那么,这不就是说将来的利润率要低落吗?不是说将来剩余价值量的增殖速度要比资本的增殖速度落后吗?

然而我们知道,资本积蓄的本身,首先是由新形成的剩余价值附加于资本而达到的。但在资本主义社会,如果随着资本积蓄的增进,致使剩余价值量增加速度变成相对的缓慢,那么,将来的积蓄速度,必然也要变得缓慢。

由此,我们看到,一方面,利润率的低落强制资本家加强积蓄的速度,他方面,这种低落,又阻碍了积蓄的速度。这便是表现于利润率低落的法则中的极重要的一个矛盾。

这个矛盾,由于资本集积和集中引起小企业的破产一事,而更加强化起来。

如我们所知,小所有者的收夺,虽然可以加强积蓄的可能性,但同时由于保障将来技术的发达,也会引起将来的利润低落,和积蓄速度的迟缓。

在资本主义社会中,随着利润率的低落,不仅现存总资本的积蓄速度,变得迟缓,就是新资本的形成,也变得困难。实际上,任何资本要想能够充用于生产,就必须达到某种数量。但是,随着技术的发达和利润率的低落,而能够充用于生产的资本的最低量却增大了。未达到这个数量的资本,都变成了"过剩物"。同时,在资本主义社会中,由于这同样的原因,就产生不能找到佣工的过剩人口。这也是表示着在利润率低落的法则中所表现的资本主义社会的深刻的矛盾。

这一切矛盾的本质是:资本家对于利润无厌的追求,及离开他们意志而发生的利润率的低落,在资本主义社会中,虽然唤起了生产力急速地发展,然而这种利润的追求与平均利润率的低落,是阻碍生产力的发展的。归根结底,这也就是生产的社会性与资本主义占有间的矛盾。

习题十二

一、何谓生产费? 它怎样掩盖了资本主义的诸关系?

二、商品的生产价格和价值是一致吗?

三、利润与剩余价值的区别如何?

四、利润率与利润额的区别如何? 试举例以明之。

五、利润率的高度依存于什么?

六、假定不变资本(C)是 10 万元,可变资本(V)是 5 万元,剩余价值率是 100%,利润率是多少? 又假定 C 和 V 各增加 2 倍,而剩余价值率不变,利润率是多少? 再假定只有 C 增大 2 倍,其他条件不变,利润率又是多少?

七、第六题中资本有机构成有无变化? 如有变化时其对于利润率有何影响?

八、试举例证明下面的事实:剩余价值率增加,总资本也增加,而利润率不但不增高反而低落。

九、说明平均利润的形成过程。

十、何谓生产价格? 它和商品的生产原价及价值是否一致?

十一、举出五个生产部门的例子,比较各部门的商品价值和生产价格。

十二、生产价格为什么是"价值的转化形态"?

十三、平均利润率虽然低落,而资本家不但不贫乏,反变得富裕,其理由如何?

十四、在利润率低落的法则中所表现的根本矛盾是什么?

第八章　商业资本与商业利润

第一节　商业资本与商业利润的一般概念

一、商业资本的一般概念

(一)商业资本的形成

我们已经说过,资本在其循环过程中,顺次由生产部门经过流通部门,以改变自己的形态。

如果拿社会总资本来看,在某一瞬间,一部分采取生产资本的形态,存在于生产内部;其他一部分,采取商品形态(将转化为货币)或货币形态(将转化为商品),存在于市场。资本的这两部分,是"同一资本的两个不同的存在形式"。

以前,我们是假定存在于流通领域的总资本,和存在于生产界的资本同样是完全属于产业资本家的。但是现实上,随着资本主义生产的发展,资本循环采取了更为复杂的形态。即参加于总资本循环的资本的流通部分,和产业资本相分离,而采取了商业资本的形态。

我们知道,社会资本的一部分,在一定期间内,采取一定量的商品形态而存在。例如产业资本家生产 100 万元的商品,把它投入市场,这便是说,社会资本总量中这 100 万元的资本暂时固定于商品形态之中。

这种资本,在商品尚未完全脱离流通时,即在商品落入消费者手中以前,它不能最终地脱去商品形态。然而,这并不是说,采取商品形态的资本,在商品落到消费者手中以前,必然留在生产它的产业资本家手中。事实上,在商品最终地卖给消费者以前,产业资本家,就把它卖给其他资本家即商人,然后,这个商人,再把商品最终地卖给消费者。

商人为了向产业资本家买入商品后再转卖,就必须握有一定量的货币形态的资本。商人由于向产业资本家买入商品,就将自己的货币转化为商品(G—W);同时,产业资本家的资本,却发生相反的变形,即由商品转化为货币(W—G)。在产业资本家看来,他的商品资本的流通过程,在这W—G的过程中就完结了。因为他是要很快地把自己的商品换成货币,然后再把这货币投入生产,至于以后商品的运命如何,他是完全不顾虑的。然而,事实上,商品的流通过程,到这里并没有完结。因为这时资本在商品形态上,只是由产业资本家手中移到商人手中,并未脱去它的商品形态。只有当商人把该商品卖给消费者,而完成W—G′的变形时,这资本才脱去商品形态。在这里,对于商人,总过程是采取了G—W—G′的形态。

(二)商业资本的独立性及其机能

商业资本,虽没有参与于商品的生产过程,而只被用于流通,但它却获得一种具有独立机能的性质。这种资本的独立性之基础在于:(1)由商品到货币之最终的转化,不是实现于商品生产者之手,而是实现于其特殊的代理人即商人之手。(2)这特殊的代理人——商人,为使商品流通,而投下独特的货币资本。于是,商品到货币的最终转化,对于商人采取了独自的形态即G—W—G′的形态。

商业资本,由于获得"独立机能的资本"之性质,同时就显现为单一社会资本之特殊的一部分,而参加于其总循环之中。如果没有这种用于商品流通过程的特殊的商业资本,产业资本家的资本,势必要在较长期间内,停滞于商品形态,而产业资本家如欲在原来规模上继续生产,就需要等于商人所支出的流通上的追加资本。由此可见,商业资本,是完成总循环过程的单一资本的一部分,但它是离开产业资本而尽其特殊机能的资本。

由于商业资本的分立以及商人加入于商品的贩卖过程,而产业资本家不但可以免去商品流通上的各种费用,而且可以很快地收回所支出的资本,实现利润,并把它立即投入于生产。结果,除节省资本外,又可加速资本的回转。于是,产业资本家便能以同额的资本,获得更多的剩余价值。此外,产业资本家又可以免去与实现自己商品有关联的一切顾虑,而专心注意于生产了。

在商业资本的分立之下,资本主义经济能够大大地节省商品流通上的各种费用。这种节省,是由于商业资本的大量集积及其回转的迅速化而达成的。

即在产业资本家自己经营商业时，他只能以自己的资本充用于自己的企业，而在商业资本家方面，却能以同一资本充用于若干企业。

二、商业利润与平均利润

（一）商业利润的来源

商业资本家，为了从产业资本家买入商品、建筑仓库和店铺、雇用店员及登载广告等，不能不支出商品流通上所必要的资本。很显然地，他对于投下的资本也要求某种的利润。这种利润，就叫做商业利润。这是产业资本家因为商人能使他免去流通上的特别支出、能使他节省资本、加速资本的回转及增大剩余价值等而让渡于商人的剩余价值之一部分。

现实上，剩余价值之部分的转让，是照下面那样进行的。通常，商品落到消费者手中时，要经过许多阶段。首先从工场主直接转到批发商人，再由批发商人转到零卖商人，然后才由零卖商人直接转到消费者之手。每经过一个阶段，在商品的价格上，必追加一定的数额，所以，该商品转到消费者手中时的价格，才能算是最后的商品价格。如果从外面来观察这个过程，我们所得的印象，就好像这一切的追加价格，都与商品的生产无关，而在商品流通本身发生似的。即好像商品的"基本的"价格，就是产业资本家出卖商品时所得到的价格，而商人的利润，乃是追加于这基本价格之上的附加物。

然而，事实上并非如此。商品转到消费者手中时的最后价格，才是该商品的基本价格。这个价格，才等于商品的生产价格（撇开需求的变动）。产业资本家出卖商品时，他所得到的，是该商品的完全的生产价格（即价值）以下的东西，这样，就把生产过程中所形成的剩余价值的一部分，转让于商人。而商人由于对商品价格作一种"附加"，便实现了被转让的剩余价值。

所以，商人的利润，不是追加于商品价值（及生产价格）之上的外部的附加物，而是这个价值的一构成部分。

　　正如产业资本只实现当作剩余价值而预先包含于商品价值之中的利润一样，商业资本，也只因全剩余价值即全利润在已由产业资本实现的商品价格中尚未实现的缘故，才实现利润。即商人的贩卖价格之超过购买价格,不是前者超出于全价值以上的结果,倒是后者停止在全价值以下的结果。

总之,流通部门,只是实现在生产本身上以剩余价值形态所形成的利润。所以,在这里,利润不是从新发生的,而只是把已经形成的剩余价值分配于产业资本、批发商人、零卖商人之间。

(二)商业利润与平均利润率

商业资本家所得利润,本质上属于商人代理产业资本家贩卖商品的报酬,是由产业资本家所转让的剩余价值的一部分。

然则,商业利润的高度,依存于什么? 又怎样被决定呢?

我们知道,竞争的结果,在产业资本家之间,成立了各生产部门的平均利润率。因而得出下面的结论:即剩余价值的形成,虽是比例于劳动者支出的剩余劳动,而其分配,却比例于各经济部门所投下的资本。如我们所知,商业资本家,也垫付一定额的资本,以构成单一社会资本之独立化的一部分。商业资本家既是投下一定的资本于商业,他当然要和产业资本家获得同样的平均利润。如果对于商业资本的利润率在平均以下,那么,必然引起资本由流通部门向生产部门的移动,结果,就提高对于商业资本的利润率。所以,商业资本家在剩余价值的分配上,不能跑出各资本家间的激烈竞争的圈外。

所以说,"商人资本,虽然没有参加剩余价值的产生,却是参与了对平均利润的剩余价值的均等化"。

我们举例来说明。

假定全社会的产业资本为1万万元,总剩余价值为1000万元。我们知道,利润率是由剩余价值对总资本的比率构成的。如果产业资本家拿自己的资本全部充用于流通界,那么,社会的平均利润率便是$\frac{10\ 百万元}{100\ 百万元}$即10%。

但是,现在假定产业资本家不能把自己的资本拿到流通界,因而,这时除了1万万元的产业资本以外,还有独立化的商业资本2500万元。

如我们所知,充用于流通界的商业资本,在资本循环的过程中,也是必要的一环,它纵然在某程度上离产业资本而独立化,而本质上仍是单一的社会资本之一部分。只要商业资本,和产业资本共同去参与利润的分配,那么,在这种场合,总剩余价值1000万元,已不是对于1万万元的分配,而是对于1万万

2500 万元的分配,即对于社会的产业资本及商业资本总额的分配。

这样,平均利润率便是: $\dfrac{10\ \text{百万元}}{(100+25)\ \text{百万元}}$ 即 8%。

(三)商业利润与生产价格

我们知道,生产价格是由生产费和平均利润而成立的。但生产价格,是商品转到消费者手中时的最后价格的界限。所以,在生产价格中,除生产费之外,不仅包含着产业资本家的平均利润,而且包含着商业资本家的利润。

就上述的例子来说,如果产业资本家的总资本价值都移转于商品之中,那生产费便是 1 万万元。如果只是将产业资本家在利润平均化的一般过程上所得的平均利润即 8%,算入生产价格之中,那么,生产价格恰是 1 万万 8 百万元。但在现实上,这 1 万万 8 百万元,只是产业资本把商品让渡于商人时的价格。而商人除卖掉商品赚着那被让渡的部分外,还可获得对于自己商业资本 2500 万元的平均利润率(也是 8%)。这就形成了 $\dfrac{25 \times 8}{100}$ 百万元即 2 百万元的商业利润。于是,商品的生产价格,便等于:

生产费 100 百万元+产业利润 8 百万元+商业利润 2 百万元

商人及产业家的利润总额(8 百万元+2 百万元),恰好和劳动者形成的剩余价值相等。

其次,我们可以看到,商业资本参与剩余价值分配的结果,引起平均利润率的低落。这在上述的例子中,已经明白了。即在商业资本家不参与利润的分配时,平均利润率是 10%,参与分配时,便是 8%。

(四)商业资本的回转速度与商业利润

商业利润及一般商品流通上的各种费用,从总体的资本主义社会的见地看来,虽是必要的,但又完全是不生产的费用。因为它离开了生产领域,不能生产剩余价值。所以,在资本主义社会中,这纯粹属于商品流通费用的商业资本总额,以愈少愈好。

商业资本的总额,可由其回转的加速而减少。假定每年回转一次的 10 万元商业资本,只能媒介 10 万元商品量的转动,如果资本回转加快 10 倍,那么,同量的商品,只有 1 万元资本就够了。

回转的加速,可以减少商业资本的总额,因而就减少产业资本家让渡于商业资本家的剩余价值。在这种情形之下,能够说商业资本家和产业资本家不同,他不以加快自己资本的回转速度为有利,反而以使它迟缓为有利吗?绝对不是。在现实上,恰好相反。因为商业资本家的利润率,是在全商业资本家的总商业资本的回转速度迟缓时开始低落的。在各个商业资本家看来,他的资本回转越快,对他越是有利。于是,在商业资本家与产业资本家之间,可以看出完全的类似点。我们知道,利润率是随着技术的发达而低落的。这样,就好像资本家阶级不以技术发达为有利似的。然而事实上,当个别企业的技术高于平均技术时,该企业的主人,就会获得超越利润。这一层,对于商业资本也是适合的。在社会的各生产部门中,都各有其资本回转的平均速度,在平均速度以上的商业资本家,便可以获得商业超越利润。这超越利润,就刺激商业资本家,去尽量加速自己商业资本的回转速度。

第二节　商业雇员的劳动与合作社

一、商业雇员的劳动

(一)商业雇员的劳动与剩余价值

根据上面的说明,我们知道,劳动者在资本家的产业中所形成的剩余价值的一部分,是商业利润的源泉。

但是,商业资本家为了经营自己的商业,是要使用商业雇员的工资劳动的。那么,商业雇员在剩余价值形成及商业利润实现的过程中的任务是怎样呢?

关于这个问题,我们在说明充用于流通的劳动在剩余价值的形成过程中所尽的任务的问题时,已经解答了。不过那时我们说的是产业经营者自己所雇用的商业雇员的劳动。但是,我们知道,商业资本是单一的产业资本的一部分,所以,关于直接由产业资本家雇用的商业雇员劳动所说的一切,显然可以完全适用于商业资本家所雇用的商业雇员。

我们说过,用在流通领域的雇员之能形成价值和剩余价值,只限于他们是参与于追加的生产过程的场合,即从事于商品的输送、选择和保管等事的场合,所以,商业雇员只在参与于追加的生产过程时,才尽了生产领域的劳动者的机能,才形成价值和剩余价值。那么,如果他们是被商业资本家雇用来执行这种事务的话,当然也可以增大商业资本家的剩余价值和利润。

然而,这种机能的执行,并不是商业雇员的基本的、特征的工作。他们主要的是参与于狭义的流通过程,即从事于价值的转化的劳动,这种劳动,才是商业雇员的特征。

充用于狭义流通过程的商业雇员的劳动,虽然在实现商品与货币的相互转化上是必要的,但不能形成价值和剩余价值,而只能实现在生产过程中已经形成的剩余价值。

关于这一点,我们可以由于商业资本所使用的雇员人数与它所得到的利润量之庞大的不均衡一事来证明。假定就一个产业资本家来看,从事商品生产的劳动者越多,商品的量便越加增大,资本家的利润,也会更加增大。至于商业雇员,就完全不同。任凭怎样增加商业雇员的数目,而商品的数量,却毫无增加;反而雇员的数目,要按照所贩卖的商品量来决定。所以,产业资本家,以增加劳动者数量为有利,而商业资本家,却不以增加自己商业雇员的数目为有利,反以尽量减少他们为有利。但是,商业资本家所使用的雇员尽管比较是少数,然而我们所知,对于和产业资本同额的商业资本,却可获得同额的利润。由此可见,支出于商品流通上的商业雇员的劳动,不能创造价值和剩余价值了。

(二)对商业雇员的剥削

照上面所说,商业雇员既是不能形成价值和剩余价值,那么,能够说到商业资本家对于商业雇员的剥削吗?

为要答复这个问题,须先明白商业雇员在商业过程中的任务。无论商业资本家怎样想减少对于商业雇员的支出,然而如果没有他们就不能实现剩余价值。一定量的商业资本,需要一定最低限度的商业雇员。商业资本额愈大,在其他条件不变时,商业雇员的人数也愈大。所以,商业雇员的劳动,虽不能产生剩余价值,但它对于使资本投入商业以及使商业资本家占有在生产过程上已经形成的剩余价值的一部分,却是必要的条件。商业资本家,愿意用最少的费用去投下资本和占有剩余价值,这是自明的事情。所以,他和产业资本家一样,支付于商业雇员的工资,当然不会高于他们劳动力价值的必要额以上。商业资本家强制商业雇员在必要时间以外,作更多的劳动,以便在剩余时间内,无偿使用他们的劳动,去实现生产中所形成的剩余价值。因此,在资本主义之下,不仅是工场的劳动者要受剥削,就是商店的商业雇员,也要受剥削。两者的差异,只是:产业劳动者拿自己的劳动,给产业资本家生产剩余价值;反之,商业雇员拿自己的劳动,给商业资本家实现生产中所形成的利润。

二、合作社商业与合作社利润

(一)合作社出现的原因

在资本主义社会中,人们为了避免商业资本的剥削起见,就组成了各种合作社。这些合作社的任务,是在供给社员消费资料和原料,并在有利的条件之下,贩卖自己的生产物。在消费合作社中,除小商品生产者(农民和手工业者)外,工资劳动者也有许多参加的。

合作社给予社员的利益,有种种形态:有时直接供给廉价商品于社员,有时是决定市场价格。但当卖出商品而实现利润时,合作社就在年底把该利润的大部分分配于社员(其中一部分,留作扩大生产之用)。

那么,合作社所得的这种利润的源泉及其社会性质,究竟怎样?

为要答复这个问题,首先要明白资本主义下的合作社的社会性。

(二)资本主义社会中合作社的特性

就劳动者的消费合作社说来,在它能使劳动者免去商业资本的剥削而将产业资本家让渡于合作社的剩余价值,分配于劳动者的一点上,多少可以改善劳动者的物质状态。然而,这种改善,在资本主义下,是局限于极狭隘的界限之内的。

合作社,因为是在资本主义生产的支配之下发生作用,所以,必然要受到这个生产法则的影响,因而"不能不再生产这现存制度的一切缺陷"。

资本主义体系的支配,使合作社去追求利润,因资本不足,便隶属于私有资本家,于是,这资本家就可以支配合作社,而把它作为自己致富的手段。

所以,在资本主义社会中,大规模的合作社,实际上是隶属于资本家的一种机关。

合作社,因为是纯商业机关,并处于竞争条件的压迫之下,所以就转化为布尔乔亚的股份公司。

在资本主义国家,合作社是集团的、资本主义的机关,这是毫无疑义的。

由此可见,合作社商业所得的商业利润,本质上和资本主义的商业利润没有什么不同。虽然它一部分作为红利分配于股东劳动者或小生产者,但这只是隐蔽了利润的本质,并不能改变它。

习题十三

一、商业资本的性质如何?

二、商业利润的性质如何?

三、同一商品的批发价格与零卖价格之差异何在?

四、假定社会全产业资本家的资本额为 4 万万元,劳动者在一年中形成的剩余价值为 1 万万 2000 万元,全商业资本家的资本额为二万万元。其平均利润率如何? 对于产业资本家,每元商品的生产价格如何? 又产业资本家转让多少剩余价值给商业资本家?

五、商业利润何以不能从商品流通中发生?

六、资本的回转速度,对于商业资本和商业利润有什么影响?

七、试说明资本主义下合作社的性质。

第九章　放款资本与信用

第一节　放款资本与利息

一、放款资本与利息的一般概念

（一）放款资本与利息的形成

随着资本主义经济的发展,产生出特殊的商业资本,同时,劳动者所形成的剩余价值总量中的一定部分,以商业利润的形态,让渡于商业资本家之手,这是我们已经说过的。

但是,随着资本主义生产的发展,在资本循环过程中,又分化出一种资本形态即放款资本,因而分化出利息。放款资本和利息的形成及发展,使社会总资本的运动更为复杂,使它的各种矛盾,更为深化。

我们已经知道,资本的货币形态,是社会资本在其循环过程中所采取的一种形态。资本家因为握有货币,才能用它购买生产手段,雇佣劳动者,以榨取剩余价值。所以,在资本主义之下,货币不仅使其所有者能用它去交换一定的等价物,而且能借它去榨取利润。这时,货币的任务,已经超过了它在单纯商品经济中所尽的机能。即它不仅发挥其价值尺度、交换媒介、支付手段等机能,而且发挥其"资本的普遍形态"之机能。

当作资本的普遍形态看的货币机能,在资本主义社会中,变成了货币的"追加使用价值",因而变成了特殊的商品。

假定某人有货币 1 万元,社会的平均利润率是 20%,只要他把这 1 万元投入于产业或商业,平均每年便可以获得 2000 元的利润。但是,假定这个货币所有者,自己不能或不愿意把货币投入于产业或商业,这时,他可以把这货币暂时让渡于他人,而后者借此也可以获得 2000 元的剩余价值。

因利用他人货币手段而获得的剩余价值,显然是不能全部留在利用这货币的资本家手中。货币所有者,不消说只有在领受一部分剩余价值的条件之下,才把自己的货币让渡于他人使用。货币所有者从使用这货币的资本家手中所领受的剩余价值的一部分,叫做利息。在所有者手中作为获得利息之手段的货币资本,叫做放款资本。

因为利息是机能资本所引出的剩余价值的一部分,所以它是资本的价格,是对于货币的特殊使用价值(作为资本)的支付。所以,资本主义社会的放款,是特殊商品的贩卖,即在这里所交付的,是当作商品看的资本;并且,这商品的使用价值,即是生产剩余价值的机能。机能资本家(借主),对于这种机能,就以利息的形态来支付。

(二)放款资本的来源

然而在资本主义社会中,放款资本的供给,是从什么地方发生的呢? 又在怎样的情形之下,资本所有者把自己的资本,不当作机能资本去利用,而当作放款资本去利用呢?

当考察资本的循环时,我们已经看到,在各产业资本家手中,积蓄着休息资本,这在一定时期以内,该企业是不拿来利用的。这就是补助基金或追加的流动资本。又,当产业资本家欲将所得的利润投入生产而尚未达到必要量时,这项利润,在资本家手中,暂时也是休息着的。

所以这在一定期间内在产业资本家手中休息着的一切货币量,都可以作为放款,以供给其他产业资本家使用。

但是,现实上,甲产业资本家把暂时在手中休息着的货币直接贷与乙资本家的事情,是很少有的。实际上,放款资本的机能,是离开产业资本的机能而独立的。所以执行这种机能的,不是产业资本家,而是银行或资本家的特殊团体即金利生活者集团。它们不参加生产过程或流通过程,只提供所有的放款资本,而以利息的形态取得剩余价值的一部分。

随着资本主义的发展,金利生活者集团,也越加增大了。

(三)放款资本流通的特性

现在简单地说明放款资本的流通的特性。

流通的起点,是 A 贷与 B 的货币,它在 B 手中现实的资本化,经过 G—W—G′的运动。然后,再以 G′即 G+g(g 表示利息)的形态,回到 A 的手中。

假定握有货币的资本家 A,因为某种理由,不把自己的货币作为机能资本,投入于生产或商业,而以放款形态,贷与其他资本家 B,B 利用该项货币作为机能资本,使之参与生产资本的循环过程,在这循环之后,B 就将借来的货币和利息一起归还资本家 A。这样,资本的运动,就采取了下面的形式:

1.G—G(货币由资本家 A 移到资本家 B 之手);

2.G—W—G′(放款资本,在资本家 B 手中,参与机能资本的回转);

3.G′—G″(放款资本和利息同时归入原来所有者之手)。

资本的总运动,是 G—G—W—G′—G″。在这个运动上,我们看到,放款资本是运动了两次(G—G 与 G′—G″),而货币是在机能资本家手中,只一次转化为机能资本,就参与了资本的现实循环,即由一形态到他形态的转化。

然则,放款资本流通的特性是怎样呢?

如果货币在产业资本家或商业资本家手中,因参与资本的循环过程,而再以一定额的货币,回到自己手中,那么,这时货币当然参与了资本的变形,即参与了货币和商品的相互转化。如果产业资本家或商业资本家,放出自己的货币,那么,他们就获得其他形态的资本以为代价,然后,他种形态的资本,再转化为货币。但是,在放款资本的所有者把自己的货币投入于流通的场合,即在资本家 A 把货币贷与于资本家 B 的场合,他并没有领受其他任何形态的资本,以为放款资本的报酬。在 G—G 的过程中,并没有任何现实的资本循环,只是作为现实资本循环的前提而已。这现实的循环,是在机能资本家(产业家或商人)方面开始进行的。当资本现实的循环终了而机能资本家返还其放款资本和利息于贷主时,在 G′—G″的过程中,由一形态到其他形态的资本转化,仍然是不存在的。这时,放款资本脱离现实的循环过程而独立地回到它的始点。

参与于生产的资本,在流通过程中,出现为单纯的商品和货币。"然而,放款资本却是不然。这一点正是放款资本的特性。利用自己资本作为放款资本的货币所有者,把货币让渡于第三者,投入于流通中,当作资本而成为商品。这货币不仅对于货币所有者是资本,对于第三者也是资本。不仅对于让渡的人是资本,而它从最初就是作为资本,即作为具有生产剩余价值的使用价值之价值,交付于第三者的。"

(四)放款资本的拜物教

放款资本从机能资本的现实运动之分立,剩余价值的一部分之分裂为利息,以及利息之当作"资本价格"而显现,所有这些事情,资本主义经济的人类诸关系变为物的关系,掩盖了资本主义榨取的源泉。

实际上,在放款的情形之下,我们在资本主义经济现象的表面上,可以看到一个资本家(贷主),把一定额的货币(G)交付于他人,自己并不参加于劳动者的使用,即不参加于由货币到生产资本和商品资本的转化过程以及商品的实现过程,但经过一定期间,他便在自己的货币额以外获得若干附加部分。因而,在他看来,取得利息的过程,好像是由 G 到 G' 的单纯转化。乍看起来,好像放款资本虽然不参与于生产过程,也能给它的所有者以利息,而利息好像由流通中生出来,好像货币本身具有增殖价值的性能。

这种见解的错误,我们在考察剩余价值和商业利润的源泉时,已经充分明白了。无疑地,这附加部分的 g,决不能由货币本身的流通中发生,而借主支付于贷主的利息的来源,不外是剩余价值。

所以,货币所有者(信用授予者)所得的利息,和借入货币的企业家所得的企业利润,并不是从两个不同的源泉发生,而是从一个同一的源泉发生。换句话说,资本主义所得的这两个形态,都是从劳动者所造出的剩余价值的分配发生出来的。

由此可见,放款资本虽然对两个人——贷主与借主——给以所得,但是,资本"只是一次发挥其机能,只是一次生产利润"。

照这样,货币资本所有者,并不参加于剩余价值的形成过程,而对于货币资本却能取得利息,这种事实,在人们的表象中,就加强了资本主义社会的拜物教的性质,把人的关系变为物的关系。于是放款资本的利息,好像并不是由剩余价值形成的,而是由货币的神秘不可思议的能力产生的。

二、利率

（一）利率及其高度

如我们所见，随着资本主义生产方法的发展及单一社会资本诸机能的独立化，剩余价值就被分割为许多部分，第一部分留在产业资本家手中，第二部分归属于商业资本家，第三部分，以利息的形态，提供于货币资本家——放款资本的所有者。

贷主所受的利息额对于放款资本的比率，叫做利率。这利率由什么所决定呢？利息既然是剩余价值的一部分，利息的最高限度，显然是比例于该放款资本的总剩余价值。换句话说，平均利润率，就是利率的最高限度。

但是，在各个特殊的场合，利息能够达到这种平均率以上。例如资本家因为生产手段不足而恐怕不能从自己的资本得到利润的场合（例如流动资本不足时），他为要保持从自己的资本得到较少利润的可能性，就承认极高的利率，这种情形也是有的。又如资本家看到只要获得追加手段就能得到更大的超越利润时，对于放款资本的使用，就甘心在平均率以上去支付。这种情形，在现实上是存在的。

然而，利率之超过平均利润率以上的事实，只在各个特殊的场合才有可能。如果它一旦普及于一般时，那投在产业中的资本的一部分，势必立即从产业中退出来，而变作放款资本。这时候，利率必然要低落下去。所以，如果不就各个场合来看，而就资本主义经济全体来看，并且就多少继续的期间来看，利率的最高限度，是不能超过平均利润率的。

利率既是以平均利润率为其最高限度，所以，通常它一定要在这限度以下。因为除了前面说过的情形之外，资本家所以暂时借用货币，不是为了把剩余价值完全提供于贷主，而是为了占有剩余价值的一部分。

那么，现在我们看一看利率的最低限度。

利率的最低限度，是完全不能限定的，它能够低落到任意的程度。

因此，通常利率低落的绝对限度，就是零，即放款资本完全弄不到利息的时候。

（二）利率变动的诸因素

然则在这两个限度之间,促使利率变动的,究竟是什么呢? 决定这种变动的唯一要因,就是放款资本的需要与供给的比率,即机能资本家与放款资本所有者的竞争。即自由的放款资本越多,利率就越低,对于放款资本的需要越大,利率就越高。

各资本主义国家中,在一定时间内,因其对于放款资本的需给状态之如何,就形成了平均利率。但是,平均利润率,是通过不断的背离而实现;反之,平均利率,却带有更决定的性质。问题的要点,就在于利息的平均化比产业利润的平均化更容易实现。这就是说,在货币资本的世界,一切货币,无所谓个别部门的区别,不论是谁供给的,都有"同一臭味"。

如果就不同的国家或资本主义不同的发展阶段的利率来看,我们可以看到,资本主义的发展,不但引起放款资本的需给关系的变化,同时引起利率的变化。那么,这些变化是什么呢?

首先我们知道,对于放款资本的需要和供给以及利率的高低,由于资本主义经济周期的经过萧条、活泼、繁荣和恐慌,而周期的动摇。即大概在繁荣时期或能够获得特别利润的时期,利率就低,在由繁荣到萧条的转换期,利率可以增高,在恐慌到来时,利率就达到最高限度。

然而问题并不是只在于周期的变动。通常平均利润率既然是利率的最高限度,而且随着资本主义的发展,平均利润率也有愈益低落的倾向,那么,利率的变动,当然也有低落的倾向。

不但如此,如上所述,资本主义生产的发展,增大了寄生的金利生活者集团,因而加多放款资本的供给,以至超过需要。同时,信用及银行的发达,更使社会上各休息资本都动员起来,去发挥其机能资本的机能了。所以,随着资本主义社会的发展,"利率低落的倾向,就脱离利润率的变动而独立存在了"。

因此,我们可以得到以下的结论:即在资本主义发展比较幼稚的后进国家(即平均利润率较高、信用组织尚未十分发展、金利生活者较少的国家),其利率比先进国为高。

三、企业利润与利息

（一）企业利润与利息的分立

我们已经知道,金利生活者,自己不把资本充用于生产,只是作为资本的所有者,以利息的形态,领受剩余价值的一部分。

如果产业资本家由货币资本家借钱来举办企业,他就不能不把剩余价值分为两部分,即将一部分作为利息提供于货币所有者,另一部分,作为产业资本家本身的企业利润。

（二）分立造成的假象

这二种所得——利息与企业利润——分立的结果,生出下面的一种错觉,以为利息是资本家的不劳所得,企业利润是机能资本家因"勤劳"而领受的所得。于是,企业利润就和劳动者的工资一样,好像是机能资本家对于自己的"勤劳"所得的报酬。

但是,在资本主义社会中,资本家的所得分为利息与企业利润这一事实,不仅在产业资本家使用借人的资本时是如此,即在他使用自己的资本时,也是如此。在后一种情形之下,产业资本家,一方面把自己看作对于自己资本领受利息的货币资本家,同时又把自己看作借这资本以取得企业利润的企业家。

例如资本的平均利率是 5%,产业资本家以自己 10 万元资本,取得 1 万5000 元的利润,他或许像下面那样着想:"纵然我不是企业家,我对于自己的10 万元,也会取得若干利润吧!我把它贷出去,也会取得 5% 即 5000 元的利息吧!然而实际上,我得到的不是 5000 元,而是 15000 元。这多余的 1 万元,不外是我把自己的资本投入于企业的缘故。因而我的资本,一方面弄来了5% 的利息(5000 元),他方面弄来了 10% 的企业利润(10000 元)。"

照这样,货币资本的机能和产业资本的机能分立的结果,即使货币资本家和产业资本家同为一人时,也要引起利息和企业利润的分立。

在这种情形之下,资本主义社会人类关系的物化,比从前更为复杂了。实际上,企业利润与利息在属于同一人时都要被分割,那势必要加强下面的错觉,即以为利息和生产无关,它是一种超过部分,是在剩余价值以外,从其他源泉发生出来的。

四、高利贷资本

（一）高利贷资本的剥削

以上我们所说的放款资本和利息，是资本主义生产之下的放款资本和利息。然而现实上，放款资本在资本主义生产方法的发觉很早以前就发生了。

历史上，商业资本比产业资本发生在先，同样，放款资本的发生，在历史上也是先于产业资本而发生。

这是与商品——货币经济的发展相结合着的。在资本主义生产方法的发展以前，货币就不仅作为流通手段，并且还转化为储藏货币。那时，一定量的货币，在各个人手中，被积蓄为储藏货币的事情，已经是可能了。这些人们，把货币贷给需要它的人，向他取得一定的报酬，因而，他们的货币，就转化为产生利息的资本。这种资本，和我们上面所说的资本主义之下的放款资本不同，我们把它叫做高利贷资本。高利贷资本，主要的是榨取小商品的农民和手工业经济的手段。它乘着这些经济的弱点，及缺乏货币的机会，放款给他们，因而不仅夺取小商品生产者的全部剩余价值，甚至以利息的形式，夺去他们需要生产物的一部分。

高利贷又放款于封建诸侯——大地主，去满足他们的需要。这种放款形态，实际上，也是榨取封建诸侯支配下的农民的。因为这些封建诸侯，必然要把支付利息的负担，转嫁于农民。

这样看来，当生产上资本主义诸关系发生出来的时候，放款资本就已经存在了。

（二）高利贷资本与放款资本的差异

但是，在资本主义生产方法的支配之下，高利贷资本的性质，发生了激烈的变化。高利贷资本原是榨取小商品经济的手段，及助长这种经济破产的要因；反之，放款资本却是榨取工资劳动者及扩大资本主义生产的手段。高利贷资本，占有小商品生产者的全部剩余生产物，甚至往往占有必要生产物的一部分；反之，放款资本家，只取得劳动者剩余价值的一部分，而其他部分却归属于产业资本家。

但是，我们要知道，先资本主义时代的特征的高利贷资本，在现代资本主义国家，仍然残留着。它现在仍然榨取都市和农村的小商品生产者（贫农、中农、手工业者、家内工业者)或工业劳动者。

所以,我们绝不能把先资本主义的高利贷资本,和现代的放款资本混同起来。

第二节　信用与银行

一、商业信用与银行信用

(一)商业信用与银行信用的一般概念

在资本主义社会中,资本所有者手中积蓄着的休息货币资本,由于信用关系,就转化为机能资本,加入于资本的一般循环,榨取劳动者,以形成剩余价值。

然而信用不仅可以用于休息资本到机能资本的转化过程,而且可以用于商品形态到货币形态的资本的转化过程。

实际上,如我们所知,资本家为使资本循环不断的继续进行起见,在再生产过程终结而得到制品以后,定要一举卖掉这些制品,拿所得的货币,去购买下次生产周期所需要的一切东西。如果不能这样,而在商品生产终点与这些商品的流通终点之间,还介有若干期间的话,那么,资本家为了不中断自己的产业起见,就不能不有追加资本即一定的补充货币,拿它来开始新的生产,以等待以前的商品之实现。但商品在未经实现的期间,是转化为死资本的。商品的实现越快,追加资本的需要就越少,因而资本家以手头的资本去形成剩余价值的可能性就越大。

所以,信用可以援助资本家,去缩短商品的流通期间,加速商品的实现过程。

然而这是怎样进行的呢?

假定一个纺织业资本家,有制成的花布。为什么他不能一举而把它换成货币呢?

这有种种原因。第一,纺织工场,一年四季节多少有规则地、平均地生产着。可是谁都知道,对于花布的需要,并非一年四季都是一样。冬天需要较少,一到夏季便增多起来。在农村中,需要花布最多的是秋天,因为这时候,农民因出卖收割的谷物而积有若干自由的货币的缘故。除了这种需要商品的季节变动以外,由于商品从生产地点达到贩卖地点以前,往往需要经过相当期间,以及其他种种原因,也能够阻碍商品的流通。

譬如纺织业资本家在冬天积蓄了多种数量的花布,这是到春天才能实现的。但是,他为了在冬天继续生产,就不能不用现金去买煤。而煤商在纺织业资本家手中没有现金时,是不卖煤给他的。这时候,他所有的自由现金,都已变成商品,不能急切换成货币,因而,他就不能用现金去买煤,以继续其生产。于是一极虽有商品 W,他极难有商品 W′,而商品交换就因为缺乏中间媒介 G 而不能实现。

然而问题并不是因为纺织业资本家完全没有资力。一到秋天,他便能卖出花布取得货币,支付煤价于煤商。只要煤商允许把支付日期延到秋天,那么,即时就可实行交易了。

由于延期支付代替现金支付,就缩短了商品的流通期间,除去纺织业者追加资本的必要。

在这种情形之下,货币不是发挥其流通手段的机能,而是发挥其支付手段的机能。

这种促进商品形态资本转变为货币形态资本的信用,叫做商业信用。

和这种信用不同,而使用休息资本,把它转化为机能资本的信用,叫做银行信用。

机能资本家相互授受的商业信用,在历史上,比银行信用的发展较早。"商业信用,是信用制度的基础。"

随着资本主义的发展,货币资本便由产业资本分立,同时在这个基础上,银行信用才渐渐发展起来。

(二)商业信用与银行信用的差异

根据上面的说明,我们可以知道,银行信用的对象,是放款资本,商业信用的对象,是商品资本。商品的买卖,因商业信用而实现。但是,代价的支付,要在买者取得商品之后,延长到某种期间才履行。至于银行信用,便无任何买卖,而只有货币资本的贷借。贷出货币于他人的货币所有者,其目的不在于商品的实现,只在于收得利息。

但是,即使在商业信用的场合,以信用出卖商品于其他资本家的资本家,到了支付日期,若只从买主取得与用现金贩卖该商品时相同的货币,他也是不满足的。因为买主的资本家,把用信用买进的商品,当作商品资本利用,在某种期间内,去榨取剩余价值。如果授予他人以信用的卖主资本家,用现金出卖这些商品,那么,他就能利用所得的货币,在同一期间榨取剩余价值。所以,用信用卖出商品的资本家,等到了支付日期,他不仅对买主要求偿还商品的价格,而且因授予信用期间的长短,而要求若干的附加部分。

例如煤商卖给纺织业者的煤,在以现金卖出时,值1万元,那么,如以半年满期的信用卖出时,期满后,煤商对纺织业者不仅要求1万元,更要求若干的附加额,例如2.5%即10250元。如果这是以一年满期的信用卖出的,那只要其他条件不变,纺织业者等到期满时,必须要在煤的原价以外,再支付5%的附加额,即一共支付10500元。

二、票据与贴现

(一)当作债务证券看的票据

一切信用交易,都有在某期间以后支付一定金额的义务。这种义务,通常是用票据来证明的。

如果债务者(受信用人)对于债权者(债权者的委任人),开出在一定期间以后支付货币的证券,这种证券,就叫做期票。在上述的例子中,假若纺织业者对于煤铺或其代理人,在秋天(即一定日期)支付货币的证券上签名,这证券就是期票。

此外还有一种汇票。假定纺织工场主,在以信用买进1万元煤炭外,同时又以信用卖出1万元花布于商人。这时,商人应该对纺织业者开出期票,纺织业对煤铺再另开一个期票,不过这可以用另外一种方法,即纺织业者对煤炭业者开1万元的票据,把自己的债务转嫁于商人。到期,商人便对煤铺直接支付1万元,一举而结束两个信用行为。开票的债务者,自己对于票据不为支付,而把支付义务转嫁于第三者,这种票据,就叫做汇票。

开汇票的人,叫做开票人(照上例说,就是纺织业者);应当收受汇票而为支付的人,叫做付款人(商人);领受票据金额的人,叫做取款人(煤炭业者)。

付款人在票据上签名盖章,承认支付,汇票就发生效力。若是期票,当事者至少为 2 人;若是汇票,当事者必须在 3 人以上。

但是,票据的当事人,是可以增加的。譬如向纺织业者领受票据(无论是期票或汇票)的煤业资本家,如果想为自己的煤矿以信用买进与先前收在手中的票面额相当的机器,他可以不必重新开票据给机器制造业者,只拿纺织业者所开的票据去交付就行了。可是这时候,他必须在票据的背面签名或盖章。机器制造业者又可以重新背签去交付给第四人。假若到期时付款人不为支付时,全体背签人都要负连带责任。

票据能使资本的循环容易进行,能使各个资本家间的计算变为简单,因而可以大大减少现金支付的必要,但不能完全不用现金。

因为有许多部分是需要支出现金的,例如工资、租税等,常常要用现金去支付。

此外,各个资本家的一切信用交易,也不能完全互相抵消的。

所以我们说,票据虽能减少现金的必要,但不能完全排除现金。

(二)票据贴现与贴现利息

某资本家,手里虽有票据,而支付期限未到,但因某种用途又需要现金。这时候,他到有休息资金的资本家那里去,把票据背签而交付于该资本家之后,便能向他取得现金。接受这票据的资本家,到满期时就去兑取。持票人在指定期限以前用票据去换货币的行为,叫做票据贴现。

当货币资本家为票据贴现时,他不支付票面额的全部于持票人,要扣除其中一部分,即所谓贴现利息,这是当然的事情。因为他是在某种期间以内把一定金额贷与于持票人,而所谓票据贴现,不过是一种特殊的放款行为。他贷款于持票人以后,要经过一定期间,才能向付款人去兑取。

但是,票据贴现,不仅可由其他资本家实行,也可由开票人本身实行。例如纺织业者在对煤铺开出的票据上,约定 5 月 1 日付款,假使他在 3 月 1 日具有支付的能力,他就可以到煤铺去,收回自己的票据(或涂销),而在限期以前支付。但是,纺织业者是有在限期(5 月 1 日)以前利用自己货币的权利的,如果支付的时候,煤铺如不用贴现利息的形式,把放款利息退还他,他就不在限期前支付。因为如果不在限期前二个月支付,纺织业者拿这笔款项可以获得放款利息。假定票面金额是 1 万元,平均贴现利息是 6 厘,贴现日期是在限期前 2 个月,那么,这 1 万元的贴现利息是:$\dfrac{10000 \times 6 \times 2}{100 \times 12} = 100$(元),即当 3 月 1 日为票据贴现时,纺织业者便不需支付 1 万元,而只支付 10000−100 即 9900 元就够了。

在票面金额之中,除信用贷款的名目金额外(即除被让与的商品价格或信用贷款的货币额外),也含有对于信用的使用之利息,所以当持票人在限期前为票据贴现时,当然要失掉利息的一部分,因为如果他所持的票据已满期,他就可以取得全部利息。反之,他却能在限期以前获得现金去投入流通。

因此,票据的贴现,扩大信用的范围,使信用成为更利于流通的东西,使商业信用与银行信用互相结合起来。

三、银行及其业务

(一)银行及其任务

当我们考察货币资本和商业资本及产业资本的分立时,已经看到,在资本主义社会中,一方面分化出专门从事于放款资本之交易的特殊资本家集团,同时就发生了特殊的机关——银行。银行集中各个所有者暂时休息着的货币,以信用贷与机能资本家。

银行的存在,排除直接信用交易上所表现的种种障碍,扩大信用行为的可能性。

我们知道,各机能资本家手中的休息货币是怎样积蓄起来的,这些货币手段,和资本家——金利生活者所有的货币一样,都是为其他资本家所利用的。但是,一个资本家手中所积蓄的游离资本,在某种期间以前,恐怕不能满足个别资本家的必要,而且一个资本家放款于别个资本家,其期限通常是很短的。这种直接信用行为上的障碍,由于银行的存在而被打破了。

握有游资的资本家,不必再寻找那借款金额与期间都相适合的借款人了。处于一切放款人与一切借款人之间的中介者银行,不仅从一个资本家收集游离资本,而且从许多资本家收集游离资本。

虽然各个资本家所拥有的休息货币是很少,而且期间也极短,但只要集中于银行一个地方,就可以达到极大的数量。并且,只要储存货币于银行的资本家,不要求一齐兑回,银行就可以把它长期地贷出去。

所以，需要货币的资本家，不必再直接寻找放款的资本家，只要到银行去就行了。

总之，银行是拥有休息货币的人与需要货币的人之间的中介人。

银行业者的营业，就在于把可以贷出的货币资本，大量的集积于自己手中。因此，银行业者，代替各个放款人而成为一切放款人的代表，与产业资本家及商业资本家相对立。他们成为货币资本的一般管理人。他方面，他们又为全商业界借款，所以又集积一切借款人而和一切放款人相对立。

银行扩大信用的可能性，促进资本主义生产的集积和集中，加强对劳动阶级的榨取。银行的发展，更促进所有资本与机能资本的分立过程，加强资本主义的寄生性及其矛盾。

随着资本主义的发展，银行的任务，发生激烈的变化。关于这层，在后章研究帝国主义时，我们再作详细的考察。

（二）银行的受信用业务

银行的业务，分为受信用（借入）业务与授信用（贷出）业务。银行聚集休息货币手段的行为，叫做受信用业务，分配这些金额于借款人的行为，叫做授信用业务。

然则所谓银行的基本受信用业务是什么呢？换句话说，银行从什么地方聚集以信用贷出的货币呢？

首先就是属于银行本身的货币手段。银行的创立者，自己什么也没有，只是挂出接受各资本家的货币资本的招牌，是不能收集别人资本的。因为如果银行本身没有财产，不能保障向存款人返还其全部存款时，谁也不会安心地把自己的现金存到银行去。

属于银行经营者本身的货币手段，普通叫做银行的基本金。当这种资本是由若干资本家的股份所构成时，又叫做银行股本。

除基本金（或股本）之外，还有准备资本（公积金），也算入银行本身的资本之中。这种公积金，是由银行的所有者（或股东）为了扩大事业而公积起来的利润之一部所构成的。

银行拿这些资本去吸引其他所有者的休息货币,然后运用它们,动员它们。

这种游资的收集,首先就是存款。

如果游资所有者,向银行存款,而保留随时提取的权利时,就叫做活期存款;假如规定一定的期限,非到期不能提取时,就叫做定期存款。

在定期存款的场合,银行知道在满期前不取,所以它可以在指定的期间安心运用这项存款。至于活期存款便不能那样。银行必须从活期存款总额中,拿出一大部分,用现金存于自己金库内,以备存款人随时提取。因此,银行对于定期存款,当然比对于活期存款,可以支出较大的利息作为货币使用费。

活期存款,最流行的是用流水账的形式来计算的。活期存款人,可以因自己的必要随时提取存款的一部或全部,或重新存入。通常,活期存款人,有一种特别的支票簿,以作取款的证券,存款人只要在上面记入一定的金额签名盖章之后,就能用它取出自己存款的一部或全部,或交于他人,也可以领出现金。

因为有这种制度,资本家尽可以把自己的货币完全存入银行,而身边分文不留。如果向其他资本家购买商品时,他自己不必到银行取款,只开一张支票就行。假若卖商品于第一资本家的资本家,和银行也有流水账,那么,他便不必拿这支票到银行去取现款,只要把那些金额改成自己的名义就够了。这样一来,并不要一文现款,而只从甲存款人的流水账转到乙存款人的流水账上,就可以完成全部的交易。

假如各个资本家在许多银行都有流水账时,用支票就可以了结各资本家相互间的清算。即各资本家结成协定,互相收受支票,经过一定时期,再实行清算。

但是,银行所支配的诸手段,并不限于现金。其中大部分,是有价证券。首先,票据就是有价证券之一。因银行办理各机能资本家的票据贴现,所以票据多集中于银行。银行为票据贴现后,在支付期限以前,可以用背签的形式,把它投入流通中。此外,个人票据,即个人因向银行借款而对银行开出的票据,也积蓄于银行之手。只要在这票据背后能实行现实的交易,能保证对于这票据的支付,银行也可以把它投入流通中。但是,实际上,银行并不把这些个人票据照旧投入流通,而是以这些个人票据及银行所有的现金作保证,以发行银行券。银行对持券人保证可以拿它去兑换现金。

只是银行的确实票据和货币,能对持券人保证可以拿银行券兑换现金时,银行才能发行银行券,以代替现金。然而银行由经验知道,全部银行券并不要求同时兑换现金,所以它在某种范围内,可以发行比银行实际所有的现金准备更多的银行券。银行由于把银行券贷与机能资本家,就扩大信用的可能性,超过银行所有的现实货币手段的范围。这种追加的信用手段,因为它后面没有现实资本的存在,所以把它叫做空头资本。

然则银行能否无限制地扩张信用呢? 不能的。实际上,银行券的发行,对于资本主义社会,只能增大流通手段,不能增大现实的资本。而且银行绝不能任意地发行银行券,无限制地扩张信用的范围。我们在考察货币机能时已经说过,流通中所必要的货币量,是由商品价格、货币的流通速度、信用卖出的商品价格、到期支付及相互清算等所决定的。投入流通的银行券的数量,也是受这个法则的支配。

通常,银行券是银行为某种现实交易的信用行为而发行的(例如当纺织业者未实现自己的商品而要买进生产手段时,银行便把银行券贷给他),其信用期间,是依存于受信人需要货币作流通手段的时期之长短(例如依存于纺织业者卖出商品换得货币的时期)。当不需要该项贷款时(即纺织业者卖出商品时),就把它退还于银行,这也就是说,把流通上不必要的余额退还于银行。

所以,假如银行要现实的保证银行券与现金的兑换,就不能任意增加银行券的发行。如果银行发行银行券超过交易的必要以上,而在这些银行券背后又没有现实的商品交易,那么,势必不能保证银行券与现金相兑换,因而它就不成为银行券,而转化为单纯的纸币了。

所以,为了使银行发行银行券不超过必要流通额以上,以避免通货膨胀,对于银行券的发行,应加以严重的统制。

综上所述,我们可以知道,"银行资本,是由正金(金币和纸币)及有价证券所构成的"。

（三）银行的授信用业务

然而银行怎样去分配自己所收集的一切手段呢？

谁都知道，银行对于一个初见面的资本家，绝不会因为他是个"眉目清秀"的美男子，就贷款给他。在银行看来，最要紧的是偿还借款的保证。而且银行既不能预见将来能否确实还钱，所以只是一个还钱的契约也无济于事。

然则可以作为银行的放款业务之基础的现实保证是什么呢？要解答这个问题，只要说明放款业务的各种形态，就可以明白了。

首先是我们在前面已经知道的票据贴现的业务。持票人到银行去，拿它作担保，就能够取得现款，但须从票面金额中扣除了贴现利息。不过这时候，持票索款（到期之日）的权利，却移转于银行了。从外观上看来，这件事好像是票据的买卖。就得说，持票人在支付期前出卖自己所持的票据，银行就以一定金额收买它。然而如我们所见，在这外形的背后，却隐藏着放款行为。即持票人接受某种数额的放款，而这放款的支付义务，却移转于开票人了。

所以，在这种情形之下，作为银行的放款业务之现实保证的，就是票据。然而票据也必须有它本身的现实基础。所以，银行首先要注意是谁在这票面上署名，这个票据的保证是什么。因此，上述的"空头票据"，不能成为信用的现实保证。

票据到期而不能支付时，开票人用这票据所得的商品及票据贴现人用所得的现款买来的商品，就成为追索的基础。

银行的另一授信用业务，就是所谓担保放款，即有抵押品的放款。

在这种情形之下，银行向借款人取得一定的有价物，作为担保，在债务偿清后退还。

作为放款担保的有价物，在高利贷时代，是金块、宝石等，现在是各种有价证券即股票、债票等，获得极大意义。放款也可以用票据作担保。但是，这时候却和贴现业务不同，借款人并不会失掉对于票据的权利，借款还清后当然可以收回，只在贷者不能偿还借款时，持票取款的权利才移转于银行。

放款又可用商品作担保。在这种场合，银行绝对不必把这些担保商品保管在自己的仓库之中。借款人把自己的商品送入特别堆栈，领取栈单（没有栈单，就不能从堆栈提取商品），他把这种栈单交给银行，就可以作为担保而借款。

此外,以运输中的商品作担保,也能够借款。譬如铁路局收到运输的商品时,要发出提货单,这种提货单也和栈单一样,能够作为放款的担保。

放款不但可用动产作担保,而且可用不动产特别是土地和各种建筑物作担保(不动产抵押信用)。

以上就是放款业务的基本形态。

最后关于银行的中介业务及委托业务,再简单说一说。严格说来,银行的中介业务及委托业务,既不属于受信用业务,也不属于授信用业务,如银行从顾客所接受的关于货币之支付或追索的一切委任,例如各都市间的送款以及货价乏催收等委任,就是这种业务。银行办理这种业务时,从顾客应得的金额中领取一定的手续费作为报酬。

(四)银行与信用利润

我们说明了银行的受信用业务与授信用业务的本质之后,现在关于以上所述的放款利息,不能不再加以极重要的补充。

银行的存在,对于放款利息有怎样影响呢?

银行因存款而聚集资本,对于存款人支付一定的利息,同时,在放款上也收得一定的利息。

很显然地,两种利息的大小是不能一样的。银行在作了这些业务之后,必须能得到若干剩余,即银行对于受信用业务所支付的利息,必须比对于授信用业务所得的利息较低,这一切业务才有意义。两者的差额即放款利息的一部分,就是所谓银行的信用利润。

信用利润对于银行本身成本的比率,叫做信用利润率。

信用利润率,不能不接近于一般(平均)利润率。否则,银行业者必然把投于银行的资本移到产业方面去。

第三节　股份公司

一、股份公司的一般概念

(一)股份公司的形成

根据上面的说明,我们已经知道,在资本主义社会,休息货币手段,是怎样动员起来,怎样集中于信用机关而转化为机能资本了。

机能资本家,因利用他人的手段,而大大超过本身资本所决定的界限,以获得扩张生产的可能性。

随着信用的发展,在资本家所运用的资本中,本身的手段所占的部分愈小,而借人的商品及货币所占的部分愈大。

由此可见,资本主义社会的信用,助长资本的集积和集中,使资本主义诸企业的范围,扩大到个人资本家的界限以上。

资本的集中及分散的货币资本的聚集和利用,在所谓股份公司中,更明白地表现出来。随着资本主义的发展,股份公司也发展并普及起来,而成为资本主义诸企业组织的支配形态。

例如英国,1907 年,在工业、运输及商业等总资本中,有一半是属于股份企业。以后,股份企业的数目及其所支配的资本,增大到 2 倍以上。至 1923年,股份公司数有 84000 个,其总资本约达 1 万万 8000 万镑。

在德国,由 1895 年到 1923 年之间,股份公司数,由 3750 个,增大到 16500个,其资本,在 1895 年为 68 万万马克,至 1920 年,增为 290 万万马克。

在日本,股份公司的资本,由 1906 年的 10 万万 6300 万元,增大到 1920年的 81 万万 2300 万元,至 1927 年,更增大到 124 万万 7500 万元。

在美国,1919 年,股份工业已占全国工业总数的 31.5%,劳动人数占劳动者总数的 86.6%,生产物占总数的 88%。

股份公司的资本,是共同创办某企业——工场、银行等——的各资本家所交付的股款。但各资本家所交付的股款,并不必要完全一样。例如甲可以认出企业资本的一半,乙可以认出 $\frac{1}{10}$,丙可以认出 1% 等。股东对于企业的资产及利润等所得的权利,由认股之多少来决定。即出资占总额之半的资本家,享受利润的一半,出资 $\frac{1}{10}$ 的资本家,享受利润的 $\frac{1}{10}$。各股东出资后,领得一种股票,以证明其对于企业及利润的参与权。这样组成的股份公司的资本,分为相等的股数,譬如资本总额 5 万元,分为 1000 股,每股 50 元,出资 50 元者,即得一股,而享受对该企业总利润 $\frac{1}{1000}$ 的权利,出资总额之半者(即 25000 元),即得 500 股。当决定企业业务及选举理事时,各股东在股东大会中的表决权,以其所有股数为断。

股东可以把股票转卖。假若股东把自己的股票(全部或一部)转卖于他人时,随股票而来的一切权利,就同时移转于买者之手。

(二)股份公司的优越性

为什么随着资本主义的发展,尤其是在它的最高阶段,而股份企业形态能广泛的普及呢?

我们知道,随着资本的集积和集中以及技术的进步,不变资本急速增大,因而固定资本的生产手段、机器、建筑物等,也随之增大了。

固定资本增大的结果,首先使资本的移转,变为困难,并且使创设新企业所必要的资本的最低数额非常增高,因而创办新企业的事情,就不是各个资本家强力所能做到的了。

股份企业形态的最大优点,就在于它能解除这两种困难。

无论股份企业的资本有机构成如何高,无论资本的回转速度如何慢,而握有该企业股票的资本家,只要把股票卖给他人,就可以收回自己的货币资本。股份公司由于融合多数股款,聚集庞大的资本,能够克服个人资本之量的限制性。因为在股份资本中,不但有各资本家的货币手段,而且含有小所有者、自由职业者、熟练劳动者的存款。

所以,股份公司和银行一样,也可以"动员"社会资本。即收集分散金额而投入企业,使资本由休息状态走入运动状态。

股份公司和其他各种企业一样,除自身的资本以外,也可以暂时利用借款,并且在受信用一点上,股份公司仍然具有极大的优越性。拥有大量资本的股份企业,当然比个人企业有更大的信用能力,因而银行愿意给它信用。

股份公司借发行有价证券即公司债票,也可以利用信用。公司债票是证明贷借事实及公司对持票人支付利息和返还原本的义务的证券。向股份公司购买公司债票者,在一定期间,贷出自己的现款,公司对他支付一定的利息。公司债票,和股票不同,持票人不能参与公司的业务及股东大会的表决权。

此外,股份企业形态离个人企业家而独立这一事实,对于这种企业形态的普及上,也具有相当的意义。我们知道,在个人资本的场合,许多纯个人的或家族的事情,往往影响资本的运命;反之,在股份公司中,这些事情不生影响,企业的财产和股东个人的财产,完全没有关系。

支配大量资本的股份企业,既有上述种种优点,当然会压倒小企业,而促进资本的集中了。

(三)股份公司中大股东的支配

在股份企业的场合,无论任何人,只要有少量的储蓄,就可以购买股票,充当股东,按照股本的多少而分取红利。这样一来,就好像在资本主义之下,因为股份公司的普及,便能使资本"民主化",小所有者与熟练劳动者,可以和资本家同样地充当股东,分取红利。

然而现实上,恰好相反,股份企业普及的结果,少数的大资本家实质上支配了日益增大的资本量。

我们要知道,各个股东,在这企业内,并不是享有平等权利的。

当决定企业的营业方针,选举重要职员,或分配利润时,各股东的表决权,既以认股数为断,那么,很显然地,股份企业的实权,一定属于股本最多的大股东。

按照单纯的算术计算来看,要想任意支配股份公司全体的营业,至少须占有总股数 50%以上的股数。因为必须这样,在解决问题时,才能占投票的绝对多数。然而现实上,要想保证这种支配权,不必要总数的一半,只要有 $\frac{1}{3}$ 或 $\frac{1}{4}$ 的股数就够了。因为到总会开会的费用,往往超出应得红利之上,所以散在各地的小股东,不愿意来参加会议。并且有许多小股东,认为自己投票的效力很小,不能左右企业的营业方针,只要能取得相当的利息就满意了。因此,许多中小股东,常常隶属于大股东,有时更投票拥护大股东,于是大股东便可当选为重要成员,而操纵一切了。

所以,股份公司,是把社会总资本集中于少数大资本家之手的有力的工具。

资本家——股份公司的支配者,不但能支配本公司小股东的资本,而且由于各种信用行为以及发行公司债票等,还可以支配公司以外的其他资本家的大量资本。

(四)分公司的形成

不但如此,股份公司因握有巨额资本,更可以进而参与或支配其他股份公司。然则这是怎样实现的呢?

例如有一个拥有 100 万元资本的股份公司 A,在这里一个资本家只要有

51万元的股份,便可以任意支配这个企业。即使因发行公司债票而增大原有资本,但这个资本家仍然能支配这个企业,因为公司债票的所有人,并不是享有完全权利的股东,他们不能干涉公司的业务。这个股份公司A,更可以创立新股份公司B,它本身(公司A)又可以买入新企业的半数以上的股份。假定新企业的股本为200万元,如果股份公司A没有100万元的游资,它就可以发行公司债票,拿这笔款去购买新企业50%的股份,因而便能保证对于该企业的支配权。B对于A是分公司,A对于B是总公司。于是拥有50万元的资本家,不但能支配拥有百万股本的企业A,而且通过企业A又能支配拥有200万元资本的企业B,企业B又可以支配企业C——它对于企业A是更小的分公司,等等。这样一来,一个资本家,由于组织各级分公司或买进其他股份企业的股份,就能够渐渐扩大自己的权力。于是,巨大企业以及国民经济的许多部门,都隶属于少数大资本家股东的掌握之中了。

二、股票的买卖

(一)红利与股票市价

我们已经说过,投资于股份企业的各股东,出卖自己的股票,就可以收回原来的资本。

资本主义社会的股票的买卖,表示出潜在于股份企业形态之中的许多极深刻的矛盾,暴露出股份企业的支配者在取得利润及掠夺小股东上所采取的许多新方法。

然而股票的买卖,是怎样进行的呢?

假定当创立股份公司时,股票是以票面价格卖出的。即假定股本为50万元,股票发行额为5000,出资百元者即得一股,创立时买股者,以后可以自由出卖其股票。照这样,他是否以百元卖出自己的股票呢? 这是由于该股票在一年内能生出若干红利一事来决定的。现在,假定一年内每股可得15元红利。在这种情形之下,假若银行的平均利息是5厘,股东决不会以百元出卖股票。因为他把出卖股票所得的百元存入银行时,所得的利息,只是股票红利的$\frac{1}{3}$。这时候,股票是要以300元(即票面价格的3倍)卖出的。因为要把这笔款存入银行时,才能得到15元的利息,即得到与红利相等的利息。

但是,这里不能不指明的,就是股东能以 300 元出卖股票,只限于在能够多长时期的保证买者取得 15 元红利的场合。然而现实上,股份企业的利润常常变动。有时红利是要减少的,因而购买股票,是一种冒险。假若看到将来红利减少,股东便可以在 300 元以下卖出股票;反之,看到将来红利增大时,股票的购买者,对于股票就得支付 300 元以上。

然而,无论如何,股票的价格,是以 300 元为中心而变动的。

由此可见,股票的市价,依存于该股票所能领受的红利额。随着红利额的变动,股票市价也发生变动。

股票市价的变动,就成为资本主义社会的投机的基础。投机者如看到红利增多时,就尽量购买股票,因而使股票市价腾贵起来;反之,如认为红利要低落时,就赶快卖出股票,因而使票价暴跌下去。甚至故意制造红利将来增减的谣言,以便坐收渔利。这种投机,明显地暴露出资本主义之寄生的性质。

(二)虚拟资本

在资本主义社会,股票的买卖价格与票面价格不同的事实,使股票获得特殊的意义。

如上例,买者用 300 元买来的股票,只是代表票面价格百元的现实资本。他所以用 300 元来买它,是因为他由此可以获得红利请求权。所以股票的买卖,就变成红利请求权的买卖,而股票就认为是领取红利的证券了。

无论股份企业的财产价值如何变动,只要对于股东所付的红利额不变,股票价格就不会变动;反之,企业的资本价值虽然不变,而红利一变动,股票价格就随之变动。换句话说,股票价格不是由于企业的现实资本即机能资本的价值来决定,而是由红利额来决定的。

总之,股票价格,不是该股票所代表的企业中现实资本的价格,而是一种对于红利请求权的支付。

所以,股票所代表的、离开企业的现实资本而独立流通的这种资本;不是现实的资本,而是似是而非的虚拟资本。

如上例,股票以 300 元买卖时,其价格绝不是表示企业的现实资本的价值,而是表示虚拟资本的价格,即是证明领受若干红利的权利。

并且不仅购买股票者,把它看作 300 元资本,就是用票面价格买入股票

（在我们例子上是百元）的原股东，也是这样设想。即当创造人未卖出股票时，他也认为自己是握有 300 元"资本"。因为他实际上有用 300 元出卖股票的现实可能性。

（三）创业人利润

如上所述，股票购买者之所以购买股票，是因为它可以保证自己获得利息。假若把红利和股票价格的变动撇开不谈，我们可以知道，股票的购买者，在对于自己的资本领受利润一点上，和放款给机能资本家的货币所有者，是没有什么不同的。

公司创立时，以票面价格购买股票的人，叫做创业人。创业人购买股票而直接投入企业的资本，不仅使他获得银行利息，而且可以多得一部分。这种多余部分，就是企业利润。

如上例，一张股票，能生出 15 元红利，转卖时价格为 300 元，它对于买者，能给以 5% 的利润；假若创业人不卖它时，实际上对于投入企业的百元资本，能获得 15% 的利润，即获得 5% 的银行利息及 10% 的企业利润。

照这样，创业人在收受红利时，以机能资本家的资格，一方面获得放款利息，同时又获得企业利润，而股票的购买者，却只出现为单纯的放款资本家。

这就是不卖股票的创业人所有的优越性。如果他卖出股票，他当然要失掉收受企业利润的权利，而只能获得银行利息。然而他可以用一种方法来补偿自己所损失的特权。他出卖时的股票价格，不是等于他投入企业中的现实资本，而是等于该股票所代表的虚拟资本。照我们的例子看来，创业人所得的，不是他原来支出的 100 元，而是 300 元。该股票所代表的虚拟资本与现实资本的差额，即 200 元的超过部分，就形成了创业人利润。

少数的大资本家，因为在股份公司中掌握实权，所以能完全占有创业人利润。他们可以采用种种的方法。譬如当公司创立之初，可以借银行的力量，买进全部股票，然后卖出，以攫取创业人利润。或者在公司创立时，把股份区分为一般自由出卖而红利较低（大概和放款利息相等）的普通股与不能出卖而分配于大资本家的优先股。

所有这一切事实，都是表示着企业的股份形态促进了资本的集中。

三、股份公司与资本主义经济的矛盾

（一）股份公司中生产与占有的两种机能之分立

股份企业的普及，对于资本主义社会的发展，引起怎样的变化呢？

首先我们知道，股份企业形态，形成扩大生产规模的良好条件，使生产规模，超过个别的各人资本的范围。

股份企业因支配私的个人资本，而夺去它们的独立性，使之结合为单纯的"集体资本"。因而，股份企业的资本，就直接采取"社会资本的形态"，股份企业就出现为"与私的企业相对立的社会企业"。

在这种情形之下，股份企业中资本家的作用，与个人企业中的作用已经不同了。

投资于股份企业的成千上百的资本家，自己不去指挥企业的生产，而处于单纯寄生者的地位。关于企业上组织的、技术的机能，完全委之于熟练技师等使用人。然而，在企业中掌握经济大权的少数大资本家，当然不会放弃分配利润的权利。

于是我们看到，在股份企业中，分红与管理企业这两种机能，互相分离了。

我们知道，在个人企业中，资本家以主人的资格去监视和组织生产的进行，因而尽了相当进步的作用；现在，股份企业的一切活动，完全离开资本家——股东而独立进行了。换句话说，资本家本质上已经对于生产变成不必要的、多余的人了。因为生产上一切现实的组织和指导都属于"上自支配人下至劳动者"的现实参加者了。

总之，股份公司，因使生产机能和资本的所有分离，而采取了社会企业的"直接形态"，并且形成了在新的社会主义原则下组织生产的前提条件。

（二）股份公司增大资本主义经济的矛盾

然而，依照上面的说明，我们绝不能以为股份企业的本身，已经排除了资本主义的诸矛盾，已经作成了为社会主义诸关系所支配的企业类型。现实上，股份公司的发展，虽然形成了扬弃资本主义的占有的前提条件，但是，它本身不仅不能扬弃资本主义社会的诸矛盾，反而扩大、加强了这些矛盾。

股份公司发展的结果，引起大量的资本集中，这是我们已经知道的。这些

巨大资本家的权力和威势愈大,资本主义社会的矛盾也愈发展。巨额的资本集中及大企业的组织,必然引起小所有者大众的破产。如我们所知,具有高度技术的大企业的成长,引起了机器对于劳动者的驱逐、失业者的增大、榨取程度的加强及劳动阶级生活水准的低落。

生产机能与资本占有的分裂,使资本家与劳动者的界限,显然地分化出来。在这里,资本家的寄生性质,以最露骨的形态表现出来。

习题十四

一、放款资本的运动与产业资本的运动,有何不同?

二、所谓"利息是资本的价格",这句话的意义如何?

三、放款资本的运动,怎样隐蔽了资本主义的关系?

四、在相当长的期间看来,为什么利息率不能高出一般利润率以上?

五、为什么资本家用现金出卖商品时,可以减低价格?

六、利率变动的诸因素为何?

七、高利贷资本与放款资本的区别何在?

八、商业信用与银行信用的差异为何?

九、假定某资本家以信用卖出商品,收到8月25日付款的票面金额7000元的票据,他在6月25日把这票据贴现,如贴现率为5厘,他能收到多少金额?

十、银行的作用为何?

十一、什么是银行的受信用业务?

十二、银行的放款业务,有几种形态?

十三、银行的信用利润之源泉如何?

十四、在资本主义的最高发展阶段,为什么股份企业能迅速普及?

十五、假定股票的票面价格为A,银行利息为P,红利为D,作出求创业人利润之公式。

十六、何谓虚拟资本?

十七、股份公司的发展,何以能增大资本主义的矛盾?

第十章　恐　慌

第一节　恐慌的一般特质

一、恐慌与资本主义

（一）资本主义恐慌的根本特征

在资本主义之下,经济恐慌,周期性地反复着。这种恐慌,剧烈地撼动资本主义经济的基础,明显而集中地表现出资本主义的一切矛盾。

资本主义的再生产,飞跃地向前进行,周期地经过繁荣、恐慌、萧条的阶段。恐慌扰乱了资本主义的全体系:企业倒闭,商业沉滞,银行破产,勤劳大众失业。

各种的经济穷困,在前资本主义的诸构成中,即在奴隶制社会和封建社会中,都可以看到。这通常是由于某种自然现象,例如水旱凶年等,或某种社会事件,例如战争等所引起的。然而,那些恐慌,和周期的撼动资本主义组织的恐慌,本质上没有任何共通之点。

资本主义恐慌的特征,在于它不是由于生产缩小或商品缺乏以及某种自然灾害而生出的,而是由于过剩生产而生出的。这种恐慌,除了资本主义经济以外,在任何其他经济形态中,是绝不会发生的。这一点就是资本主义经济恐慌的根本特征。

（二）资本主义恐慌的周期性

资本主义的恐慌,是周期地重演着。自 1825 年以来,资本主义世界,差不多每十年要经过一次恐慌。

1825 年的恐慌,是发生于当时在工业上最进步的英国。

在恐慌以前,产业上是很繁荣的,这种繁荣的基础,是英国工业上使用资本的新领域的扩大,即运河的开凿、煤气工场的设立、国内染织工业的技术革命(蒸汽纺织机的普及)及南美市场的发现等。所有这一切事实,在英国整个经济上,尤其在铁工业方面,引起了产业的繁荣。1825 年的恐慌,首先从交易所恐慌开始。股票、公司债票、票据等,价格惨跌,终至于有许多地方,连银行都破产了。随着交易所恐慌之后,就发生商业恐慌,最后更引起产业恐慌。这次恐慌,撼动了染织工业、矿山业、冶金业,包括了英国的全部工业。

恐慌的结果,生产极度缩小,劳动者大量失业,中小企业都破产了。所残留的,只是大规模的、技术比较进步的企业。

恐慌之后,到来了萧条气象,不久,又走进了新的繁荣时期。

同时,美国资本主义,在英国资本的援助之下,开始急剧地发展起来。到1836 年,又发生了恐慌。这首先蔓延于美国,后来达到英国,打击了英国的染织工业、矿山业及铁工业。

大概在 5 年以后,萧条景况过去,活泼气象又从新开始,并且又渐渐达到繁荣。在英国,棉业急速地发展起来,铁道建设在当时达到极大的规模。

至 1847 年,由于商业公司的破产而开始发生恐慌,随后就引起产业恐慌,对于棉业、铁工业、煤业及运输业等,给以强烈的打击。

以前,周期恐慌的主要舞台是英国,而 1847 年至 1848 年的恐慌,却包括了欧洲大陆。

在欧洲大陆,铁道建设及地方产业发展甚快。1847 年至 1848 年的恐慌之后,开始了产业的活泼景况,至 1857 年,又发生恐慌,它的范围,包括了美、英、法等许多国家。然而这次恐慌和以前的不同,受苦最甚的是冶金业,而被害最轻的是染织工业。

1857 年的恐慌以后,欧洲各资本主义国家,都极力从事于建设事业。股份公司好像雨后春笋一般的发达起来。到 1873 年,在奥地利发生交易所恐慌,后来波及德国、英国和美国,而转化为长期的萧条。

到了 1890 年,又开始了新的极度的繁荣。不过这时掌握指导权的,不是英国,而是德国了。德国产业,飞跃地发展,形成了资本主义技术上的新的转换期。这时银行开始直接参加于产业,出现为企业的创立者,而资本之独立的组织成长起来,于是资本主义发展的新阶段的帝国主义时期来到了。

1900 年,德国交易所发生恐慌,很快地引起产业恐慌。在这次恐慌中,最受影响的,是矿山业、机器制造业、电机及其他各种工业部门。

恐慌后的萧条景况,为期很短,不久就进入繁荣,而电气以及机器制造等工业部门,都很快地发展起来。但至 1907 年,恐慌再度发生。在美国有 60 万劳动者被解雇;在德国,恐慌最初发生于信用——金融方面,不久就波及最重要的各种产业部门。失业者人数,达到恐慌以前的二倍以上。这次恐慌,包括英、法、奥、意、瑞典等国。

大概从 1909 年末到 1910 年初,渐渐恢复了活泼景况,然而这种景况,必然要引起新的恐慌。1914 年到 1918 年的世界大战,撼动了资本主义体系的基础。

大战后,有过短期的繁荣,在 1920 年到 1921 年,又入于短期的恐慌。此后,又开始缓慢地进到繁荣,继续到 1929 年为止。从 1929 年起,爆发了极深刻的空前的经济恐慌,这次恐慌日趋深化,直到现在,还无法消解。

以上是由前世纪初到现在为止的资本主义周期恐慌的简单形象。

最后,我们还要注意的,就是从 19 世纪末及 20 世纪初以来,生产过剩的恐慌,获得了许多的特性,即获得了由帝国主义的诸特性而来的许多特性。关于这一层,我们留在后面,再详细说明。

二、恐慌的根本原因

(一)恐慌的可能性与必然性

然则资本主义恐慌的原因,究竟在什么地方呢?

恐慌的可能性,已经潜在于单纯商品流通与货币形态之中。我们已经知道,商品流通的前提,是商品交换要分裂为两种行为即购买与贩卖。这两种行为,是互相补充的。甲商品所有者,出卖商品于乙,以取得货币,然后再拿这货币去向丙买进自己所必要的商品——甲对于这个商品所关心的,不是它的价值,而是它的使用价值。在这种意义上,购买与贩卖这两个行为,表现着统一。然而只要商品与货币的相互交换即购买与贩卖被分割,两者的分离就有可能。我们知道,一切商品,都是个别劳动的产物。而货币却是抽象的、社会的劳动之直接的体化,所以,用货币可以获得其他任何商品。因此,我们可以说,出卖自己商品以取得货币的一切商品所有者,不一定要立刻再把所得的货币转化为新商品。

假若就直接的物物交换来看,购买与贩卖是不会分离的。即无论是谁,如果同时不是购买者,就不能只是贩卖者,反之亦然。

由此可见,恐慌的可能性,是由当作流通手段的货币机能中产生出来的。

其次再就当作支付手段的货币来看,这种分离的可能性,更加增大了。

我们知道,在延期支付的场合,货币才发挥它支付手段的机能。所以,在商品由贩卖者手中转移到购买者手中时,货币并没有出现为流通手段。当支付期限到来时,货币才移到贩卖者手中,可是,这时,商品并没有向购买者手中移转,因为这在以前已经移转过了。根据这种理由,在资本主义经济的条件之下,就结成了许多结合个个商品所有者的交易和契约。随着当作支付手段的货币机能的发展及信用关系的成长,而商品流通之分离的可能性,更加增大了。

所有这一切,就是说明恐慌的可能性已经潜伏于单纯商品经济的条件之中了。

在商品交换没有分裂为贩卖行为和购买行为的地方,在货币没有出现为支付手段的地方,是没有恐慌的。但是,另一方面,仅仅具有这些契机,还不能把恐慌的可能性转化为现实性,必须要具备资本主义经济的诸条件。

因为资本主义生产,是商品经济最发展的形态,所以商品——货币流通中的一切矛盾,在资本主义经济的条件之下,更加发展而深化。因而这些条件,能使恐慌的抽象可能性转化为实在的现实性。

然而这些条件是什么呢?

(二)生产的社会性与占有的私的形式

恐慌的根本原因,是生产的社会性与占有的私人形式之间的矛盾。这种矛盾的本质,在什么地方呢? 我们知道,单纯商品经济,是由各个小商品生产者构成的,这些小商品生产者,占有生产手段作为自己的私有财产,劳动的生产物,亦归个人所私有。他们的生产手段,是适合于小规模个人经济的手工业的生产手段。和这种个人生产相适应的,是占有的私有的形式,私有生产手段而使用自身的劳动以生产商品的生产者,对于商品有任意处理之权。照这样,占有的私人形式之基础,是各个商品生产者的个人劳动。占有的私的性质,和各个小商品生产者的个人生产相适应。

但是,在资本主义经济的条件之下却不然了。资本主义扬弃了以生产手段所有者自身的个人劳动作基础的小商品生产,收夺了小生产者,创造出大规模的社会化的生产。资本主义生产的基础,已经不是手工业的劳动手段,而是机械的技术。

资本主义发展的根本倾向,是生产的集积和集中,这种集积和集中,愈加引起生产的大规模化、生产手段向少数大资本财团的集中及中小所有者的破产。现在,劳动工具和生产手段,在它们的性质上,需要使用大量的劳动力。结果,生产过程采取了社会的性质,因而,生产物也就不是各个商品生产者个人劳动的结果,而成为多数生产者社会劳动的生产物了。

于是生产在本质上获得了社会生产的性质,但是占有仍然是私的形式。生产手段和生产物,不是属于劳动者,而是属于资本家。以前所有权的基础,是个人的劳动,现在生产者的劳动者,失掉对于生产手段的所有权,而归于完全不参加劳动的资本家了。资本主义经济的根本矛盾,就潜伏在这种生产的社会性与占有的私人形式的矛盾之中。这种根本的矛盾,在资本主义的经济恐慌中,即在生产的无限扩大的倾向与具有支付能力的需要相对缩减之间的矛盾中,最明显地表现出来。

实际上,生产的资本主义社会化的过程之基础,是资本家对于日益增大的大量劳动力的使用。生产的社会化愈发展,剩余价值量和剩余价值率就愈加增大。于是资本主义的社会化的生产,因追求最大限度的利润,而形成无限积蓄的倾向。

如我们所知,各个资本家之采用进步的技术以获得差额利润的事,只限于这种改良的技术尚未一般的普及的场合。差额利润的追求,是资本主义的生产扩大及生产力发展的最重要的刺激之一。而资本家之间的竞争,也相当刺激了这种无限的扩大生产的倾向。

我们知道,生产的社会化,是在日益成长的生产集积之下表现出来的,而生产的集积,必然引起资本主义企业内部的组织性的发展,实际上,资本主义企业内部的生产,是一种有组织的生产,这种生产,原则上,是全部劳动者要严格地服从资本家单一的意志。

用在生产上的劳动量愈多,而为了对于资本家不浪费一分钟一秒钟的时间,它的组织性的必要就愈大。因为即使是一秒钟的工夫,如果把全部劳动者合计起来,也可以生产不少的剩余价值。

然而在私的占有条件之下,日益增大的劳动的社会化,激烈地加强了生产的社会无政府状态。劳动的社会化过程愈强,个个企业的规模愈大,所使用的劳动者人数愈多,就愈能实行分业,使生产过程合理化,加强生产过程的组织性。然而同时也就愈益加深资本家间的斗争,更刺激生产的扩大,因而加强资本主义社会的斗争与无政府状态。

日渐成长的资本主义生产的社会化,在它的发展上,和占有的私的形式相冲突。它本身形成了增大使用价值量以完全满足社会需要的前提条件。

但是资本的积蓄,因提高资本的有机构成,而相对减少劳动力的需要,更在竞争过程中,促进中小资本家、手工业者、家内工业者及农民的破产,形成产业预备军,引起劳动者生活水准之相对的、绝对的低落和贫穷化。因此就发生了生产的无限扩大与具有支付能力的需要之相对低减的激烈矛盾,这种矛盾,必然引起生产过剩的经济恐慌。

要之恐慌的原因,是生产的社会性与占有的私人性之间的根本矛盾,这个矛盾,显现为无限扩大生产的资本的欲求与勤劳大众之具有支付能力的需要的低减之间的矛盾。

第二节　再生产与恐慌

一、再生产的循环与恐慌

(一)资本主义再生产的循环性与恐慌

以上关于恐慌的原因的说明,本质上接近于资本主义再生产的循环性问题。所以,在这里,更进一层地考察资本主义的循环,以说明它对于恐慌的作用。

我们已经知道,在资本主义的发展中,周期地多少有规则地经过活泼景况、繁荣、恐慌及萧条等阶段。

通常,产业的繁荣,是从固定资本的更新开始,即从新机器的采用、新企业的创立及铁道的敷设等开始。

各种企业设备的变更,或新企业的创立,首先对于机器、原料、补助资料以及与更新固定资本的各企业直接有关的诸部门的劳动力,唤起激烈的需要。生活生产手段诸部门的活跃,常常要普及于其他各种部门以及资本主义的整个市场。即商业活泼,商品的需要增加,资本的回转加速,物价腾贵,利润增大,制造业者很快地把自己的商品卖给商人,商人再很快地在市场把它们卖掉。

日渐发展的工业和商业,对于信用,唤起激烈的需要。通常,当产业界的景况开始活跃时,在市场上,有大量的休息资本存在着,这样的结果,放款利息必当落到较低的水准。在工商业狂热发展的情势之下,银行很愿意把信用给予各种企业,大胆地放款,发行大量的银行券。于是资本主义经济,就达到繁荣的盛况。这时,资本家由于用高价卖出商品及资本的回转加速,而获得极大利润。对于货币资本的需要增高的结果,利率也渐渐变高了。无论是谁,都不管市场的需要如何,都想拼命地利用市场活泼景况的机会,尽量生产商品,以致超过市场的收容量以上。这时,繁荣气象,便达到了顶点,而最初恐慌的征兆,就渐渐显现出来了。

以前随产业活跃而渐次腾高的放款利息,现在忽然提高了。这就是证明市场上已经感觉到资本的缺乏。凡有票据、信用证券的人,都开始去要求兑现。但是,银行无法大量的实行兑现,因而对于这些债务,就不能清算。于是信用市场的恐慌,便开始了。任何人都急于要把各种票据、信用证券、股票、公司债票等,兑换成完全价值的金属货币。

在信用恐慌之后,随着便是商业恐慌。信用的收缩,使商人不得不急于卖出自己的商品,所以他们必然要把商品大量的投入市场。结果,商品价格,急剧下落。各个商业资本家,都感觉到恐慌,都想很快地实现自己的商品,以企图避免破产,但是,这样一来,反而更加强了恐慌。

商人和产业资本家直接发生关系。当商品的贩卖能顺利进行,而价格较高时,产业资本家可以把商品用票据卖给商人。如果商品的供给超过市场的需要,那么,显然的票据已经不能代表一定的商品量,而适为空头票据了。这时候,产业资本家必然拒绝用票据出卖商品,而要求支付现金。于是商业公司便开始大量的破产。商业资本家的这种破产,同时又打击了产业资本家。因为产业资本家不能由商人手中取得票面金额,并且商人当然要减少对于工业制造品的需要。于是恐慌就波及于工业,进而蔓延到生产生产手段的诸部门。这样一来,大部分由信用开始的经济恐慌,很快地蔓延到各种部门,撼动了全资本主义经济的基础。银行、商业公司、工业企业等,相继破产,劳动大众,大量的失业。

在这激剧的破产的时期以后,而多少继续的沉滞状态到来了。这时,商品的需要减少,物价低落,失业者成群。

以后,工业和商业,再渐渐活跃起来。休息资本慢慢地形成,积蓄在银行里,以供需要者使用。一般的活跃景况,再进到繁荣,而这种繁荣必然又要引起新的恐慌。

活跃、繁荣、恐慌及萧条等各时期的进行和发展,并不是每次很精确的和上述情景完全一致。但是,这首先是可以适用于帝国主义时代的恐慌,尤其是现代的经济恐慌。关于这一层,后面再详加说明。

(二)固定资本的更新与恐慌

我们已经知道,资本主义这种循环运动的原因,潜在于资本主义的最深刻的矛盾之中,即潜在于生产的社会性与占有的私有性矛盾之中。而这种循环性的物质基础,就是固定资本之周期的更新。但是,在没有资本主义根本矛盾的地方,固定资本的周期更新本身,并不会引起恐慌。只有在资本主义的条件之下,即只有在生产的社会性与私的占有之矛盾的场合中,固定资本的周期更新,才成为循环运动的物质基础。我们知道,固定资本不是全部参加生产过程,而是部分地移转自己的价值于新生产物的价值之上。资本家为建设工场的房屋和购买机器所支出的资本部分,是渐次地一部分地回到自己的手中,所以他须要渐次积蓄相当的预备金,以便房屋或机器损坏时去更换它们。既然固定资本的损坏是缓慢的,而它的更新却是一时的,所以固定资本的更新,必然给予生产的繁荣以强烈的冲击。

固定资本之"道德的"损坏,比其物质的自然损坏,具有更大的意义。通常,固定资本之"道德的"损坏,在萧条时期特别加甚。因为在这种时候,特别需要增进劳动生产率和采用进步的新技术。

我们已经说过,萧条时期的最大特征,是商品价格的低落。在这种情势之下,能够维持得住的,只是有高度技术的企业。因此,资本家当然要改良技术,减低生产费,以便虽以低价卖出,而不致亏本。萧条时期的这种技术的进步,不外是含有现存企业装置的大量变更与新企业的创立的意义,所以它必然引起新的活跃和繁荣。但是,在这繁荣一旦开始以后,由于资本主义发展的特性的缘故,必然又要引起恐慌。

二、形成恐慌的其他因素

(一)平均利润率低落的法则与恐慌

我们已经知道,利润的追求,引起技术的进步及资本有机构成的成长,因而引起平均利润率低落的倾向。利润率的低落,使资本家不得不尽量积蓄,以增大自己的资本额,借利润量的增大,以抵补利润率的低落。所以,资本家就不得不竞相采用进步的技术,以便提高利润率,获得差额利润。然而各资本家间的竞争,势必使个别资本家所采用的新技术很快地普及,因而再引起平均利润率的低落。资本家所据以抵补利润率低落的积蓄,必然引起大生产的发展,因而引起资本构成的高度化及利润率的低落。这一切事实,使资本家不得不尽量加强榨取强度,采用新的进步技术,并极大的积蓄。

由此可见,在资本主义生产方式的条件之下,潜在着无限扩大生产的倾向。然而,在他方面,利润率的低落达到某种阶段时,剩余价值量的增大速度,就赶不上资本的增殖速度。但是因为积蓄是由于剩余价值的资本化而来的,因而上述的事实,必至减慢积蓄的速度。

照这样看来,利润率的低落,一方面形成无限扩大生产的巨大的刺激,同时他方面,又障碍了生产的扩大。这种障碍,由于现存资本价值的减少而被克服了。

资本价值的减少,在恐慌时,即在许多没有用途的资本出现于市场时显现出来。在这种时期,不但利润率减低,利润量也减少了;无论在价值形态上,或在物材形态上,资本的价值必然要极度地减少。这首先是利润骤减,因而各种有价证券的价值,就随之低落。一部分现金停止运动,不能发挥其资本的机能。包含若干部分资本的商品,只能以低价出卖,因而它所代表的那部分资本的价值就减少了。又采取生产手段形态的固定资本的诸要素,也要减少价值的。不但现在资本的价值要减少,就是物材形态的资本,也要发生部分的耗损。各企业中的若干部分都停止工作,器具和机械都不能活动,而任其自然地损坏了。

恐慌时期的资本价值的减少,形成利润率的提高及以后生产繁荣的前提条件。

首先不变资本价值的减少,可以引起利润率的腾高,因为在这种场合,和剩余价值相比的那部分资本变少了。不但如此,工资激减的结果,可变资本的价值也随之低落,引起了相对的及绝对的剩余价值的增大,因而引起利润率的腾高。

然而同时,资本家又全面地把自己商品的个别价值减低到社会的必要价值以下,以便在物价低落时维持商品贩卖的利益。这种事实,引起劳动生产性的新的增高及利润率新的低落。

总之,潜在于利润率低落法则之中的诸矛盾,由于恐慌,即由于资本价值的大量减少而得到一时的解决。但是,同时又形成了这些矛盾向前发展的新的前提,因而在某种阶段,再发生恐慌。

(二)商业、信用与恐慌

生产过剩的恐慌,在商品到达市场时才开始显露出来,以前是隐蔽着的。在产业的活跃和繁荣时期,生产手段的部分,以极快的速度扩大下去,不过这种扩大的结果,不会很快地在市场景气上就显现出来。因为这些部门中生产的扩大,是与固定资本的大量支出即对于工场房屋、大规模的机械装置等的大量支出结合着的,而固定资本诸要素的设置,需要相当长的时间。所以,当新生产的生产手段出现市场以前,对于它的需要常是感到不足,因而它的价格,仍然很高。所有这一切事实,刺激资本家不断地投资到生产生产手段的部门去。

当市场上由于放款利息的腾贵及物价低落而发生危险的警告时,大量过剩的商品,立刻就显露到表面上来,恐慌蔓延,传播于资本主义经济的全机构。

恐慌因商业和信用而加深。商业在它能引起对于商品的人为需要上,可以助长产业的活跃和繁荣。商品价格的腾贵、商品实现及资本回转的迅速，使商人获得极高的利润。

在这些条件之下，商人因预料到市场状况更进一步的好转，努力尽量收买商品，因此，他们就生出对于商品的人为需要。产业资本家就适合着这种需要，去更加扩大生产，加强生产的过剩。

信用所演的作用也是如此。因为信用是供给货币于创立新企业的资本家，而使新企业易于成立。并且实际上，在过剩生产已经开始时，信用更可以抹杀并掩饰过剩生产的事实。因为如果不借信用之助，许多企业，就早已不能扩大生产，因而过剩生产的事实，就可以很早地显露出来。然而只要银行仍然放款给企业家，商品的贩卖虽显停滞，而仍能继续去扩大生产。这样看来，实质上，过剩生产已经开始，而产业的活跃，只不过是人为地维持着而已。结果，延长了恐慌暴露的时机，因而恐慌就带有更加深刻和尖锐的性质。

习题十五

一、资本主义时代的恐慌和前资本主义时代的恐慌的差异何在？

二、恐慌的根本原因为何？

三、试说明资本主义再生产的循环性与恐慌周期性的关联。

四、平均利润率低落法则与恐慌有何关联？

五、商业和利润对于恐慌的作用如何？

第十一章 地 租

第一节 地租的一般概念及其形态

一、关于地租的一般考察

（一）地租的本质

我们知道,组织任何产业企业的资本家,不但必须支配机器、房屋、原料及劳动力,而且必须占有该企业所占据的一定面积的土地。所以,土地对于一切生产,是必需的条件。尤其在许多采取产业部门,例如在矿业和农业上,土地更是基本的劳动对象。在资本主义生产方法的发生以前,土地就已经成为地主的私有财产。地主常常利用这土地所有权,以地租的形式,去占有农奴的剩余生产物。我们在研究封建经济时已经说过了。

资本主义的农业中包含着三个阶级:第一,地主——自己不耕种土地,把它租给农业资本家;第二,资本家——向地主租借土地,雇佣农业劳动者来耕种;第三,劳动者——为资本家生产剩余价值。资本家自己占有这剩余价值的一部分,作为平均利润,而把另一部分,作为地租,交付于地主。

假如资本家需要土地,他就不能不向地主去租借,地主就以土地所有权为武器,向资本家征收一定的土地使用费,即所谓租金。租金是由以下二部分构成的。第一,是对于施肥、灌溉、排水及各种设施上所投下的资本的使用费;第二,是地主出让土地使用权于资本家所得的报酬。这后者就是我们所要考察的地租。

从事农业生产的一切资本家,首先要买进或租借一定面积的土地。出租土地的地主,当然对于资本家要求一定的地租。然而在怎样情形之下,资本家才能够向地主交纳地租呢? 很显然地,只有当他在租来的土地上所创设的农业企业,不但能保证他交纳地租,而且保证他能获得平均利润时,他才会向地主租地的。假若农业不能给以平均利润,资本家必定把自己的资本,从农业方面撤回,而投入能够保证平均利润的产业部门去。

由此可见,地租不过是平均利润率以上的超过额。

然则这种超过额是怎样产生的呢?

二、差额地租

(一)差额地租的第一形态(A)

在某种情形之下,资本家可以得到平均利润率以上的差额利润。这是因为该企业的技术比平均技术较高,因而它的生产费比平均生产费较低的缘故。

在这种场合,这个企业所生产的商品的个别生产价格与由平均生产费所决定的社会生产价格的差额,就形成了该企业的差额利润。这种差额利润,就是地租的源泉。

谁都知道,土地的性质,绝不是一样的。一方面有肥沃的土地、瘠薄的土地以及富有煤铁、石油金银等的土地,另一方面又有寸草不生的大沙漠。用在丰饶土地上的劳动,只要其他条件不变,比较用在沙地上的劳动,当然会得到更多的成果。

假定就3种肥沃程度不同的土地来看,各投入资本600元,可以产生下面3种不等量的小麦。

第一种土地…………110石

第二种土地…………100石

第三种土地…………90石

假定平均利润率是20%,那么,各种土地的每石小麦的个别生产价格是多少呢? 我们知道,生产价格是由生产费加平均利润决定的。各种土地的收获量、所支出的资本额及平均利润率,我们是知道的。那么,要决定各种土地上每石小麦的个别生产价格,就可以用各种土地所收获的小麦石数,来除小麦总量的生产价格。这样,就可以得到下表。

土地	生产额（石）	小麦总量的生产费（元）	平均利润	个别的总生产价格	每石的个别生产价格
第一种	110	600	120	720	720 比 110 即 6.55
第二种	100	600	120	720	720 比 100 即 7.20
第三种	90	600	120	720	720 比 90 即 8.00
总　计	300	1800	360	2160	

小麦每石的个别生产价格，在第一种土地是 6 元 5 角 5 分，在第二种土地是 7 元 2 角，在第三种土地是 8 元。

然则在这种场合，每石的社会生产价格，是怎样决定呢？我们知道，在工业上，社会的生产价格是由社会的平均生产费决定的。现在假定社会的生产价格，在农业上也和工业一样，是按着平均生产费来决定。那么，平均的生产价格，就等于用全部土地所生产的小麦的总石数除全部土地的个别生产价格的总额，即等于 2160÷300 即 7 元 2 角。这个平均的生产价格，和上例的第二种土地的个别生产价格相等。在这种情形之下，第一种土地的租地人，按着每石 7 元 2 角出卖自己的小麦，每石可以得到 6 角 5 分的差额利润；第三种土地的租地人，每石却要比自己的个别生产价格少得 8 角，因而他所得的利润，就在平均利润以下。

假若不是农业而是工业，社会的生产价格，实际上是由具有平均生产性的企业的生产条件来决定。在工业上，某企业因使用高度技术及提高劳动生产性的结果所生的差额利润，是一种暂时的现象。因为其他资本家为了追求利润，也要实行技术的改良，结果，必致排除该企业的优越地位，因而排除差额利润的基础。

然而在农业上，情形却大不相同。在农业上，土地是最主要的生产手段之一，但是，土地的数量是有限制的，不能随便增殖，而且仅仅这肥沃的土地，不能满足谷物的需要，所以农产物的生产价格，并不是由平均的生产条件来决定，而是由现在耕作中的最劣等土地上的生产条件来决定。

现在我们就得出下面的结论：在土地的有限性之下，农产物的生产价格，既不是按照平均的、也不是按照最优等的、而是按照最劣等的土地的生产条件来决定的。这就是说，最优等土地上的农产物的个别生产价格，比较社会的生产价格——按照最劣等土地的生产条件来决定的、在市场上出卖的价格——
要低廉得多。结果,最优等土地比起最劣等土地来,可以产出一种超过额,这
超过额等于最优等土地的个别生产价格与最劣等土地的最高生产价格间的全
部差额。

再回到上面的例子。第一种土地的每石小麦的个别生产价格是 6 元 5 角
5 分,第二种土地是 7 元 2 角,第三种土地是 8 元。在这种情形之下,社会的
生产价格,是等于最劣等土地的生产价格即 8 元,各种土地的小麦,在市场上
都是按照这个价格出卖的。

于是收获 110 石小麦的第一种租地人,出卖自己的小麦,可以得 880
元,第二种租地人,收得 800 元,第三种租地人,收得 720 元。收入总额的分
配如下:

土地	生产物的卖价(元)	细　目		
		支出资本的收回(元)	平均利润(元)	平均利润以上的超过额(元)
第一种	880	600	120	160
第二种	800	600	120	80
第三种	720	600	120	—

由上表看来,在土地的限制性与资本主义的土地占有之下,第一种土地比
第三种土地多得 160 元,第二种土地比第三种土地,多得 80 元。在这种情形
之下,很显然的,前两种土地的所有者,只有在他能得到由他的土地的肥沃程
度所产生的全部超过额的条件之下,才把土地租给别人的。同时,租地人因为
除掉这超过额以外,对于他所支出的资本还能够得到平均利润,所以他才肯支
付这超过的部分。照这样,在最好土地上所得到的生产物的个别生产价格与
按照最劣等土地的生产条件来决定的社会生产价格间的差额,就形成差额地
租。在上面的例子中,第一种及第二种土地,都产生差额地租(第一种多些,
第二种少些),而第三种土地,没有差额地租。

可是,假若对于农产物的需要增加起来,这三种土地不够供给,结果,比第
三种土地还要瘠薄的第四种土地,也被耕种起来,那么,第三种土地,也可以产

生差额地租。

(二)差额地租的第一形态(B)

以上所述,差额地租是由各个土地的肥沃程度的差别产生出来的。然而在差额地租的形成上,土地的位置也和它的肥沃程度一样发挥着相同的作用。在农业上,土地和市场的距离,含有极大的意义。

再就以上的3种土地的例子来看。假定第一种土地,离市场最近,因而这里所生产的小麦,每车运费是5角。第二种土地与市场的距离是五十里,一车小麦到市场去的运费是二元。第三种土地与市场的距离是100里,一车小麦到市场去的运费是4元。

假若前两种土地不能满足对于小麦的需要,以致唤起在第三种土地上生产小麦的必要,这时候,在市场上成立的价格,必定能够偿还从距离市场百里的第三种土地运到市场去的小麦的运费。照这样,第一种土地的每车小麦运费,比第三种土地贱3元5角;第二种土地的运费,比第三种土地贱二元。然而在市场上,不论它的产地怎样,都是一样按照第三种土地的小麦价格来贩卖的。结果,第一种土地产生了每车3元5角的差额地租,第二种土地产生了每车2元的差额地租。

在现代都市中,因位置而发生的差额地租,具有极大的作用。靠近都市中心的土地,以及大商店、银行、机关所集中的沿着电车线的街道的土地,对于它的所有主,常以因位置而发生的差额地租的形态,提供极大的收入。

(三)差额地租的第二形态

除了上述的差额地租的第一形态——因肥沃程度及位置而生的地租——以外,还有差额地租的第二形态。这是由在同一土地上支出追加资本时的劳动生产性的差额产生出来的。

然则对于同一土地实行数次投资时,怎样会形成差额地租呢?

在讨论差额地租的第一形态时,我们所举的例子,是3种肥沃程度不同的土地。在这些土地上,一共支出1800元资本,获得300石小麦。

现在假定我们不是从三种不同的土地获得300石小麦,而是从同一的土地,每次投入600元,因投资三次而获得300石小麦。其收获情形如下:

第一次——600元……………………110石

第二次——600 元·······················100 石

第三次——600 元·······················90 石

假设平均利润率是 20%，那么，每石小麦的个别生产价格，可以决定如下：

资本的支出	小麦的生产额（石）	小麦总量的生产费（元）	平均利润（元）	小麦总量的生产价格（元）	每石的生产价格
第一次	110	600	120	720	720 比 110 即 6.55
第二次	100	600	120	720	720 比 100 即 7.20
第三次	90	600	120	720	720 比 90 即 8.00

每石小麦的个别生产价格，在第一次投资时是 6 元 5 角 5 分，第二次是 7 元 2 角，第三次是 8 元。如上所述，农产物的价格，是由最劣等土地的生产费来决定的，在这里还是一样，它也是按照最不生产的投资的生产费来决定的。但是，这种支出在满足对于小麦的需要上，自然是必要的。在这种场合，第三次的投资是最不生产的。在市场上，小麦是按照每石八元来贩卖，结果，租地的资本家贩卖他第一次投资所得的小麦，可以得到 880 元，第二次的小麦得 800 元，第三次的小麦得 720 元。其收得金额的细目如下：

资本的支出	小麦贩卖后所得金额（元）	支出资本的收回	平均利润	租地
第一次	880	600	120	160
第二次	800	600	120	80
第三次	720	600	120	—

和最后一次的投资相比，第一次的投资产生了 160 元的地租，第二次的投资产生了 80 元的地租。在这种场合，最后一次的最不生产的投资，不能产生差额地租。

然则租地的资本家因在同一土地支出追加资本而得到的追加利润，怎样转化为差额地租呢？

租地的资本家所缴纳的地租，是在订立租借契约时决定的，在契约期满以前，因在同一土地支出追加资本而得的追加利润，必然为资本家所占有。但是，当缔结新契约时，地主因土地已经改良，势必增加地租，因而占有追加利润。于是这种追加利润,就转化为差额地租。

由此可见,土地的私有,在农业生产力的发展上,是绝大的障碍。因追加投资而来的土地改良既然只能促使地主去增加地租,所以这显然会阻碍了资本家改良农业的意志。

差额地租的第二形态,是在差额地租的第一形态的基础上发生的。实际上,在同一土地上的追加投资,是由于全耕地中最劣等土地的生产条件来决定。同一土地的追加投资,只在这种投资比最劣等土地的投资是较生产的时候,才能有利;否则,谁也不会做这种追加的投资,而宁愿投资于最劣等的土地了。

(四)土地收获递减法则与差额地租

在考察差额地租的第一形态时,我们假定耕种是从优良地向劣等地移动的。然而在现实上,也有采取相反顺序而移动的场合。这是因为许多优良地因某种原因——或者因有森林遮蔽,或者因距离市场太远——不能着手耕种的关系。但由于森林的采伐,及附近地方铁路的敷设,这种土地才被开始耕种,才能发挥它的肥沃作用,而占取优良地的地位,产生差额地租。

关于差额地租的第二形态,也和这一样。在上述的例子中,我们是假定顺次向同一土地投资时,其生产性是逐渐降低的。然而在现实上,顺次的投资不一定引起生产性的低落,甚至也有提高生产性的时候。可是这并不变更以上的命题,因为无论如何,在屡次的投资中,总有一次要引起生产性的低落的。因此,无论投资的顺序如何,即无论最初投下的也好,或最后投下的也好。农产物的价格都是按照最小生产性的投资来决定的。于是较生产的资本支出,必然产生第二种差额地租。

然而所谓"土地收获递减法则"的信奉者却以为:在同一土地上,若继续投下劳动及资本,到了一定期间以后,就要引起农产物收获量的减少。假若在同一土地上劳动及资本之逐次投下,不引起生产性的递减,那么,扩大耕地的事情,就完全没有必要,全地球上的农业只要一亩土地就够了。

这种论证,是极无内容的抽象,它完全忽视了技术的程度、生产力的状态等最主要的契机。本质上,我们知道,所谓"劳动及资本之追加的投下"这个概念,已经是要以生产方法的变革、技术的改良为前提的。因为要显著地增大对土地的投资额,就不能不发明新机器、新耕作制度、新家畜饲养法及新生产物运输法等。固然在一定不变的技术水准的基础上,在比较小的规模上,也可以追加的投下劳动和资本。即在这种场合,在某种程度上,可以适用"收获递减法则"。换句话说,就是在技术状态不变这件事实极狭隘的限制劳动及资本之追加投下的意义上,它是可以适用的。然而就是在这样情形之下,而追加投资的生产性,也不是无条件地递减下去的。

总之,第一,所谓收获递减法则,只在技术不变的场合是妥当的,而且只有一部分是妥当的。第二,在这种意义上,这个法则,不仅可适用于农业,并且也可适用于工业。因为在工业上,劳动及资本之追加的支出,同样也能够引起生产性的低落。不过这种情形出现得最多的,是在资本主义的初期发展阶段。第三,这个法则,在技术发达的场合,是完全不妥当的。

(五)差额地租的源泉

如上所述,根据资本主义的生产法则,优良地的耕作所得的剩余利润,等于它的个别生产价格与由最劣等土地生产条件所决定的社会生产价格间的差额。

生产价格(生产费加平均利润),不外是价值的变形。价值及剩余价值的唯一源泉,就是劳动。这当然也可以适用于农业。既然优良地上的农业劳动者的劳动,比最劣等地的劳动是更生产的,而且农产物的价值是依最劣等地上的劳动来决定,那么,优良地的劳动者,显然可以形成差额剩余价值。这个价值,就等于优良地的个别生产价值与由最劣等地的生产条件所决定的社会价值之间的差额。于是在这里,我们看到了个别企业中因劳动生产性增进的结果而产生的剩余价值的相对形态。

所以,差额地租的源泉,是因优良土地的劳动生产性比决定农产物价值的最劣等土地较高的结果所形成的超过剩余价值。

由此可见,土地的肥沃程度及位置,它本身并不是差额地租的原因,不过是它的形成条件。这好像生产物的使用价值虽是生产物成为商品(即获得价值)之必要条件,但绝不是价值的原因一样。形成价值的原因,实是劳动。

总之,差额地租的源泉,不应当在特定土地的自然性质中去探求,而应当在资本主义农业的生产方式中去探求,即在资本主义之下,"增进了的劳动生产力完全转化为剩余价值"及资本"把它所使用的劳动之自然的及社会的生产力当作自己的生产力而占有"的事实中去探求。

三、绝对地租

（一）绝对地租的概念

我们已经说过,资本家如果不付地租给地主,地主就不租给他的土地。反之,资本家如在支付地租以外,不能得到自己投资的平均利润,他也不会向地主租借土地。然而在某种特殊场合,也有地主无偿的把他的土地暂时借给资本家使用,甚至把土地送给他。又有时,资本家因某种理由不能得到利润。但是无论如何,这都是特殊情形,绝不是资本主义关系中特征的现象。按照通例,地主无论他的土地怎样恶劣,他宁愿荒芜不用,也不愿无偿地借给别人使用。反之,租地人也是这样,不会把自己应得的利润的一部分分给别人。

但是,在这里便出现了一个问题,即完全不能产生差额地租的最劣等土地（在我们上面的例子中,是第三种土地）,是否有租借及耕种的可能呢? 如果地主对于最劣等土地,要向租地人要求地租,而租地人因自己的利润落到平均利润以下而不肯支付地租,那么,这种土地除了任其荒芜以外,没有其他方法。然而如我们所见,完全不能产生差额地租的最劣等土地,实际上是被耕种的。这种最劣等土地,也能产生地租。不过这不是土地限制性的结果,而是土地私有的结果。

地主根据其土地私有权,不仅从优良土地,能得到地租,而且从最劣等土地,也能得到地租,这样的地租,叫做绝对地租。

（二）绝对地租的源泉

然则绝对地租的源泉是什么呢?

绝对地租的存在,为土地的私有所决定。它的源泉,也是剩余价值。那么,这种地租是怎样由剩余价值形成的呢? 这一点和农业上资本的低位构成有密切关系。

我们知道,剩余价值是由劳动者的劳动形成的,换句话说,只有可变资本能形成剩余价值。因此,在资本有机构成较低的地方,即在机器的使用较少而劳动力的使用较多的地方,个别的利润率就高。

然而因为资本家间竞争的缘故,资本就由利润率较低的部门向较高的部门移动,因而在各种部门中,就形成了平均利润。

农业上资本有机构成,比工业更低,农业的技术,比工业更劣,因此,农业上可变资本部分比工业上为多,结果,利润率的剩余价值对总资本的比率 $\left(\dfrac{m}{c+v}\right)$,在农业上就比在工业上较高。所以,农产物的价值,比它的生产价格为高,剩余价值比利润也较大。农业劳动者所形成的这种剩余价值的超过额,就是绝对地租的源泉。

那么,为什么这种差额在农业上能够残留着呢?为什么它不会进入"共同坩埚"中而依照投资额的比例以分配于资本主义经济的一切部门呢?这唯一的原因,就是土地私有的独占。在资本主义之下,因为一切土地都成为地主的私有财产,所以资本家不能把自己的资本自由地投入农业,而把所形成的差额利润"混同起来"。于是地主就借着自己的土地所有权,以绝对地租的形态去占有这种超过额。

结果,农业生产物,不是按照生产价格出卖,而是按照价值——这比生产价格高——出卖。农产物的价值与它的生产价格间的差额,就形成绝对地租。

绝对地租,从最劣等土地也可以得到,可是,却不能说只有对于最劣等土地才能得到绝对地租。从优良土地中,仍旧可以和差额地租一同得到绝对地租。优良地的地主得到差额地租的事情,绝不是因为租地人把他自己的生产物在最劣等土地的生产物价格以下出卖的理由而来的。很显然的,他是以最劣等地的生产物价格——即以市场价格、包含绝对地租的价格——来出卖他自己的生产物。由此可见,优良土地除了差额地租之外,同时还能产生绝对地租。

此外,还有一点要注意,就是在考察各种地租时,我们所说的,主要的是农业地租,然而这并不是说只有农业生产上所使用的土地才产生地租。

现实上,支付地租的,不仅是农业资本家,其他工业家、商人、银行等,只要为了组织自己的企业而需要若干土地,都要支付地租。

土地在它的内部,包藏着铁矿、煤、石油、金银等富源,这些矿物富源,在技术的某种发展阶段中,成为资本主义工业的存立和发展的基础。

随着电气技术的发达,所谓"白煤"问题,即为建设发电所而利用瀑布、河流等,愈加获得重大意义。

土地及其一切富源——无论埋藏于内部的或存在于表面上的——对于它的所有者,都能产生地租,而且它的额数,往往大量的超出农业地租之上。

(三)绝对地租与生产物的价格

我们已经说过,农产物价格,因土地的限制性的结果,它不是由平均生产费所决定,而是由最劣等地的生产费所决定。我们又知道,土地私有的结果,资本由工业向农业的移动,出现极大的困难。在这些条件之下,在农业上因资本低位构成所生出的剩余价值超过额,就不能被分配于各部门的资本家,而以绝对地租的形态,归入地主之手。结果,农产物不是按照生产价格出卖,而是按照价值出卖。

所以,农产物的价格,是由现在耕地中最劣等地的生产费加平均利润加绝对地租去决定的。

假若废除了土地的私有,把土地移归国家管理,那么,资本向农业自由移动的障碍就可以消灭,农业劳动者的剩余价值,就可以和其他经济部门的剩余价值一样,平均分配于全体资本家之间。照这样,农产物的价格,除掉按照最劣等土地的生产条件所决定的生产费以外,只要加上平均利润就行了,而绝对地租就可以消灭了。

由此可见,绝对地租,足以提高农产物的价格。

(四)绝对地租与独占地租

但是,我们要把独占地租和绝对地租区别出来。我们知道,绝对地租的源泉,是在农业上形成的、高出于平均利润以上的超过剩余价值。换句话说,绝对地租,就是生产价格与价值——它是由最劣等地的生产条件所决定——的差额。

然而我们还可以看到下面这种状态,即农产物的市场价格,不仅超过它的生产价格,而且超过它的市场价值。这种状态,是在因为某些条件而对于某种农产物形成独占的状态时才发生的。

例如生产特质葡萄的葡萄园,就能获得一种独占价格。葡萄栽培者,由这独占价格——高出于生产物价值以上的这种独占价格的超过额——是由于上流葡萄酒饮用家的财富与嗜好来决定的——中实现极大的剩余利润。这样,由一种独占价格而来的剩余利润,就转化为地租,而归入地主之手。在这里,独占价格就造出了地租。

总之,在农产物因独占的关系,不按照市场价值出卖,而按照高出于市场价值的价格出卖时,并且在这高出于市场价值以上的价格超过额,因土地私有的缘故而被地主占有时,我们就看到了独占地租。

(五)地租与土地价格

在资本主义社会,土地是买卖的对象,它也具有价格。那么,土地价格,是怎样被决定的呢?

我们知道,资本主义社会的各种商品的价格,是由于它的价值来决定的,而商品的价值,又是由于它的生产上所支出的劳动来决定的。但是土地却和其他商品完全不同。在它的生产上,并没有支出任何劳动,那么,它不是没有什么价值了么?

为了答复这个问题,我们可以看一看地主当出卖土地时,他是根据怎样的计算去提出土地的价格呢。地主对于土地所关心的,因为它是一种不要劳动而能获得地租的手段。所以出卖土地的时候,他最注意的是这土地所能提供给他的收入。

假定地主把他的土地租给别人,每年可以得到500元地租。那么,他当然希望在出卖这个土地以后,还能保持着原来的收入。这时候,他要用多少价钱才肯出卖他的土地呢? 他将按照这样的价格出卖,就是:把这全部价格存入银行,每年以利息的形态所得的总额,要和从前没有出卖这土地时以地租形态所能得到的相等。

假若银行对于存款,支付5厘的利息,即每100元支付5元的利息。那么,地主为了保证他自己每年500元的收入,必要以百元的百倍即1万元的价格,出卖自己的土地。

所以,土地价格,是资本化了的地租,即是转化为货币资本——生产利息的资本——的地租。它不是对于现实价值的支付——因为土地本身没有价值,而是对于享受将来收入的权利的支付。土地价格的水准,依存于两个条件:一个是土地对于地主所提供的地租的高低;另一个是银行存款的利率。地租愈高,利率愈低,土地价格就愈高;反之,地租愈低,利率愈高,土地价格就愈低。因为出卖的土地,对于地主所提供的地租愈高,地主所要的价格就愈高;反之,利率愈高,地主就能够以较少的金额,去保证他得到与当地主时以地租形态所得到的相同的收入。

第二节 地租的社会意义与土地国有

一、资本主义的发展与地租

(一)资本主义的发展与差额地租

我们已经知道地租的本质及其各种形态。根据以上的说明,可以得到这样的结论,就是:在资本主义条件之下,地租演着极大的作用,对于资本主义社会的各阶级的利害,有很大的影响。所以研究地租发展的倾向一事,实有特殊的意义。

首先我们要说明地租发展的倾向是怎样? 是向上移动呢? 还是向下移动呢? 资本主义的发展,必然引起对于农产物需要的增大。一方面,资本主义工业发展的结果,增大了对于原料品——棉花、亚麻等——的需要;他方面,产业劳动者及人口一般绝对增殖的结果,增大了对于消费资料——谷物、油类等——的需要。这种对于农产物需要的增大,在土地私有的条件之下,势必引起各种地租的腾贵。

首先由于肥沃程度而发生的差额地租所以腾贵,是因为农产物需要的增加及随之而来的价格的腾贵,使得以前不能耕种的肥沃程度最劣等的土地,也有耕种的可能了。其次因地位而发生的地租,更激烈地增大起来。我们在前面已经说过,在农产物的价值中,运费占有重大的成分。距离市场的远近,对于农产物的收益性,往往含有决定的意义。有许多地方,虽然农产物很丰富,但因为距离太远,以致不能加入世界市场去。然而因为资本主义的发展,引起对农产物需要之急速的增大及价格的腾贵,结果,即在极远的地方和国家,也都可以加入世界市场了。这是因为价格高了,就是从极远的地方把生产物运到贩卖市场来,也还是很合算的。固然事实上,交通的发展及运费的低廉,对于因位置而发生的差额地租增大的倾向,给以反作用,但不能完全消灭它。假若我们看一看都市及一般人口稠密的工商业中心地上因位置而来的差额地租飞涨的情形,就可想而知了。

随着第一种差额地租的增大,第二种差额地租,也激烈地暴涨起来。如我们所知,第二种差额地租,是由追加投资的生产性之差异而发生的,所以,它与农业技术的发达直接地结合着。在这里,一方面,对农产物需要的增大及价格的腾贵,及他方面,土地面积的限制性,使得对于已耕地的追加投资,愈加增大起来。

根据以上的说明,我们可以得到这样的结论:随着资本主义的发展,各种差额地租,都有腾贵的倾向。

(二)资本主义的发展与绝对地租

然而绝对地租是怎样呢? 我们知道,土地私有是发生绝对地租的原因;农业上资本有机构成比在工业上较低,结果剩余价值的超过额,就成为绝对地租的源泉。资本主义的发展,引起了农业技术的发达,因而引起了农业上资本有机构成的高度化。这一切,好像是说,随着资本主义的发展,绝对地租不得不低落。然而在这种场合,与其说是农业技术之绝对的发达,含有决定的意义,不如说是相对的发达,即和工业技术的发达相比的相对发达,含有决定的意义。换句话说,随着资本主义的发展,而农业和工业的资本构成的差异是否增减的这一问题,实含有决定的意义。只有在农业技术比工业技术急速发达的场合,绝对地租才能显出低落的倾向。现实上,我们所看到的,正是和这相反的情形,即随着资本主义的发展,工业技术及资本有机构成高度化的速度,远远地超过了农业技术的发达速度。

在资本构成的高度上,工业和农业不但不接近,反而相差愈远,这种事实,就是表示将来绝对地租必然要不断地增大起来。

总之,资本主义的成长,引起各种形态的绝对地租之必然的增大。结果,资本主义社会支付于地主阶级的贡物,愈加增大,而成为该社会的极重的负担。

二、地租的社会意义

我们上面的结论是:随着资本主义的发展,地租是愈加腾贵的。但是,地租的腾贵,对于资本主义社会中各阶级的地位有什么影响呢?

（一）地租对于资本家阶级与劳动者阶级的影响

首先说明向地主租借土地的资本家——租地人。资本家因为使用地主的土地，必须把剩余价值的一部分作为地租，支付于地主。所以，土地私有的结果，应分配于各种资本家集团间的剩余价值基金，因被地主以地租形态占有的缘故而减少了。又，资本家要想购买土地，就不得不在这土地的生产组织所必要的资本以上，投入更多的追加资本。显然地，资本家为购买土地所支出的资本愈多，而直接投入生产本身的资本就愈少。

不但如此，地主当出卖土地时，必然要算到将来地租的腾贵，结果，土地的贩卖价格愈加增大，因而离开生产以用去购买土地的资本部分也愈加增大。所以，我们可以得到这样的结论，即：地租的存在，减少应分配于资本家间的剩余价值基金，及直接充用于农业生产的资本基金。

但是，土地私有与地租对于资本主义经济所发生的作用，还不止于此。土地私有，是农业生产力发展的最大的障碍。我们知道，促使工业技术进步的主要刺激，是资本家企图获得差额利润的欲求。在农业上，这种刺激的作用，被限制在极小的范围，有时会完全没有作用。实际上，资本家从地主租借土地，是有一定的期间，过了期间，土地就归还原来的地主。假若在这契约期间内，差额剩余价值增大了，这超过额，自然要归租地人所有。但是，一过了这租借期间，这增大的成果，就变为地主的利益，因为以后地主再出租这块土地时，必然要提高地租。所以，租地人对于土地的投资和技术的改良，总是要它很快地显出效果来，即是要它在租地契约期满以前显出效果来。因此，有许多在其他条件之下可以使用的新技术，在农业上却不被采用了。

以上我们只是说明了土地私有对于资本家的损害，但是，它对劳动者的损害，还要加重。我们已经知道，绝对地租是农产物的价值对于生产价格的超过额。土地私有及绝对地租的存在，必要引起农产物价格的腾贵，因而引起劳动力价值的增大。然而在资本主义条件之下，劳动力价值的增大，决不会引起工资同样的腾贵。于是地租的极大部分，都是由劳动者工资中扣除出来的。

（二）土地国有与地租

土地私有的存在，和各种阶级的利害，都有相当的抵触，并阻碍了资本主义社会生产力的发展。所以，甚至在资本家中，也有反对土地私有的，他们用种种形式,高唱土地国有。

那么,在资本主义之下,土地国有,怎样反映在各种形态的地租之上呢?如我们所知,差额地租存在的前提,第一是资本主义诸关系的存在及各种土地对于个人经济的隶属;第二是土地的限制性及因各个土地的肥沃程度和位置而生的劳动生产性的差异。谁都知道,土地国有,并不能消灭土地的限制性及自然的差异。这种限制性和差异,就是土地国有之后,仍然保持着它的意义。又,土地国有,也不能扬弃农业上的资本主义诸关系。反之,如果想到土地私有阻碍农业生产力的发展的事实,就可以明白土地私有的废止,不过是使资本主义的发展从桎梏中解放出来而已。既然土地的量有限,而不得不耕种最劣等的土地,那么,就是在土地国有之下,农产物的价格,仍然要由最劣等地的生产条件来决定,而优良土地,仍然可以在平均利润以上,产生若干超过额。所以在资本主义条件之下,土地国有,并不能消灭差额地租,不过是把这地租移到国家之手,即国家将和以前的地主一样,把土地租给资本家和农民,而收取差额地租。

至于绝对地租的情形,就不同了。产生绝对地租的要因,是土地私有,它的源泉是由于农业上资本的低位构成而形成的差额剩余价值。土地私有,因为阻止了资本之自由向农业移动,所以,地主才能够以绝对地租形态取得这种差额。土地国有,可以除去这种资本自由移动的障碍,因而可以消灭绝对地租。

所以,土地私有的废除,可以更加助长农业上资本主义之自由的发展,而租地人——资本家可以省去一部分地租,即以前以绝对地租形态支付于地主的一部分。又,土地私有废除的结果,可以使购买土地所支出的资本部分转用于生产的消费,以减低农产物的价格,并且劳动者工资的一部分,也不致进入地主钱袋里去了。因而可以消灭地主对于农民的前资本主义的榨取形态。

三、地租与小农经济

以上我们说明了资本主义农业上发生的地租。现在来看一看地租问题是否能适用于小规模农业的单纯商品经济。

(一)差额地租与小农经济

首先从差额地租开始。如我们所知,差额地租,是因土地肥沃程度及位置而发生的剩余价值的超过额。

关于资本主义差额地租所说的一切,可以完全适用于富农经济。至于中农集团的情形,就比较复杂了。在资本主义条件之下,中农在遇到很好的景况时,虽然能够实现因优良地的较大劳动生产性而产生的超过额;但是,在中农经济上,却没有资本主义的关系,所以在这里所说的,不是资本主义的意义的差额地租,而是超过利得。然而因为这种利得的实现,与生产手段的私有结合着,并且是在资本主义关系的支配下进行的,所以在这种利得上,也画上了资本主义的刻印。

农民所得的性质,本质上虽和资本主义的不同,但是,在资本主义生产方法的支配之下,农民不得不把自己生产物的价格,涂上资本主义的色彩。即是农民把生产物的价格,分割为三部分:第一是对于当作直接生产者看的自己所得的工资,第二是对于当作生产手段所有者看的自己所得的利润,第三是对于当作地主看的自己所得的地租。

把纯资本主义经济的范畴,适用于小农经济,这在某种程度上。是正确的。因为:第一,独立农民之所以能够占有自己的劳动生产物,就因为他是生产手段的所有者,而这些生产手段,在资本主义条件之下,采取了资本的形态。第二,农民只要把自己的生产物当作商品来生产,他就要依存于商品的价格,而在资本主义之下,商品价格,不仅依存于它自己的价值,而且依存于一般利润率,所以,当农民在市场上实现自己的劳动生产物时,虽然他不是以资本主义的方法来生产它,但是他要受资本主义法则的一般作用之支配。第三,在资本主义的生产方法之下,农民之所以能够占有优良地的价值超过额,与其说是用自己劳动来耕种的结果,还不如说是因为他是个地主。

可是,中农的性质是二重的。即一方面,他们是土地及生产手段的所有者,在这一点上,可以说是和资本家相似;但是另一方面,在资本主义之下,他们是受到银行家、商人、富农等阶层残酷的榨取。结果,农民只是例外地能够占有优良地的差额利润,而一般说来,各种形态的差额利润,都归各种资本家所占有。

(二)绝对地租与小农经济

现在看一看绝对地租,是否能适用于小农经济。

我们知道,绝对地租是在资本主义农业上,因资本之低度构成而生出的剩余价值的一部分,这一部分因为土地私有的缘故,而为地主所独占。

过小的地主,并不希望获得利润或绝对地租,只在满足自己及家族的必要。而且这种必要的程度,往往低到生理的最低限度。

"一方面,把小农当作小资本家看时,土地榨取的界限,并不是资本的平均利润;他方面,把他当作地主看时,他的榨取的界限,并不是一种地租的必要。在小资本家的他看来,表现为绝对界限的东西,不外是除了严格意义上的诸费用以外而支付于他自己的工资。只要从生产物的价格中得到相当于这个工资的部分,他就来耕种这块土地。而且往往可以看到,就是这种工资低落到肉体上所必要的最低限度时,他还是要耕种的。"

所以,绝对地租的范畴,不适用于过小地主——小农经济。

第三节　农业上资本主义的发展

一、都市与农村的对立

(一)土地私有与农业的落后性

根据上面的分析,我们知道,土地私有的存在,发生了如下的结果。第一,地主以地租形态,对于农业生产要求特殊的租税。第二,因为购买土地时要投下大量资金,因而就使这项金额脱离了生产的消费。第三,土地私有消灭了租地人在租用地上发达技术的刺激,因而直接阻碍了生产力的发展。第四,土地私有阻碍耕地的扩大(即超出一个地主的所有地以外),因而妨害了生产的集积。第五,土地私有助长农民之半农奴的榨取状态的保存。最后,在资本主义条件之下,机器的使用,只限于它比较它所能代用的劳动量更为便宜的场合。然而农业的特长,就在于能利用极低廉的劳动力,这件事使得农业上机器的使用,越发变得困难了。

所有这一切,就使得资本主义农业的生产力,发展得非常迟缓,而农业上小生产比资本主义工业的小生产,更能保持着长久的寿命。总之,资本主义生产方式下的农业的发展,比资本主义工业的发展慢得多。于是在工业和农业、都市和农村之间,存在着深刻的对立,而且这种对立,随着资本主义的发展,愈加尖锐化了。

(二)都市与农村的对立的影响

都市与农村的对立,在前资本主义生产方法中,已经有它的萌芽了,但是,到了资本主义时代,这种对立,才达到它完全的发展。

在资本主义的工业上,技术是飞跃般地发展着;反之,在农业上,技术却仍然停留在比较低级的水准。

都市和农村的对立,必然引起农村文化的落后,引起所谓"农村生活的愚钝"。"在都市中,我们看到人口、生产手段、资本、欢乐、必要集中等事实;反之,在农村中,我们看到隔离、孤立等正相反对的事实。"

在资本主义之下,都市和农村对立的深化,对于劳动者阶级,给以强烈的打击。它破坏了都市劳动者的肉体健康,以及农村劳动者的智的生活。

这种对立表现得最尖锐的,是资本主义最后阶段的帝国主义时期。这时候,生产社会化与资本主义占有间的矛盾之深化,就表现于都市与农村的对立的尖锐化之中。

二、农业上生产的集积

(一)农业上大规模生产的优越性

如上所述,虽然农业上技术落后,小规模生产比较在工业方面的要坚固,但是,这并不能说,一般的在农业方面,资本家的大规模生产不能征服小规模生产。而实际上,在农业方面,大生产比小经营具有许多的优越性。

例如农业上的大生产,比小生产可以节省许多生产费。

假定有10个小经营与1个大经营,两者的耕地面积及投资额都相等,试比较它们的生产费来看一看。先就耕地面积开始。大经营比起10个小经营,可以节省因划分土地所需要的地界的面积。地界的区划,不但损失耕地,而且损失种子。大经营在经济的建筑物上,也可以实行很大的节省。在10个小经营里,住宅、仓房、马房等,都不得不分筑为10个。但在1个大经营里,只要1个住宅、1个仓房,1个马房就够了。建筑1个大住宅、大仓房、大马房,比建筑10个具有同样收容量的,要便宜得多。此外,在使用这些房屋时,还可以得到很大的节省。谁都知道,一个大建筑为取暖和照亮所必要的薪炭、煤油等,比

10 个小建筑所必要的要节省得多。关于农具和牧畜,也是一样。如锄、耙、车、打谷器、牛马等,在 1 个大经营,也要比 10 个小经营少用得多。因为在大经营里,同样的生产手段,比较能够完全利用。

大农场最大的优越性,是能使用进步的机器。这在小生产里,几乎是不可能的。因为第一,购买机器需要大量的资金,这项金额普通小农民是没有的;第二,只有能够完全地去使用机器时,最有力的机器才能生利,然而这一点,在小生产里,也是不可能的。因此可见,只有大农场能够完全享受最新式农业技术的利益。同时,大生产还可以极合理地使用劳动力。大农场的劳动者人数,比小农场的比较多,因而在他们之间可以实行分工。

大生产又可以使用农业技师、农业家等的最熟练的劳动力,这在小生产是完全不可能的。必须得到有教养的农业家的指导,才能够很完美地以最新科学和技术为基础,实施合理的经营方法。

最后,在商业及信用方面,大农生产也有极大的优越性。小农只能贩卖少量的商品。小量商品的出卖,比大规模交易需要更多的费用。在讨论商业资本时,我们已经说到因商业资本的集积而生出的优越性。在农业上有特别重要意义的事情,是运费在农产物价值上占有极大的比重。如果运费一般地占据农业生产费的大部分,那么,很显然的,这部分在小农生产上要比大农生产高得多。不但如此,小量交易,需要许多的经纪人,这些经纪人,乘着小农经济的弱点,强夺他们剩余劳动的大部分,甚至占有他们"工资"的一部分。

还有大农场比较小农场能够更迅速地,并且在有利的条件之下,受到信用。大农场能够利用银行的作用,而日暮途穷的小农,往往追随于高利贷之后,变成他们的奴隶。

根据上面的分析,我们可以得到这样的结论,就是:在资本主义条件之下,富农及农业资本家,占有非常有利的地位,而小农大众,是日趋于零落了。

(二)土地分配与农民的地位

由技术进步所得的一切利益,既为大地主或农业资本家所享受,又大多数的小农,渐渐破产而变成无产阶级,于是土地的大部分,都集中在少数大地主和资本家之手了。

在德国,根据 1925 年的调查,在全体农场中,两公顷左右的农场占 60%,

而所有土地只占全体土地中的 6.5%。在全体农场中只占 11.5% 的十公顷以上的农场,所有土地却占全体土地的 67%。这就是说,一小部分的大农场,却占有整个土地的 $\frac{2}{3}$,而占绝对多数的小农,却只有全部土地的 $\frac{1}{16}$。

在法国,1908 年时,一公顷以下的农场,占全体农场的 38%,所有土地,只占全体土地的 2.5%。这就是说 $\frac{2}{5}$ 的农民,只占有 $\frac{1}{40}$ 的土地。但在农场总数中只占 16% 的 10 公顷以上的农场,却占有全体土地的 74.5%,差不多等于全体土地的 $\frac{3}{4}$ 了。

在波兰,1921 年时,两公顷以下的农场,占所有农场的 34%,而所有土地,只占 3.5%。那些 100 公顷以上的农场,只占农场总数的 0.5%,而占有土地,却差不多等于土地总数的一半(44%)。

在匈牙利,全国所有土地的一半,是为占农场总数 99% 的中小农所有,而另一半则为仅占农场总数 1% 的大地主所有。换句话说,1 万个地主所有的土地,差不多等于 100 万个小农所有的土地。

这样的土地分配情形,当然使得农民们永远奴隶化与贫穷化。劳苦农民,不得不在最奴化的条件之下,向地主租借土地,而将他生产物的最大部分,作为地租,缴给地主。

在美国,根据 1930 年的调查统计,在从 1920 年到 1930 年的 10 年中,耕地的总价值,从 550 万万金元跌到 350 万万金元。土地与农场建筑物的平均价值,从 1 万元跌到 7500 元。农场数目,从 640 万减到 630 万。佃农数目,从 2455000 增至 2664000。自耕的土地面积,从 6 万万 3700 万英亩减到 6 万万 1800 万英亩;而同时,租地面积,却从 2 万万 2500 万英亩增加到 3 万万零 600 万英亩。这些数字,证明了美国广大农民的贫穷,农民自有土地的减少,租地的增多,以及个别的小农经济的崩溃。

习题十六

一、地租的本质如何?

二、假定第一种土地,对于 100 元投资,产生 10 石谷物,第二种土地,对于 200 元,产生 30 石谷物,第三种土地,对于 150 元,产生 20 石谷物。那么,产生差额地租的是哪种土地呢?假定工业上的平均利润率是百分之十,那么,差额利润是多少呢?

三、为什么向同一土地追加投资的生产性的差异会产生差额地租?

四、差额地租的源泉为何?

五、什么是绝对地租? 它的源泉是什么?

六、试说明绝对地租与生产物价格的关系。

七、绝对地租与独占地租有什么区别?

八、假定农业上的不变资本是 20 万万元,可变资本是 30 万万元,榨取率是 50%,而工业上的平均利润率是 10%,那么,绝对地租额是多少?

九、土地价格是怎样决定的?

十、假定土地 A 能产生 250 元差额地租,50 元绝对地租,利率 5 厘,试问这土地价格是若干? 假定差额地租不变,绝对地租增加为 70 元,利率减低到 3 厘,那么它的价格是多少?

十一、各种地租的发展倾向如何? 它对于各阶级的地位有什么影响?

十二、差额地租与绝对地租之间有什么差异? 土地国有在它们之中有什么不同的反映?

十三、差额地租与绝对地租的范畴,可以适用于小农经济吗?

十四、土地私有对于农业有什么影响?

十五、在农业上,大经营比小经营有什么利益?

十六、在资本主义之下,土地的分配情形是怎样?

第十二章　帝国主义

第一节　帝国主义的基本特征

一、生产力的发展与资本主义的新阶段

（一）帝国主义是资本主义的最高阶段

在社会生产力的某个发展阶段上发生的资本主义生产方法,破坏了阻碍生产力向前发展的封建生产关系,而形成了新生产力成长的诸条件。

在 19 世纪中叶以前,"布尔乔亚仅仅在百年的支配中,就创出了比过去一切时代都多量都巨大的生产力。自然力的征服,机器的采用,工业农业上化学的应用,轮船、铁道、电报的发达,全世界各地的开垦,河流的通航,以及人口的增殖等,过去哪一个时代中,生产力曾有过这样的发展呢?"

从 19 世纪中叶以后,资本主义社会的生产力更向前发展了。以前使用比较原始的蒸汽机关,后来改用新式改良的蒸汽机关,铁道航运都发展起来,汽车运输及空中运输无线电报等都普及起来。农业工业上化学的应用,亦异常发达,在农业上也采用了新式复杂的机器。

资本主义社会生产力的这种发展,绝不是由于资本家为了增大社会对于自然的权力及减轻人类劳动的那种欲望所唤起的。资本家扩大生产及采用进步技术的目的,是为了增大利润及加强自己在竞争场中的地位。

在这种情形之下,生产力的发展,是在资本主义所固有的最深刻的内在矛盾的基础之上自然成长起来的。

资本主义生产的发展,必然引起其根本矛盾——生产的社会性与占有的私的形式之间的矛盾——的成长与深化。同时这种根本矛盾的成长,又必然表现为资本主义生产的无政府状态与各企业内生产的组织化之间的矛盾。资

本主义的根本矛盾,在周期的恐慌中,更明了的发现出来。如我们所见,每次的恐慌,都准备了更深刻的恐慌的条件。于是以前成为资本主义生产力之发展形式的资本主义生产关系,现在变成生产力的桎梏了。这时,资本主义走到了它发展的最高的最后的阶段。

由 19 世纪末叶到 20 世纪,资本主义走进了它的最后的发展阶段。我们知道,这个阶段以前的资本主义发展的时代,即资本主义生产关系在社会的发展上尽着进步作用的时代,叫做产业资本主义时代,这是资本主义比较圆滑的"和平"发展的时代,这个时代,在资本主义经济上,自由竞争占着支配的地位。

资本主义发展的新的最高阶段,是"激烈的、飞跃的、斗争的"时代。在这个阶段上,资本主义带来了许多新的特征。这个阶段的最特征的形相,是独占获得了支配的地位。这个新阶段,就叫做帝国主义或独占资本主义。

(二)帝国主义的五大特征

资本主义发展的新阶段——帝国主义时代,是"资本主义一般根本性质的发展和直接的继续"。在资本主义发展的一般倾向的基础上,这个新阶段带着若干的特性而成长起来,随着生产的集积和集中的发展,资本主义的许多根本性质,就转化为它的对立物,并且"由资本主义到高度的社会经济构造的过渡时代的特征,已经在各方面都酝酿成熟了。在这个过程中,经济上最根本的东西,是资本主义的独占代替了资本主义的自由竞争"。

独占的支配,决定了资本主义国家的全部经济和政治生活,它是帝国主义时代的一个根本特征。

实际上,资本的集积和集中及诸独占的出现,必然要引起银行的集积和集中及其与产业资本的融合,更引起资本家们的资本输出及对于世界市场的再分割。

根据上面的说明,我们可以举出帝国主义的五大特征,以作为帝国主义的定义。

"第一是生产和资本的集中,已经达到极高的发展阶段,而形成了独占,这种独占,在经济生活中尽着决定的作用。第二是银行资本与产业资本的融合,并在这'金融资本'的基础上,形成了金融寡头政治。第三是资本的输出——与商品的输出不同——获得了特别重要的意义。第四是形成了分割世界的资本家的国际独占同盟。第五是最强大的资本主义国家,对于世界领土的分割已经完竣。所以,帝国主义,是发展到最高阶段的资本主义,在这个阶段上,形成了独占及金融资本的支配,资本的输出获得重大的意义,国际托拉斯开始瓜分世界,最强大的资本主义国家分完了地球上所有的土地。"

简单说一句话,帝国主义就是资本主义的独占阶段。这个定义,已经包含了最主要的现象,一方面,金融资本就是少数独占式的银行的银行资本与产业家独占同盟的资本的融合;另一方面,世界的分割,已从无阻碍的扩大未被资本主义列强占领的地域的旧殖民地政策,转变为独占式的分割领土的殖民地政策了。

总之,帝国主义的根本特征,便是独占的支配。所以我们对于帝国主义的研究,应从独占开始。

二、生产集中与独占

(一)生产集中的一般

我们已经说过,资本主义发展的新的最高阶段,是在资本主义生产方法一般所特有的根本倾向之发展的基础上,生长起来的。

资本主义发展的最根本的特性,是大生产的成长及大规模企业上的生产集中。

如我们所知,在剩余价值的资本化之下,发生资本的集积过程。这种过程,引起各个企业的不均衡的发展,引起大企业和大资本之急速的生长及其对于小企业和小资本斗争的胜利。大企业与小企业的斗争,大企业在这斗争中的胜利,大企业对于小企业的吞并,以及小企业的破产等,就引起资本的集中和扩大。由于集中所形成的巨大资本,显著地超过了最大的个别资本的数额。

在这种过程中尽重大作用的,是资本主义信用、尤其是股份企业的形成和发展,这些企业,在资本主义的最后发展阶段上,普遍地发达起来。

资本的集积和集中,随着资本主义的发展而成长,在它的最后阶段上,达到极庞大的规模。

首先看一看德国生产集中的情形。在德国,世界大战以前,在总数 325 万企业中,有30500个是使用劳动者50人以上的大企业(即不足企业总数的百分之一)。这时,在德国劳动者总数1440万人之中,被这些大企业所雇用的,是670万人(39.4%)。就动力机来讲,在总量880万马力(蒸汽)中,属于大企业的为660万马力,即占75%,至于电动机,则总量的77%,都集中于大企业。

因此,我们就可以得到下面的结论:"不到1%的企业,占有$\frac{3}{4}$以上的蒸汽力和电力。而占企业总数91%的297万个小企业,却只有7%的汽力与电力。几万个最大的企业,拥有一切,而几百万小企业,则一无所有。"

在美国,生产的集积,更来得厉害。关于这一点,由下面的表中,便可以得到一个明确的概念。

	工人数目在5名以下者	工人数目5—10名者	工人数目50—1000名者	工人数目在1000名以上者
(甲)在企业总数中所占的比例				
1909年	40.3	46.1	13.3	0.3
1914年	42.7	43.4	13.5	0.4
1929年	48.9	37.2	13.4	0.5
(乙)在工人总数中所占的比例				
1909年	2.6	21.7	60.1	14.6
1914年	2.7	19.5	59.6	18.2
1929年	3.2	16.0	56.4	24.4

一年内生产品价值在百万元以上的大企业,对全体企业的比例如下:

年　份	1904	1909	1914	1923	1929
占企业总数的比例……	0.9	1.1	1.4	5.3	5.6
占工人总数的比例……	25.6	30.5	35.7	56.8	58.0
占生产总额的比例……	38.0	43.8	48.8	66.3	69.3

在其他各国,生产也一天一天集中起来。譬如在法国工业中,劳动者在50名以上的大企业,在1906年,占全体企业0.38%,到1926年,增到0.91%;同期,就雇用的劳动者人数来讲,这些企业所占的比例,从30.6%增加到

44.8%。劳动者人数在千名以上的大企业,它们所雇用的劳动者,在 1906 年约为 50 万,至 1926 年,就增到 90 万了(亚尔萨斯、洛林除外)。

在德国,工业生产机构的一半,都集中在占企业总数 $\dfrac{4}{10000}$ 的大企业手中。据德国产业调查的统计,1925 年,劳动者在 5000 人以上的企业,有 66 家,占有全体产业 15% 的动力机。

在日本的工业中,劳动者数目在千名以上的大企业,在 1914 年,共计 85 家,到 1926 年,已有 248 家。它们雇用的劳动者,在 1914 年为 161000 人,到 1926 年,达到 512000 人。

(二)独占的形成

大生产之惊人的发展,及其在资本主义经济中的比重之增大,表现出大量资本向少数资本家集团的集中。在资本主义的最后发展阶段,资本的集积和集中,达到极大的规模,"几百个大资本家,支配着全世界的运命"。

为了加强自己的势力以压伏敌人的大资本家间的斗争,形成了特殊的独占的结合。当每一部门的生产,分散在成千成万的独立的中小企业的时候,实行独占,是很困难的。但是,随着生产的集中,情形就根本不同了。"因为几十个大企业,它们相互之间,容易调和,并且正因为企业的规模宏大,便引起了竞争的困难和独占的倾向。"

企业的股份形式,更促进了大资本的向前发展。股份公司造成了组织独占结合的基础。

独占组织,首先发生于主要而占领导地位的工业部门——重工业部门。在这些部门中,大生产发展得甚快,因而生产的集中也很为迅速。现在无论在哪一国里,石油、煤炭、铁矿等开采事业,以及钢铁的熔炼事业,都是集中在几十个最大的企业手中。独占组织,侵占了重工业以后,就普及于轻工业各部门,把这些部门都一个一个征服,放在自己势力的支配之下。

下面的数字,表示出在现代资本主义社会,独占的结合是如何普及了。在美国,1904 年,国内全部企业的 24%,属于资本家的独占结合,这些企业所雇用的劳动者,是全部工业的 76%、生产量占工业总生产的 74%。至 1914 年,总企业的 28%,都属于资本家的独占结合,而占国内全部工业生产的 83%。至 1919 年,这些独占组织,占总企业的 31%,其生产额占总生产的 88%。至

1929 年,生产的 70%,都集中于三个独占结合(托拉斯)的手中了。

在德国,在世界大战以前,有 500 以上的独占结合,其中最大的,是莱因煤业辛狄加及钢铁联合会。1909 年,莱因煤业辛狄加,在德尔特明,产煤 8500 万吨,而该辛狄加之外的其他各企业,仅生产 420 万吨(即占前者的 4.9%)。至 1913 年 1 月,该辛狄加的产量,占全国产额的 54%,同时,钢铁联合会的产额,达国内生产的 43%—44%,糖业辛狄加,更达到较大的数字,即占国内贩卖的 70%,占国外贩卖的 80%,电业托拉斯,则占总电力的 40%。战后的德国,独占结合的成长,更向前发展了。1924 年,在工业方面,约有 2500 个独占结合,至 1927 年,约有 4000 个独占结合。尤其在重工业方面,庞大的部分,都集中在少数巨大结合的手中。化学工业托拉斯,在 1926 年,占全化学工业生产的 80%。至 1927 年末,掌握了矿山业的 90% 以上,铁道的 85%,及电气工业的 84%—85%。

在其他资本主义国家里,都有同样的情形。无论在英国和日本也好,或者在法国和意大利也好,甚至在比利时和瑞典等狭小的国家也好,经济的命脉,都操在少数的巨大企业手中。这些巨大的独占企业,是由两三个托拉斯来支配的。

(三)独占的方式

独占的最简单的方式,是加特尔。加特尔是同类企业之一时的协定,其目的在于规定贩卖地点及出卖商品的最低价格,以免除同业间的竞争。此外,关于信用的享受及购买原料的条件等,也可以成立协定,并且可以规定工资的最高额,以便与劳动者相斗争。

从加特尔组织形态的本身来说,它并不能保证加入加特尔的一切资本家去恪守协定的规约。因为加入加特尔的诸企业,各自保持着商业上的独立性,这正是加特尔的最危险的弱点。所以,它在市场不景气的时候,即在物价和股票市价变动不定的时候,很容易瓦解。因为在这种时候,常发生许多诱惑,足以使参加者去破坏协定。

独占的高级形态,是辛狄加。加入辛狄加的资本家,失去商业上的独立性,仅仅在商品的生产方面保持着独立性。商品的贩卖(有时原料的购买),由加入辛狄加的全体资本家共同办理,各个资本家,都要把他们的全部生产物,交给辛狄加去贩卖。独占的贩卖者加入生产物的这种组织,通常是按照股份公司的原则组成的。

辛狄加比较加特尔能够限制加入的各资本家的单独行动。然而市场景气的变动,也同样可以撼动辛狄加的基础。

辛狄加比较加特尔能够更多的保证加入的资本家们的独占地位,但是,同时却不能消灭他们相互间的竞争。因为各个企业,都想努力增大自己在贩卖商品总量中的比例。这种欲求,当辛狄加在市场上获得有利于自己商品的贩卖价格时,特别加强。在这种情形之下,加入辛狄加的各个资本家,都想尽量地把更多的商品投入市场,以获得最多的利润。然而辛狄加本身,却不愿意使多量的商品投进市场,因为这足以减低商品的价格。这种内在的矛盾,慢慢地就引起辛狄加的崩坏。

资本家结合的更高级的形态是托拉斯。加入托拉斯的各企业,不但失去商业上的独立性,而且失去了生产上的独立性。加入托拉斯的各个资本家,失去对于自己企业的个人所有权,而出现为托拉斯财产的共同所有者。他们按照让渡于托拉斯的企业的规模、价值及货币资本之多寡,而取得一定量的股份。托拉斯可以无限制的处理各个企业,它可以停办劣等企业(即生产费最高的企业),集中生产于优等企业,以便减低生产费,增大自己的利润,去打倒托拉斯以外的其他企业。

乍看起来,既然加入托拉斯的各资本家的企业完全丧失了自己的独立性,就好像在托拉斯中没有什么竞争似的。然而现实上却并不如此。托拉斯内部斗争的中心,是指导的地位与利润的分配。在托拉斯内获得指导地位的,实质上可以决定托拉斯的各种事业,指挥利润的分配,用种种投机的诈术,以"薪俸"的形式,剥夺利润的一部分。所以在加入托拉斯的大资本家之间,为了取得托拉斯内部的指导地位,必然要发生不断的斗争。

托拉斯,原则上是占有生产同种生产物的企业的资本家的结合。然而为获得市场上特权地位的斗争,却使异种的企业,也不得不结成独占的联合,这种独占的联合,就叫做康采恩。

康采恩是异种企业的大规模结合,某企业或是由于出资购买其他企业的一部分股份,或是由于派人参加这些企业的指导机关,或是由于使这些企业转化为"女儿公司"或"孙女公司"等,而使这些企业隶属于自己。

在康采恩的干部中,通常是一个大产业资本家,他可以支配极多的企业。

在现在德国,康采恩是很普及地,在法、意、奥、瑞典等国,它也有相当地发展。

(四)独占与生产的社会化

如上所述,独占的支配,是资本主义最高阶段的最根本的形象。这种支配,"绝不是以前散处各方、各不相谋、各为供给未知的市场而生产的企业家间旧式的自由竞争。生产的集中,已经达到极高的程度,已能大概地估计一国内、或数国内、或甚至全世界上所有的原料来源了(例如铁矿)。不但作这种估计,而且这些富源,都握在几个巨大独占联合的手中了。它们大概地估计市场的大小,而以订立合同的方法,互相分割市场,独占熟练的劳动力,雇用优秀的技术师,占领交通道路和交通机关——如美国的铁路和欧美的轮船公司"。

在这种情形之下,生产社会化的过程,在资本主义社会的最高阶段,遂达到了惊人的规模。"资本主义到了帝国主义阶段,极密切的接近了生产的全面的社会化。无论资本家的意志如何,它总要拖他们进入一种新的社会秩序,即由完全的自由竞争转入完全的社会化。"独占时代的生产社会化的巨大过程,准备了新制度胜利的一切物质前提。

然而独占的结合,绝不能生出新社会主义经济的特殊形态。实际上,独占的形成和发展,不但没有消灭资本主义的诸矛盾,反而使这些矛盾发展到极高的程度。

"生产是极度的社会化了,而占有仍然是属于私人的。社会的生产手段,仍然是少数人的私有财产。名义上的自由竞争的架子仍然存在着,并且少数独占者对于其余人口的压迫,比以前要百倍的繁重、剧烈和难堪。"

(五)独占与竞争

帝国主义时代独占的发生和发展,并没有消灭资本主义的竞争。而独占本身,反倒生出竞争的独特形态,使竞争趋于极端的激烈化。

我们曾经看到,即使在最能实现资本家的联合的托拉斯中,也不断发生争夺指导地位及利润的斗争。为夺取贩卖市场及增大自己在联合中的比例的斗争等,显明地表现出独占联合内部存在的诸矛盾。

不但如此，最有威力的资本家的独占联合，在市场上，也不能保证完全的独占，排除自己的竞争者。

在现代资本主义社会，在独占联合与未加入独占联合的资本家之间，更进行着激烈的斗争。同时，某独占联合，与其他独占联合，在市场上也不能不发生斗争。

各个独占联合之间的斗争，以及独占者对独占联合外的资本家的斗争，首先是发生在同一生产部门内，然后才普及于各种生产部门之间。

在后者的场合中，斗争是发生在生产原料的部门与加工部门之间，或发生在生产不同生产物的诸企业之间。譬如在现代美国，在织衣工业与汽车工业之间，就存在着矛盾，即汽车的普及，减少衣服的需要。

假若资本家的独占联合能够独占某种生产物的生产，就要引起该生产物价格的腾贵，而这种生产物价格的腾贵，必然要引起代用它的其他生产物生产的扩大。例如铜生产的独占，引起铝的生产的扩大。

在现代高度技术的发展之下，一种生产物的独占化，往往唤起代用的新生产物的发明。例如石油业联合独占了石油工业，就要助长人造石油的生产的发展，并且引起这两个部门之间的竞争。棉织物与丝织物的生产，现在遇到了人造丝的猛烈竞争。

在这种代用的生产物的竞争中，我们可以看出来独占不但没有消灭竞争，它本身反倒生出新的竞争形态。

在独占支配的时代，大资本家们不惜采用种种剧烈的斗争方法，以企图压倒敌人。譬如独占者为了破坏自己的竞争者，常常抛弃差额利润，甚至赔钱出卖商品，等到自己的对手被打倒之后，再来提高价格，以补偿从前的损失。还有独占者和原料供给者或劳动者订约，不卖给原料或劳动力于自己的竞争者，借以剥夺自己竞争者的运输机关、信用机关及商品贩卖的可能性。或者收买对手企业的股票，在适当时把它投入交易所，以破坏对手企业的信用。甚至去破坏对方的商品，炸毁敌人的仓库。

所有这一切，就是证明不但竞争产生了独占，而独占又产生了竞争，加强了竞争，并使竞争极度的尖锐化。这就是说，"自由竞争乃是资本主义和一般商品生产的根本特性，而独占恰是自由竞争的反对物。不过，我们亲眼看见，这种自由竞争变成了独占,它先创造出大生产,排挤了小生产,然后又使更大的生产代替了大生产,使生产和资本的集积,达到最高程度,由此产生了独占联合,如加特尔、辛狄加、托拉斯,以及同它们融合在一起的为大财阀所操纵的几十个大银行的银行资本等。同时,由自由竞争长成的独占联合,不但没有消除自由竞争,反而凌驾自由竞争之上,和它同时并存,且由此产生了特别尖锐特别深刻的矛盾和纠纷"。

三、金融资本

(一)银行的集中

在资本主义社会,银行发挥了极大的作用。它好像磁石一样,从社会的各个角落里,吸取货币资金。然后再把它们提供于产业资本家,借以扩大生产,及战胜自己的竞争者。

生产和资本集中的发展,及资本家独占结合的形成,引起了银行在资本主义经济上的作用的变化。

首先,生产和资本的集积的一般过程,引起银行的集积和集中。银行的数目日益减少,小银行不是倒闭,便是被大银行所吞并。因而,银行的规模及其营业总额,都大大地增加。少数的巨大银行,占居显要地位,尽着决定的作用。

例如在德国,资本在百万万马克以上的大银行,它所集聚的存款数目,在1907—1908 年,为 70 万万马克;在 1912—1913 年,增至 98 万万马克;到 1927 年,增至 135 万万马克;到 1929 年,更增至 169 万万马克。在世界大战前夜,德国所有银行存款总额中,约有一半是集中于柏林的几个银行手中,到 1929—1932 年,更达到 $\frac{2}{3}$;同时,银行的数目却逐渐减少了。在世界大战以前,这种大银行,计有 9 个;到 1924 年,减为 7 个;到 1927 年,又减为 6 个;到 1929 年,再减为 5 个;到 1931 年,共只有 4 个了。

英国在 1900 年,曾有 98 个银行;到 1932 年,仅有 27 个了。所减少的,大半是资本不到 100 万镑的小银行。这种小银行,在 1900 年,有 74 个,到 1932 年,只剩下 7 个了。资本在 100 万镑以上的银行,它们 1900 年的存款,占全国银行存额的 68%;到 1932 年,已达 97%。伦敦的五大银行的存款,在 1900 年,占全国银行存款总额 27%;到 1929—1932 年,已达 74%。

在美国,资本在 500 万美元以上的大银行,在 1923 年,曾占有全国银行存款 21%;到 1930 年,已达 43%。反之,同时,资本在百万元以下的小银行,它们所占的比例,却从 58% 减到 40% 了。

在日本,五大银行,在 1926 年,曾占有全国银行存款总额 24%,到 1933 年,已达 42%。

总之,小银行处处被大银行所排挤了,银行事业的集中,更来得迅速。

(二)银行事业的独占

银行事业的集中,和在工业方面一样,必然也要走上独占。规模宏大的银行,起着决定的作用,渐渐成了本业的独占主义者。它们用种种方法,如收买股票,信用放款等,来征服小银行。所以说,"大企业,尤其是银行,不仅直接吞并小企业,而且使它们同自己'合并',征服它们,把它们包括在自己的集团以内,即包括在自己的财团以内"。

于是,小银行渐渐丧失了它们的独立,往往成为大银行的支行。根据分行数目的增加,就可以想见银行独占的发展。

例如在德国,柏林六大银行(它们在 1933 年合并为 3 个),在 1895 年,共有 42 处分行,在 1900 年,已达 80 处,到 1911 年,增至 450 处,到 1932 年,增至 844 处。

法国,在 1870 年,银行的分行,共 64 处,到 1890 年,增至 260 处,到 1909 年,增至 1200 处,到 1930 年,增至 3300 处。

英国,在 1910 年,银行的分行,共有 7000 处,到 1932 年,已达 12000 处。

在帝俄时代,彼得堡的几个大银行,在战前每年营业总额达 80 万万卢布以上,这些银行,都是处在德、法、英三国银行的支配之下。

这就是证明了"稠密的银行网,发展得如何的快,它们网罗全国,集中了所有的资本和货币的收入,把千万个散处各方的经济,转变为一个全国资本主义经济,进而至于转变为一个全世界资本主义的经济"。

(三)银行的新作用

银行集积和集中之巨大的生长,及其独占的发展,结果必然引起产业与银行相互依存性的加强,及银行资本与产业资本的融合。

那么,这种相互依存性,是表现在什么地方呢? 又,这两种资本的融合,是怎样进行的呢?

我们知道,信用的发展,对于产业的发展,具有重大的意义。企业的规模愈大,它与其他经济的关系就愈多。因而信用对于该企业所有的意义就愈大。银行愈大,它所支配的金额愈多,该银行对于产业放款的可能性就愈大。股份企业的运命,和银行的关系最密切。因为银行不仅能直接放款给它,而且可以帮助它去贩卖股票,保证它去发行公司债券。

然而信用对于产业资本家所具有的意义愈大,银行就愈加要关心于产业资本家的一切活动。银行为了知道该企业所有者的信用能力,首先须要知道该企业的营业状况。又当银行对产业资本家给以长期信用,使他投入于固定资本时,不仅要知道当时债务人的状态,而且关心到今后相当期间内的营业情况如何。

又,当时银行收买股份企业的股票时,它更要注意到创业者利润。而享受创业者利润的可能性及其数额的大小,是系于该企业的收益性如何,所以,在这种场合,银行又要关心到该企业的经营方法。因此,银行一方面向产业资本家放款,收买该企业的股票,同时另一方面,要求产业资本家,关于商品的生产、贩卖及原料的购买等,听从自己的指挥。

随着银行资本的集中及交易的增长,而银行的意义根本变更。分散的小资本家,集合成为一个集团的资本家。银行给少数资本家管理流水账,它所作的完全是纯技术上的、辅助的工作。当这种工作扩张到巨大规模时,少数独占者便可以支配整个资本主义社会中所有工商业的各种活动,它们利用银行的联系、流水账及其他金融上的活动,首先精确的知道各个资本家的营业状态;然后再设法来监督它们,运用扩大或缩小、促进或阻碍信用的方法去影响他们;最后便能完全决定他们的命运,决定他们的收入,剥夺他们的资本,或使他们的资本能够迅速而大规模的增殖起来。

这样一来,关心企业经营的银行,就不仅去监督该产业资本家的活动,它本身也变成了企业的参加者。

银行的这种新作用,随着股份企业形态的普及,而发达起来。

银行由于购买股票,不但可以参与已经组成的股份企业,而且可以组织新股份企业。

于是,银行由于投资于产业,并直接参加它的指导部,就由搜集和分配休息资金的中介人,转化为产业之指导的、组织的中心。

这样,在生产的集中和独占的基础之上,银行与产业的融合,以及银行资本与产业资本的融合,就形成了金融资本。所以说,"生产的集积和独占,银行与产业的融合,就是金融资本的发展史,就是这一概念的内容"。

然而金融资本的形成,绝不是说产业单纯的隶属于银行,或是银行家是主人,而产业资本家就变成了奴隶。事实上,银行家本身,同时是产业资本家,而产业资本家,同时也就是银行家。

(四)金融寡头政治

金融资本的发生和发展,引起了少数金融资本巨头的支配,这少数的金融巨头,统制了经济的、政治的、意识的各种生活领域,利用自己的威力,打倒竞争者。德国电气机械托拉斯的经理拉登洛,曾经很坦白的说过:"彼此互相熟悉的 300 个人,便可以指挥全世界的经济命运,指定自己范围以内的人,去担任一切。"

在法国,56 个大金融巨头所操纵的,有 108 个银行,105 个大规模的重工业大企业(煤矿、铁厂等),101 个铁路公司,此外还有 107 个其他重要企业。合计起来共有 431 个企业,其中每个企业都握有几千万元的资本。

在英国,全国财富 80%,是集中于 $\frac{1}{10000}$ 的私有者手中,64%,是集中于不到 2% 的私有者手中。在美国,大约 1% 的私有者,掌握了全国财富的 59%。

在各个资本主义国家里,全部经济生活的命运,都是操纵在少数银行家与产业独占者手中。谁支配着全国经济生活,谁就可以支配着全国的一切。在帝国主义时代,不管国家的政体如何,而事实上,全部政权,都是掌握在少数财阀手中,行政当局,不过是这些资本巨头的仆役而已。

独占资本的巨头,有时亲自担任国家的重要职务。例如美国在罗斯福上台以前,做总统的就是一位顶大的矿业家胡佛。有名的"杨格计划"的起草人杨格,就是美国通用电气公司的老板。美国驻英大使梅隆,就是美国铝业托拉斯的首领和银行的老板,他是美国最大的一个富翁。雷斯柯是美国许多银行的经理和汽车托拉斯通用马达公司的领袖,他在民主党内占着非常重要的地位。

在德国,法西斯独裁的实际支持者,就是煤铁大王蒂森、克虏伯等。在英国,保守党的领袖并历任政府首相的包尔温,就是英国最大的一个钢铁公司的股东。

在另一方面,各国政府的部长和要人,一经下台,便往往施展他们的手腕,去操纵产业或银行独占联合的领导机关。譬如 1933 年,1 位普鲁士的部长、1 位次长、7 个秘密顾问、1 个警察总监,在下台后,都加入德国钢铁托拉斯作董事了。

即使金融资本的巨头没有亲自出来领导政府,但是他们对于全国政局的影响,并不因此而减少。他们仍在操纵着实际的政权,可以左右政府。

在各个资本主义国家,一切重要问题的解决,都是操纵在少数大资本家手中。资本巨头,为了他们贪得无厌的利益,往往引起国际间的巨大冲突,挑拨战争,压迫劳动者运动和殖民地的民族解放运动。所以,我们可以说:"帝国主义,就是工业国家中独占托拉斯、辛狄加、银行和财阀的万能权力。"

四、资本输出

(一)资本输出的意义

在资本主义社会,独占和金融资本的支配,是从大生产及资本集积中发展出来的,而独占本身,又促进资本积蓄和集中。在最大的资本主义国家,资本积蓄达到极大的规模,在那里,金融大王占有大量资本,并攫得极多利润。

大规模的资本积蓄,在资本主义的日益增大的内部矛盾之下,使资本的极大部分,变成在国内找不到用途的比较"过剩"的东西。这些比较"过剩"的资本,就被资本家把它们输出国外。这种资本的输出,是帝国主义时代最具特征的一种形象。

> 商品输出,是完全实行自由竞争的旧资本主义的特征;而资本输出,是盛行独占的最新资本主义的特征。

资本的输出，在20世纪初叶，才达到巨大的发展。在欧战以前，输出的巨额资本，是属于英法德三国所有，其总额共达1750万万至2000万万法郎。假定年利以5厘计算，那么，这项投资每年的收入，要达到80万万至100万万法郎了。所以说"资本输出，是帝国主义压迫和剥削全世界大多数民族和国家的坚固基础，也就是少数富强国家的资本主义寄生生活的坚固基础"。

世界大战，曾使世界资本的输出，发生了巨大的变化。在大战期间，英国把它的国外投资约卖掉了$\frac{1}{4}$。德国完全丧失了自己的国外投资，而变成了资本输入的国家。但是，美国的国外投资，却有飞跃的增加。据1930年的统计，英国的国外投资为940万万法郎，法国为270万万法郎，美国为810万万法郎。

资本输出，对于现代列强有什么意义，可由下列的材料中看出来。在1925年，英国工业品的出口，计值70万万卢布，由此而得的利润，约为10万万卢布。同年，英国单由国外投资所得的利息，竟达42万万卢布。换句话说，它国外投资的收入，要比由输出商品所得的收入多4倍有余。

资本输出的结果，使几个最富的国家，对其余国家，站在一种高利贷者的地位。它们财富的大部分，是投在国外。国外投资的利息，是它们每年最重要的一项收入。例如在1929年，各国国外投资对国家财富的比例如下：英国为80%，法国为15%，荷兰约为20%，瑞士和比利时各为10%，美国为4%。

由此可见，资本输出，是独占时代的资本主义的特征。但是，我们绝不能以为在这个时代，商品的输出就完全没有了。事实上，这个时代的资本输出，加强了独占者在资本输入国中的势力，因而更保证了大量的商品输出。

（二）资本输出的形态

资本输出，通常是采取放款资本与产业资本的两种形态。

放款资本的输出，首先是以某国资本家或政府应募他国外债的形态来实现的。在这种形态之下，放款资本家，不但能取得极大的利息，而且可以保留某种特权，去支配债务国。譬如债务国在举债时，和债权者缔结有利于债权者的商业上或其他各种契约，承认债权者有输入商品及军需品等的独占权。各国由于对华借款，遂取得敷设铁路、内河通航等权利，便是最显明的例子。

然而放款资本的输出，并不只限于外债的形态。资本家常常把自己的资本,直接输出国外,在那里开设银行,和土著银行缔结协定,或进而支配土著银行。

资本家有时向国外输出资本,用去购买该国的企业股份,或自己创立企业,这种资本输出,叫做产业资本的输出。

独占资本家,由于输出产业资本,就可以掌握他国的最重要的产业部门。譬如现在中国,大部分重工业,都是属于外国人所有,这是周知的事情。

以上我们虽然把资本输出分为放款资本的输出与产业资本的输出,然而实际上,这两种资本是没有什么严格区别的。因为在产业资本与银行资本的融合之下,同一银行,一方面可以借款给别国的产业家,同时也可以直接组织各种企业,而这样组成的企业,它本身又成为组织银行的基础。

资本向后进国的输出,对于独占者更为有利。因为在那里有低廉的原料和劳动力,并且还有很高的平均利润率。所以向后进国的资本输出,在大资本主义国家的输出资本总量中,占极大的比例。但是,独占者同样也要把自己的资本输出到先进工业国去,以便占据自己的势力范围,打倒自己的竞争者。

所以,资本输出的结果,使各个国家都相互联系起来,把资本主义转化为全世界的体系,因而必然的在夺取投资场所的斗争中,加深资本家间的矛盾,使它达到了世界的规模。

五、资本家联合对世界的分割

(一)国际的独占结合

帝国主义时代的资本输出的意义和作用,表示资本主义的独占在它的发展上,已经超过了国家的界限,帝国主义者已经由夺取国内独占支配权的斗争,转变为夺取全世界独占支配权的斗争了。

在这种情形之下,独占主义者就去实行分割世界,因而发生了国际的独占结合。

在世界大战以前,电气机械的一切生产事业,都是集中在德美两三个大托拉斯手中,这几个大托拉斯都和银行有密切的联系。在 1907 年,它们订立协定,瓜分世界,各取得许多归自己控制的国家。在世界大战以前,德美两国航业托拉斯,也订立过协定。此外尚有国际锌业辛狄加、国际钢轨辛狄加等,也都成立过协定,去瓜分世界的市场。

在世界大战以后,更成立了许多的国际加特尔,它们包含了欧洲许多国家。其中重要的,要首推欧洲钢铁加特尔(在世界经济恐慌期间已经瓦解),其次是石业、化学业、铜业、铝业、无线电业、铁丝、人造丝、锌业、纺织业等加特尔。

现在的经济恐慌,不但破坏了欧洲钢铁加特尔,而其他许多国际结合,也都趋于瓦解了。

国际结合的形成,表示生产和资本的集积已经走到新的最高阶段,证明社会的生产力和资本量已经超过国家的狭隘界限而发展下去了。

有人以为国际独占结合,是消除矛盾的和平办法,其实恰恰相反。"国际加特尔告诉我们,现在资本主义的独占结合已经发展到什么程度,并且证明各资本家结合之间是为了什么而斗争的。"

国际的独占结合,并不是坚固的东西,它们本身中包含着非常猛烈的冲突的因素。在瓜分世界的时候,各资本主义国家应得的部分,完全依照它的威力如何。不过,各国的力量,是常常发生变化的。力量的比例一发生变化,则市场亦必随之被重新分割一次,而每次的重新分割,一定要走上最残酷的斗争。所以,国际独占,不但没有削弱帝国主义国家间的矛盾,反而更使这些矛盾极度尖锐化了。

(二)保护主义与倾销

在独占资本主义的发展及列强在经济上瓜分世界的情势之下,对外商业的作用,愈加增大了。随着大生产的发展及资本输出的增多,不但资本主义国家所输出的商品量增大,而输入的原料量也增大了。

在战前30年间,对外贸易的发展,各国极不平均,当时总额达800万万卢布。各国的独占者,在取得世界市场的独占支配权的斗争中,都是努力阻止竞争者的商品输入自己的国内市场。

在这种斗争上尽重大作用的,是各国实施的关税政策。

各国对于由国外输入的商品,课以特别的重税,因而外国商品的价格必高于本国商品的价格,本国资本家便可以顺利地卖掉自己的商品,他们不但能收回生产费,而且能在通常利润以外,取得大量的差额利润。

据国际联盟的报告,1927年各国关税税率如下(对商品价格的比例):美国为 37%，德国为 20%，法国为 21%，意大利为 22%，西班牙为 41%，比利时为 15%，阿根廷为 29%，奥国为 16%，捷克为 27%，南斯拉夫为 23%，匈牙利为 27%，波兰为 32%，瑞典为 16%。在近几年来，大多数国家，又把关税重新提高。1930 年，美国采用的新税则达到 1913 年的 3 倍。同年，德国把农产物的人口税率也空前的提高。美国差不多在一个世纪里没有征取关税，但由 1931—1932 年度，几乎对各种商品都收税了。近年来关税的腾高，如后所述，乃是资本主义总危机期的极深刻的矛盾之表现。

各国的独占结合，为了夺取国外的销货市场，常常采用倾销主义。所谓倾销，就是商品在国外市场上的卖价比在国内市场上的卖价为低，而且往往低于商品的成本。独占者之所以采用这种政策，因为：第一，可以减少国内商品的供给，因而可以引起国内价格的腾贵，以享受更大的差额利润；第二，这种国外倾销可以帮助去夺取国外市场，驱逐自己的竞争者，然后再提高商品价格，以补偿因倾销而受的损失。

倾销是帝国主义时代的普通现象。德国钢铁托拉斯，每月在报上公布它的出品售价，每种制品都有两种定价，一种是国内市场的，一种是国外市场的，后者要比前者低 $\frac{1}{3}$。现在，日本更实行着毫无限制的倾销。日本资本家利用他们对工人的残酷剥削，把他们的劣货，倾销于世界市场。他们不仅从中国排挤出去欧美的商品，而且把他们的劣货，投入资本主义国家。譬如他们把汽车输到美国去，在德国以极低的价格售卖自行车，把丝织衬衫输入到法国里昂去等等，不胜枚举。

倾销政策实施的结果，使各国独占结合相互间的竞争更加剧烈，使资本主义的矛盾更为加深了。

六、帝国主义国家对世界领土的分割

（一）由经济的分割到领土的分割

资本家独占同盟的世界经济的分割，必然引起世界地域的分割，引起夺取殖民地的竞争。现在，未被资本主义国家分割的土地，在地球上是没有的了。

譬如地球全面积 1 万万 4000 万平方英里中，有 3400 万平方英里（即约 $\frac{1}{4}$），是属于英国，其人口为 4 万万 5000 万（即世界总人口的 $\frac{1}{4}$）；但是英国本国只有 24 万平方英里的地面及约 4400 万的人口。法国本国的土地,约为 50 万平方英里,人口为 4000 万;但它却支配了面积 1300 万平方英里及人口 5500 万的殖民地。在战前,帝俄已领有地球 $\frac{1}{6}$ 的土地,支配世界 $\frac{1}{10}$ 的人口。合计起来,英、俄、德、法、美、日等帝国主义国家,几乎占有地球全部面积的 $\frac{2}{3}$,支配世界总人口的半数以上。

在 20 世纪初,世界的分割业已完毕了,自由的土地已经没有了。帝国主义者要取得某块新土地,只有从敌人手中夺取胜利品的一部分。因此,帝国主义之间必然要发生重新分割世界的斗争,走上武装的冲突。

世界大战,把殖民地领土的版图,又重新绘画了一次。德国丧失了它的殖民地,英、法、美、日等国的殖民地却随之增加了。

殖民地的人口,要占 6 万万 6200 万,半殖民地和附属国的人口,要占 5 万万 2000 万。总计起来,在帝国主义压迫下的人民,共有 11 万万 8200 万。所以说:"帝国主义,是少数先进国家,对地球上绝大多数人口施行金融奴役和殖民地压迫的一种全世界的体系。"

(二)帝国主义时代殖民地的作用

殖民地的领有,并不是在帝国主义时代才发生的,远在资本主义发生以前,就已经有了殖民地。

在资本主义发生史上,殖民地曾经尽过卓越的作用。殖民地的掠夺,是资本原始积蓄的重要来源之一。先进国家夺取殖民地的斗争及欧洲各国殖民地领土的扩充,都是和资本主义的发展不可分离的。

但是到了帝国主义时代,殖民地的夺取,和以前各时代是大不相同了。我们已经说过,在这个阶段上,资本输出含有怎样的意义,输出自己资本的独占者,由于输出资本,就可以支配输入资本的国家。这时,对于资本家最有利的,是获得落后国家。因为在那里,劳动力和原料都很便宜,利润率较高,因而输出的资本可以生出较大的利润。然而这种事情,绝不会排除帝国主义者夺取进步国家以作投资场所的欲求。

殖民地不仅能作为投资场所,而且可以作为贩卖市场。在帝国主义时代,资本主义的根本矛盾极端发展的结果,及生产和消费的不均衡愈加扩大的结果,而夺取贩卖市场的斗争,必然越发变得剧烈了。帝国主义者,都想由于支配输入自己资本的国家,以保证扩大自己商品的输出。

殖民地对于独占者所有的最大意义,是它可以作为原料的资源地。

铁矿、煤炭、煤油及其他许多有用矿物,对于现代产业所有的意义,是谁都能知道的。这些有用矿物之需要的增加,及富于矿产的土地之地租的腾贵,引起了矿物价格急速地增高。因此,金属及燃料资源的领有,就成为资本家的支配之最重要的条件。

在高度发展的资本主义国家,矿物富源,在很久以前就被调查清楚了,并且富于矿产的土地,也早已被人采掘了。

但在后进国家,还有许多没有调查的土地,在那里可以发现出庞大的埋藏富源,并且这些财富,能够比较容易的从地中采掘出来。

是以想要独霸资本主义世界的金融资本家们,不但要占有高度发展国家的领土,而且要占有资本主义的发展比较幼稚或者完全没有发展的后进国家的领土。

这些后进国家,不但可以供给独占者以矿物资源,并且可以供给他们许多工业上所必要的重要的农产物。

最后,我们还有一点必须要指示出来,就是在现代资本主义社会,除了完全丧失了自己独立性的殖民地以外,还有没完全丧失其独立性的过渡形态的国家,即所谓半殖民地国家。实际上,这些国家是处在帝国主义者的支配之下,帝国主义者在这些国家中,划分自己的势力范围。为夺取半殖民地的斗争,在帝国主义时代,是一天一天激烈了。中国领域内各帝国主义者为夺取势力范围的斗争,及英美两国在南美的斗争,便是最显明的例证。

固然,帝国主义者要努力夺取后进国家尤其是工业比较不发展的农业国家,并使之殖民地化,但是,我们要知道,资本家的贪欲,却绝不只限于后进国家。换句话说,帝国主义的特征,在于它不但要吞并农业地方,而且要吞并工业地方。

占领工业地方的目的,不仅在于从竞争者手中夺取煤铁等资源,更在于从竞争者手中夺取最重要的工场以及交通运输道路等,以便在激烈的斗争中,取得最后的胜利。

(三)帝国主义时代战争的必然性

重新分割世界的帝国主义者间的激烈斗争,及各帝国主义者势力关系的变化,必然地要使他们中间的斗争超出"和平"协定的范围以外,即超出关税战、国外倾销等和平的斗争方法以外。这一切方法,不能解决新兴国家与旧国家之间的矛盾——前者想获得更多的地盘,后者不愿意让出既得的阵地。

资本主义国家间的矛盾一天一天的发展下去,等到不能用和平协定的方法谋得解决时,便只有出之一战,战争就成为解决纷争的手段。最明显的例子,就是1914—1918年的世界大战。

我们已说过,大战以前,地球上的土地,已被少数国家分割完了。仅仅英国一国,就占有地球的$\frac{1}{4}$。德国走进世界市场,比较在后,那时最好的殖民地,已经被其他资本主义国家分割完了。但是,德国的资本主义发展甚速,不久在许多经济部门,就赶上了英国,而且在某些部门还超过了英国。譬如在制铁等重要经济部门,德国在战前已经称霸于欧洲市场了。

德国的强大化,不但妨害了英国威力的增大,而且夺去了英国在世界市场上的霸权。英德两国资本之间的矛盾,就是暴发世界大战的决定契机。其次是德、法两国的冲突。这种冲突,是因为法国想要占领德法国境内的煤炭产地及对于俄国市场和非洲殖民地的夺取。

战争的结果,对于生产力的发展,给予极大的损害,而阻碍了社会再生产的扩大。这种战争,不但没有解决资本主义的矛盾,反而形成了资本主义发展的不均衡性与飞跃性的更一步成长的前提。战争结果所生出的新势力关系,必然要引起新的再分割,而且这新的纷争和冲突,比从前还要更加剧烈。

第二节　当作资本主义最后阶段的帝国主义

一、帝国主义是资本主义灭亡的时代

(一)独占阻碍了技术的进步

自由竞争时代的资本主义,是向上发展的资本主义,新的最高阶段的资本主义,是没落的资本主义。

帝国主义时代最根本的经济基础,就是独占。"在经济上,帝国主义,是资本主义发展到最高的一个阶段,在这个阶段上,生产规模非常宏大,自由竞争已被独占取而代之了。帝国主义的经济本质就在这里。"

然而独占的支配,金融资本的压迫,及资本主义各种矛盾的加深,必至阻碍了社会生产力的发展,而使之趋于腐化。

我们已经知道,资本主义社会的生产力,是在资本家间激烈竞争之下,自然生长而发展起来的。资本主义独占的支配,不但没有消除竞争,反而使它更加激烈。然而独占支配的结果,必然要产生停滞和腐化的趋势。在自由竞争时代,每个资本家,都力谋减少生产费,以提高自己的利润,而为减少生产费,就必须采用进步的新技术。然而独占主义者,因为他们能够保持很高的独占价格,所以他们对于新式技术的采用,不大感兴趣。反之,他们往往害怕技术上有什么新发明,把他们的独占地位打破,或者使他们投入生产的大量资本,失掉价值。所以,独占联合,往往用人为的方法阻止技术的进步。在帝国主义时代,这种事件简直不胜枚举。

譬如欧文斯制瓶机器,在大战以前,就在美国已经发明了,当时瓶业加特尔,便向欧文斯买得专卖权,把它藏匿起来,阻止它的应用。在近二十年来,欧文斯的机器,更大大地改良了,可是直到现在,它应用的范围还是十分狭小,独占主义者处处阻止它的应用。

几年以前,曾发明了一种耐烧的电灯泡(永久电灯泡),这个发明,直到现在还没有应用,因为它有减少电汽机械独占托拉斯销路的危险。维也纳有一个化学家,曾发明了一种"永久火柴",瑞典克鲁格火柴托拉斯听到这个消息,就大起恐慌。德国柏吉斯曾发明了一种由煤炭提炼石油的方法,被美国煤油托拉斯买去,迄今未曾应用。美国的铁路,到现在没有实行电气化,因为这对于独占主义者是不利的。

停滞与腐化的倾向,是独占本身所固有的东西。在某种条件之下,这种倾向,在相当时期内还要占着优势。但是,我们却不能以为这种腐化的倾向,能够排斥资本主义的突飞发展。"大体上说来,资本主义的生长,比从前要快得多。"

然而这种增长,是在种种日益加深的矛盾中进行的。大托拉斯都附设有设备优良的试验室和科学试验机关,在里面有成百成千的工程师、化学家、物理学家做着研究工作。不过由于独占的缘故,科学技术思想的成就中,只有一小部分能得到应用而已。

（二）资本主义的腐化性与寄生性

在帝国主义时代,资本主义已经变成了"人类发展的最反动的障碍了"。

资本主义曾经促进了庞大生产力的发展,但是,这种生产力早已感到资本主义的框子太狭小而容纳不下了。资本主义已经衰落了,它变成了社会向前发展的障碍物,暴露了它的腐化性和寄生性。

在这次世界经济恐慌以前,甚至在最富强最先进的资本主义国家——美国,生产力就遇到了很大的障碍。在1929年,美国共有制砖厂2730家,工人39000名,每年可制砖80万万块,现在只要有六七家新式制砖厂,每家有工人100名,就可以充分供给美国市场的需要了。于是有许多的工人,转化为不能发挥自己劳动力的慢性失业者。

帝国主义时代生产力的浪费,在不生产支出的极端增大上表现出来。首先如商品流通上广告宣传,代理店的费用以及资本家相互间的斗争等,引起社会财富之大量的破坏和浪费。

其次,这种不生产支出与生产力的破坏,在帝国主义的战争时期,达到最大的规模。战争使人口最好的部分走向破坏资料的生产,使几百万勤劳大众,陷入疾病和苦痛之中。

独占时代资本主义的腐化性及寄生性最露骨的表示,是金利生活者阶层的成长。这种阶层,和生产过程没有丝毫关系,都是靠利息生活。在帝国主义时代,完全空闲而专靠有价证券的收入来生活的寄生阶级,达到极大的数量。"帝国主义最主要的经济基础之一即资本输出,更使金利生活者阶层完全脱离了生产,更把寄生主义的印章盖满了那些靠榨取海外国家和殖民地而生活的整个国家之上。"

英国是个以对外贸易占重要地位的国家,可是它国外投资的收入,却要超出它对外贸易的收入5倍以上。在美国,国外投资的收入,要超过国外贸易的收入10倍至20倍。美国寄生阶级的收入,在1913年为18万万美元,在1931年达81万万美元,在1933年亦有61万万美元。1931年美国所付出的红利与息金总额,比该国农民收入的总额(3000万元)要多一倍半。

资本家及其侍从们(如资产阶级的政客、知识分子、牧师),吃尽了成千成万的勤劳大众辛苦劳动的果实。整个的国家(例如瑞士)或者整个的区域(例如法国南部,意大利及英国的一部分),都变成了国际资产阶级纵欲享乐、浪费他们不劳而得的收入的地方。

帝国主义,极端地加强了对劳苦大众的压迫和对劳动力的摧残。大多数的工人,从生产方面退出而转为供应资本家纵欲取乐的部门。从事生产劳动的人数一天一天的减少,但是在旅馆和避暑地、在酒店和轮船上服务的人数,却一天一天增多了。

(三)资本主义矛盾的加深

在帝国主义时代,资本主义的一切基本矛盾,都达到了最高限度,都极端地尖锐化。这些矛盾当中,最重要的要推下列三种。

第一,是劳资间的矛盾。帝国主义使少数资本主义独占团体和银行巨头的权力,无限地增加。财阀的压迫,来得非常厉害,从前劳动大众的斗争方法,例如旧式的工会或国会中的党派,都无济于事了。帝国主义,使劳动阶级的穷困程度,达到无以复加的地步,使少数独占团体和银行巨头的剥削,巨大的增加,因此,它在劳动阶级面前提出了新的革命的斗争方法问题。即"或者是投降资本,依旧苟延残喘;或者是拿起新武器来,打出一条生路"。换句话说,帝国主义,使劳动大众走上了革命的道路。

第二,是各种财阀集团和帝国主义列强夺取他人领土、原料市场、销货市场、投资市场的矛盾。各个帝国主义列强间的疯狂斗争,必然要走向战争。战争的结果,势必削弱一般帝国主义的势力,因而也就是使普罗列达里亚革命的时期更要接近了。

第三,是少数帝国主义国家与殖民地和附属国家广大民众间的矛盾。殖民地和半殖民地的千百万广大民众,呻吟在帝国主义强盗的铁蹄之下。帝国主义者为了追求差额利润,在殖民地和半殖民地里招工开厂,铺设铁道,破坏了旧有的经济组织,给资本主义关系开辟了一条新的大道。帝国主义榨取的增加,必然要加强殖民地的解放运动。而殖民地和附属国家的解放运动,必然要削弱全世界资本主义的势力,摧毁它的根基,而使这些国家,"由帝国主义的后备力量,变为普罗列达里亚的后备力量。"

资本主义一切矛盾的极度尖锐化,必然要使帝国主义成为社会主义革命的前夜。"帝国主义,是资本主义发展的最高阶段。先进各国的资本,已经打破了民族国家的范围,使独占代替了竞争,而创造了实现社会主义的客观前提。"

二、资本主义发展的不均衡性与社会主义在一国的胜利

(一)帝国主义时代资本发展的不均衡性之决定意义

在资本主义的最后发展阶段,资本主义矛盾的生长,表现在它的发展的不均衡性之中。

所谓资本主义发展的不均衡性法则,就是说,各个企业、各个托拉斯、各个产业部门以及各个国家,并不是均等的按照确定顺序向前发展的,也不是某一托拉斯、某一产业部门或某一国家不断地发展在前头,而其他托拉斯或国家就顺次地落在后面,事实上,是某些国家飞跃的向前发展的。

发展的不均衡性和飞跃性,不是在独占资本主义时代才发生的,而在产业资本主义时代,就早已发生了。在生产无政府状态之下,每个企业的命运,都要遭受无数的变故。有时这一生产部门获得适于发展的良好条件,有时别一生产部门又获得适于发展的良好条件。在追求利润的竞争中,资本家们,有时打入这个部门,有时又投向其他部门。

然而这种发展的不均衡性和飞跃性虽然是产业资本主义所固有的东西,可是,这种不均衡性,在帝国主义时代,在资本主义的发展上,才获得决定的意义,而成为资本主义崩溃的强力因素。

在自由竞争的支配时代,资本主义是向上发展的,这是比较和平的资本主义时代。当时,资本主义发展的不均衡性,表现在下面一点上,即"一部分国家,用普通的方法,即用所谓进化的方法,可以追上其他国家"。

然而在独占的支配时代,事情就大不相同了。这时,"资本主义顺利的演进,已被资本主义飞跃式的发展所代替了"。在这里,资本主义的独占,发达到极点,社会的生产,与资本主义的占有已经不能共存了。资本主义是一天一天地没落,而表现为垂死的资本主义。"资本的'和平'扩充,及其普及于'自由'领土的事情,已经完结了,代之而出现的,是突变式的发展,这一发展,要经各资本主义集团间的军事冲突,来重分已经瓜分了的世界。"

在技术的高度发展之下,某些国家,可以很快地追上其他国家。譬如在帝

国主义时代,德、日、美等许多新兴资本主义国家,采用技术的新成果,急速地发展,在短期间内,就追上了旧资本主义国家。

新兴资本主义国家,利用最新的技术,以减低自己商品的价值,因而牺牲其他帝国主义者,而独占世界市场。这种帝国主义国家间力量关系的变化,必然要引起世界周期的再分割。

资本的输出,也极度促进了某些国家的发展,而加强各国发展的不均衡性。

总之,"帝国主义时代发展的不均衡的基本要素在于:第一,世界已经被帝国主义的各种集团分割净尽,自由的土地已经没有了,要获得新的市场和原料产地,要扩张自己的势力,就非用武力向他人夺取不可了。第二,技术空前的发展结果,使得帝国主义的某些集团,在夺取市场和原料产地的斗争上,能够战胜其他经济集团。第三,各资本主义集团间旧有的势力范围的分配,常常与世界市场上新的力量关系发生冲突,要在旧有的势力范围分配之间和新的力量关系之间,确立一种均衡,就须要用帝国主义战争的手段来周期的重分世界"。

(二)社会主义在一国的胜利

在帝国主义条件之下,发展的不均衡性,破坏了各国独占组织间所成立的和平协定。帝国主义列强间矛盾的成长与军事冲突的必然,一定会使帝国主义者相互削弱下去,一定会使世界帝国主义阵线,容易被劳苦大众所攻破。因此,凡是帝国主义阵线最薄弱的地方,凡是具有劳苦大众胜利的适当条件的地方,一定要发生破裂。

在帝国主义时代,发展不均衡法则,是表示一国对别国的突变式的发展;一国被别国从世界市场上很快的排挤出去;已经分割的世界,用军事冲突和战争的方式定期地举行再分割;帝国主义阵营里面的纠纷,一天天加深而尖锐化;世界资本主义的阵线一天天削弱;因此,全国劳苦大众有突破这个阵线的可能,也就是说,社会主义有在一国胜利的可能。

经济与政治发展的不均衡性,是资本主义的绝对法则。因此可以说,社会主义起初在几个或甚至在单独一个资本主义国家里面有胜利的可能。那一国胜利的劳苦大众在没收资本家的财产和自己建设社会主义生产以后,便可以起来反对其余的资本主义世界,把其他各国的被压迫的大众吸引在自己方面,发动他们起来反对资本家,在必要时甚至可用武力去反对榨取阶级和他们的国家。

三、帝国主义时代资本主义根本诸法则的作用

(一)独占价格与独占利润

我们曾经说过,帝国主义时代的新质的特殊性,是资本主义一般的根本属性之发展和继续,这个新的时代,不但没有废除资本主义一般的法则,反而使这些法则的作用更加尖锐,并采取了复杂的形态。

我们已经知道,价值法则,是商品生产一般的根本法则,这个法则,在资本主义时代,采取了生产价格的复杂形态。这种价值法则作用的复杂化,表现着由单纯商品经济到资本主义经济的历史的转化过程。在单纯商品经济中,价值法则反映小商品生产者间的关系,反映劳动的社会性质与劳动的私的形态的矛盾。而这个法则的复杂形态——生产价格,反映生产的社会性与占有的私有性的形式的矛盾,即反映资本主义经济的根本矛盾,反映资本主义社会的两大阶级———个阶级占有另一个阶级的劳动——的关系。在这种场合,资本主义关系的发展,生出资本家间的竞争及资本由某一生产部门向他一生产部门的移动,同时产生剩余价值在各个生产部门间的再分配及平均利润率,关于这些,我们在讨论生产价格时已经说过了。

在独占资本主义时代,价值(及生产价格)法则的作用更加复杂了。这种复杂化,是由于这时代的独占支配及独占与竞争的斗争所规定;结果,表现于价值及生产价格的商品生产的根本矛盾更加尖锐,而走上新的更高度的阶段。

在独占的支配时代,资本主义的根本矛盾——生产的社会性与资本主义的占有之间的矛盾——达到最高限度,引起资本主义的崩溃,因而各阶级间的矛盾,也愈加尖锐了,对于劳动阶级的剥削程度也越发厉害了。独占主义者,利用自己的支配权,按照独占价格出卖商品,以获得差额利润。

在这种情形之下,独占利润的源泉,不仅在于独占者加强对"自己"劳动者的榨取程度,而且他们无论在国内或在国外、尤其在殖民地,更可以占有别

人企业的劳动者的剩余价值。独占者用独占价格卖出商品,以获得差额利润,这一事实,就含有劳动者实质工资低落的意义。因为劳动者用独占价额购买生活资料,他们的实质工资当然要无形中减低了。这样一来,独占者就可以增大由"自己"的劳动者及"别人"的劳动者所吸取的剩余价值。

于是,帝国主义时代的阶级矛盾的强化,及这时代的榨取的特殊形态,反映于独占价格及独占利润之中。同时,独占价格及独占利润就表示着:各个资本家间的竞争、资本由某一生产部门向他一生产部门的移动及一般利润率的形成,由于独占的支配及竞争和独占的斗争之结果,而采取了更加复杂的新形态。

独占者想利用自己的权力,以获得差额利润,阻碍资本由产生平均利润的部门向其他部门自由移动,因而,使自己商品的价格保持在生产价格及价值的水准以上。但是,谁都知道,没有竞争的纯粹的独占是绝不会有的。资本家为利润、为世界的再分割,以及为差额利润的再分配等的斗争,一时一刻也没有停止过。

假若一部分独占者获得了高的差额利润,而这一事实,在他们和其他独占者之间,必然唤起激烈的斗争。某些商品独占价格的腾贵,必致使独占团体外的资本家去扩大这些商品的生产,并且要引起"代用物"生产者方面的竞争。由于各个部门和各个国家发展的不均衡,昨天获得极大差额利润的资本家,明天也许要被其他的独占者所驱逐或压倒。

独占时代的剧烈竞争,引起资本由一种生产部门向其他种生产部门的移动。由于独占而来的利润的极端不均衡性,引起形成平均利润率的倾向。独占的支配,只是使资本运动变得困难,使资本移动的斗争变得激烈,使资本移动变成极飞跃的不均等的东西。同时,所谓平均利润率的倾向,是在竞争与独占的斗争中,在独占利润和平均利润的背离或独占价格和价值及生产价格的背离之中表现出来的。

然而,无论独占价格怎样和价值及生产价格相背离,而商品的价格总额,在这里也是等于商品的生产价格或价值的总额。实际上,在独占的支配之下,一方面固然有用独占价格出卖自己的商品以获得差额利润的资本家,同时,也有在价值或生产价格以下出卖自己的商品的资本家。前者的所得,恰好是后者的所失。所以，社会总商品的总价格，必然等于它们的生产价格或价值的总额。

总之，商品生产的根本法则即价值法则，在帝国主义时代，不但仍然发生作用，而且这种作用，在这里更加复杂化了。这种复杂化，反映着资本主义根本矛盾的发展，即反映着阶级矛盾的加深（榨取程度的加强及榨取形态的复杂化）、资本家之间矛盾的尖锐化（这表现在独占的压迫及竞争和独占的斗争之中）、本国与殖民地矛盾的生长、资本主义发展的极端不均衡性及资本主义腐化的倾向等。

（二）帝国主义时代的恐慌

资本主义各种矛盾的尖锐化，必然引起生产过剩的恐慌。而这种恐慌的规模和程度，大大地超过产业资本主义时代的恐慌，采取了特殊的形态。

在独占资本主义时代，各恐慌的中间期间的缩短，因而恐慌就变得频繁了。

独占者提高商品价格，限制日益减少的广泛勤劳大众的购买能力，因而不但加速恐慌的袭来，而且把恐慌的损失，转嫁在广泛大众身上。

所以，独占支配的结果，恐慌更加频繁。繁荣时期必然缩短，而恐慌后的萧条气象却变得较长了。

大量财富的集中及大资本家对于中小资本家的支配，在独占资本主义条件之下，促进了恐慌迅速的蔓延；并且这种恐慌，在日益发展的国际关系条件之下，很快地由一国传入他国，而转化为世界恐慌。这时，由于各个部门及各个国家发展的极端不均衡性，而恐慌也在各个部门及各个国家中，以不同的力量和不同的形态发生作用，而不均等地表现出来。同时恐慌又促进不均衡性的进一步的尖锐化，促进一部分托拉斯去打倒另一部分托拉斯及一部分国家去压倒另一部分国家。

阶级矛盾更加增大而尖锐了。因为一切恐慌，都足以引起对劳动阶级榨取程度的加深。在帝国主义时代的恐慌中，失业的增大、工资的低减、生产力的破坏、千百万人口的穷困以及大量财富的破坏等等，都达到了巨大规模。

独占资本主义时代恐慌的这一切特征，通过资本主义的现代经济恐慌，而极鲜明地表现出来。然而现代的经济恐慌，和战前的恐慌不同，它具有许多特殊性。关于这一点,在下一章中再加以详细说明。

习题十七

一、为什么说帝国主义是资本主义发展的最后阶段?

二、帝国主义的五大特征是什么?

三、说明生产集中与独占的关系。

四、独占的方式有几种?

五、说明独占与生产社会化的关联。

六、帝国主义时代的独占能否消灭竞争?

七、银行的新作用是什么?

八、什么叫做金融资本? 它是怎样形成的?

九、金融寡头政治是怎样形成的?

十、资本输出的意义如何?

十一、资本输出的形态有几种?

十二、资本家采用什么政策去分割世界?

十三、殖民地对于帝国主义者的作用如何?

十四、在帝国主义时代,为什么必然要发生战争?

十五、独占为什么会阻碍了技术的进步?

十六、说明资本主义的腐化性与寄生性。

十七、说明帝国主义时代资本主义发展的不均衡性之决定的意义。

十八、社会主义有在一国首先胜利的可能性吗?

十九、价值法则的作用,在帝国主义时代有什么变化?

二十、帝国主义时代恐慌的特征如何?

第十三章　资本主义的总危机与特种萧条

第一节　资本主义的总危机

一、资本主义总危机的基本特征

（一）两个体系间的斗争

根据前章的研究,我们已经知道,帝国主义是资本主义的最后阶段,是它的灭亡时期,这时期的资本主义一切矛盾的极端尖锐化,准备了资本主义灭亡的物质条件。

现在这个时期已经开始了。这个时期,就是在 1914—1918 年的世界大战中开始的资本主义体系总危机的时期。

由于帝国主义时代各国间发展的不均衡性和飞跃性,首先在一国推翻了资本主义的统治。世界分为两个体系及这两个体系的斗争,就是资本主义总危机时期的一个最重要最根本的特征。

俄国的"十月革命",首先冲破了帝国主义的阵线,在人类历史上开辟了一个新阶段。"十月革命"的胜利,是表示人类历史的一个根本转变,世界资本主义历史命运的一个根本转变,全世界劳苦大众解放运动的一个根本转变,全世界被剥削大众的斗争方法与组织形式、生活习惯与传统观念、文化和思想等的一个根本转变。

"十月革命",是社会主义体系存在的开端。自"十月革命"胜利以后,"资本主义已不是唯一而包罗一切的世界经济体系了。"世界资本对政权的独占,对社会领导权的独占地位,已经被打破了。除资本主义经济体系以外,同时还存在着一个社会主义经济体系。

衰老腐化的资本主义与年壮力强的社会主义之间的矛盾,是现在的基本特征,两个体系间的斗争,是世界历史现阶段的主要内容。

苏联经济建设的蒸蒸日上,更显出了陷于经济恐慌深渊中的资本主义的腐化性。社会主义体系存在的事实本身,就足以摧毁全世界资本统治的基础。

苏联经济建设的突飞猛进,向全世界勤劳大众明显的表示出社会主义制度的伟大优点。社会主义经济的繁荣,和资本主义的衰落与深刻的危机比较,正是一个最显著的对照。

苏联给了资本主义的命运一个很大的影响。苏联的存在,使资本主义体系的内部矛盾,一天天加深。尤其苏联社会主义建设的胜利,更加强了它的影响。

同时,苏联的存在及社会主义建设的胜利,更加深了劳资间的矛盾。全世界的勤劳大众都看清了资本主义和社会主义间的鸿沟,他们相信,除社会主义而外,再没别的挽救饥饿和穷困的方法了。

苏联的存在,给予资本主义国家的贫农中农大众以革命化的影响。在资本主义国家里,是束缚、破产、农业危机的压迫,以及苛捐杂税的剥削;在社会主义国家里,是广泛地走上富裕高尚的生活,是农业因应用科学和技术而日益繁荣。这种比较,一天天深入于资本主义国家里农民大众的意识之中。

苏联是吸引一切仇视帝国主义的力量之中心。它获得了殖民地人民的深刻同情。殖民地和半殖民地人民的解放运动范围,因受苏联存在的影响,一天比一天扩大。成千上万的民众,一天天都卷入于这一斗争之中了。

苏联的存在,已使地球六分之一的面积,解脱了资本的统治。这一事实,也就是表示世界原料、投资和销货市场的缩小,因此,帝国主义间重分世界的斗争,也更加残酷了。

总之,两个体系的分裂,即苏联的存在,是资本主义体系总危机的进一步深化的表现,而且是它的最有力的因素。

(二)帝国主义国家间矛盾的加深

1914—1918 年的帝国主义大战,根本改变了列强间的力量比例。战争的结果,德国集团被打败了。人口 1 万万 2000 万以上的战败国家,为战胜国集团所剥夺,而趋于没落了。

凡尔赛和约缔结的结果,德国丧失了 $\frac{1}{8}$ 的土地, $\frac{1}{9}$ 的人口,它的殖民地,都被英、法、日等国瓜分了。《凡尔赛和约》禁止德国设置普遍征兵制,破坏其规模最大技术最良的许多工场。战胜国掠夺德国大量的蒸汽机关、车辆、优秀的大洋轮船及其有价值的财富,并要求德国赔款 1320 万万马克,监督德国的对外贸易、国家财政及各种重要产业部门。

奥匈帝国是被分割了,它丧失了独立存在的经济基础,为战胜者所剥夺所监督,而趋于没落。其他如土尔其及保加利亚,也遭遇了同样的命运。

《凡尔赛和约》并不能解决帝国主义的任何矛盾。德国虽然是屈服了,但是,它还是一个高度发展的工业国,它握有强大的托拉斯、加特尔和银行。德帝国主义加强对劳动阶级及勤劳大众的剥削,利用战胜国阵营里面的矛盾,尤其是英法间的矛盾,渐渐恢复了战前的水准,积蓄了进行第二次世界大战的力量。自从法西斯上台以后,德国更加疯狂的准备战争。1935 年春季,它撕毁了《凡尔赛和约》的限制军备条款,宣布实行普遍兵役制,并且疯狂的建造空军、飞机厂、军舰、炮队和化学军用品。这样一来,必然加强德国与战胜国家之间的矛盾。

在大战中,获利最大的是美国。因为它没有大规模地参加军事行动,但是,在供给军需品上,却获利不小。于是,大战的结果,美国的财富和威力,就立刻增大了。

美国因为供给交战各国工业品、原料及食粮,而使自己的农业和工业飞跃地发展起来。在四年大战期间,美国钢的生产增加了 40%,煤油的生产增加了 50%,亚铅的生产增加了 80%,纺织品的生产增加了 40% 等。

世界大战,使美国变成了世界上最富强的资本主义国家。资本主义世界的经济中心,因为大战的缘故,由欧洲移到美国了。

以前世界上最富强的国家是英国,当时它掌握着资本主义世界的领导权。它在一切国家(连美国在内),都有投资,各国对它都负有债务。但是,世界大战使情势为之一变:在战争中,英国丧失了它的财富的大部分,退居次要地位,而美国却成了暴发户,取英国的地位而代之了。于是,英美间的矛盾,便成了资本主义总危机时期的帝国主义矛盾的中心。

在战胜国中,除了这主要的矛盾以外,还有其他许多矛盾。法国因战争而取得德国最丰富的地方和殖民地,向德国索要巨额的赔款,并统治了几个欧洲国家(波兰、捷克等),因此,它的经济的发展,便赶上了其他欧洲资本主义国家。然而法国的利益,势必要和意大利的利益相冲突。因为意大利在战败国的分割,并没有得到什么好处,而且它在欧洲的中南部及在非洲等地,必然要和法国的势力斗争。

(三)帝国主义与殖民地及半殖民地间矛盾的尖锐化

日益尖锐的帝国主义间的斗争,最后只有引起新的帝国主义战争,最近的许多事实,已经充分地把它表现出来了。

在资本主义总危机时代,世界大战和苏联革命的胜利,加深了帝国主义列强与殖民地国家之间的矛盾。在大战期间以及在大战以后,对殖民地的榨取,曾经大大的加强。参战各国,都想用牺牲殖民地的方法来弥补它们经济的损失。而由殖民地取得的差额利润,就成为帝国主义国家差额利润的基本源泉。

同时,世界大战,却给了殖民地工业的发展一个刺激。在大战期间,帝国主义国家的工业,都忙于制造军用品,以致它们不能对殖民地供给工业品,于是殖民地里面的工业企业,就一天天的发展扩大起来。不过,实际上,殖民地工业的发展,一般是带着极片面的性质,因为帝国主义国家,一定要阻碍能够保障殖民地经济独立的殖民地重工业的发展。所以,殖民地工业的发展,多半只限于轻工业方面,而且带有隶属于强大资本主义国家的工业之性质。

固然殖民地工业的发展是片面的,是受着许多压迫的,然而它的发展,却必然会加深殖民地(及半殖民地)国家与帝国主义国家之间的矛盾。因此,夺取销货市场的斗争,更加尖锐化了。

在大战以后,殖民地和附属国家的解放运动,也一天天增长而扩大。争取民族解放的斗争,与劳苦大众反对剥削的斗争,联系在一起了。尤其苏联的存在,更激励了民族解放运动的发展。"这就是表示说,帝国主义大战和苏联革命的胜利,已经撼动了帝国主义在殖民地和附属国家的基础,帝国主义在此等国家的威权,已经破坏无余,而帝国主义已经再无力用旧的方法来统治此等国家了。"

(四)资本主义腐化性的加强及其发展不均衡性的增大

总危机期的资本主义一切矛盾的极度发展,表现出资本主义腐化性的强化。

在战时及战后,曾经发明出许多伟大技术的成果。例如内燃机的发明,合成原料的制出,轻金属的应用,汽车运输的广泛发展等,都是这时代的基本的技术成果。但是,资本主义不能完全利用这些东西。独占的极端发展,及少数金融巨头对资本主义世界榨取程度的加深,在这时代,显著地加强了阻碍技术进步的倾向。独占者害怕竞争者利用新发见,不惜采取种种手段,有意识地阻碍最新技术的发明。最近几年以来,资本家极力阻碍化学、电气技术及其他工业部门许多极伟大的发明(新的人造砂糖、人造煤油等)的实现,便是明证。

然而现代资本主义虽是阻碍生产力的发展,却并不会使它停止,不过在总危机时代,生产力的发展速度,变得缓慢而已。譬如美国,以前生产增加的速度,平均每年在5%—7%左右,在1922—1929年间,低落为3%—4%。在战前16年间,世界铣铁熔炼额,增加140%,采掘额增大108%,但在1913年到1929年的16年中,世界铣铁熔炼额,仅增大23.8%,采掘额仅增大7.2%。

一方面是生产力的发展速度变得缓慢,但同时,各部门和各国家的发展不均衡性却极端尖锐化了。有些部门(例如煤油及铣铁的生产)发展缓慢,有些部门(例如美国的炭坑业及棉工业)则显得停滞和腐败,而其他部门(人造丝、汽车制造、铜的采掘等),则发展甚速。这就是表示各个生产部门发展不均衡性的极度尖锐化了。

就各国的情形看来,发展的不均衡性,更显得厉害。譬如在1929年,美国工业生产比1913年增加75.3%,而德国没有增加,法国只增加39%,英国反倒减少2%。

现代资本主义的腐化性,不仅在阻碍生产力的发展上表现出来,而且在它不能充分利用现有生产力一点上也可以表现出来。资本主义社会现存的庞大生产机构,因为人民购买力的低减,以致使它们不能完全运转了。生产机构不完全运转的直接结果,就是总危机时代的慢性的失业。这就是证明现代资本主义不能充分利用基本生产力的劳动力了。

同时,资本家间夺取市场斗争的剧烈,及独占结合的官僚机构的膨胀,在总危机时代,必然引起从事不生产的人数(如官吏、商业雇员、广告宣传员等)之庞大的增加。而生产机构的不完全运转,又要增多不生产的费用之支出。

（五）劳动者失业的增加及其地位的恶化

在总危机时代,资本主义矛盾的发展,必然要引起资本对劳动剥削程度的加强。例如美国,在 1929 年 4 月,每周劳动时间,超过 49 小时,甚至超过 70 小时。在法国,大部分企业中的劳动日是 9 至 10 小时,有许多部门(如汽车工业)是 11 至 12 小时。还有许多部门(如食料品工业)甚至达到 12 或 15 小时。在殖民地和半殖民地,劳动日更加延长了。

资本主义的"合理化"方法,极度加强劳动强度,减少工资。自战后以来,劳动的生产性,在最强大的资本主义国家,增进了 50% 以上,而工资,就是在战后资本主义"最好"的时期,也没有达到战前的水准。

由于资本主义的"合理化"、劳动的强化及劳动日的延长、资本主义企业的不完全运转以及许多工场倒闭等,而失业极度增大,并且带有慢性的性质。

例如美国,从 1919 年到 1925 年,工业、农业及铁道事业中所雇用的劳动者人数减少 7%,而生产额却增加了 20%,劳动者的劳动生产性却提高了 29%。在这几年中,上面这几种事业中所雇用的劳动者数目,约减少了 200 万人。其中一部分改入商业,或充当汽车夫,不过大部分都是失业了。

在世界大战以后,德国经常的失业人数,不下 150 万人。在 1924 年到 1929 年,英国的经常失业人数,要占全体保险劳动者 $\frac{1}{10}$ 乃至 $\frac{1}{8}$,而且有大部分失业者没有算在这个数目之内。自 1920 年起,英国的失业人数,不下 600 万人。

经济恐慌的发展,引起失业者的激增和工资的锐减,因而使劳动者的地位极度地恶化了。

二、资本主义总危机的三个时期

（一）第一时期

1914—1918 年第一次世界大战以后,在世界资本主义的发展上,可以划分为 3 个基本时期。第一个时期是紧接大战后资本主义发生尖锐恐慌的时期。这时期是从大战停止时开始,到 1923 年为止。第二个时期于 1923 年开始,这是资本主义相对安定的时期。第三个时期是资本主义相对安定的崩溃时期。

战后资本主义第一时期的特征,是生产的衰退,贸易的激减,金融的混乱,财政的枯竭,及劳资斗争的激烈等等。

生产事业,自 1919—1920 年短期活跃以后,比较战前是显著低减了。在 1921 年,世界煤炭的生产,为战前的 79%,钢的生产为战前的 57%,铣铁的生产为战前的 73%。

大战以后,各国的界限尚未确定,世界资本主义体系分散为许多小集团,旧关联已被破坏,新关联尚未设定。高度的关税,切断各国间的联系,因而国际贸易自然要激烈的衰减下去。

生产顺利的发展,因战争所致的荒废而受到阻碍。庞大军队的复员,更引起失业人数的增多。由于上面这些原因,而货币体系遂紊乱到极点,以至于完全陷于解体的地步。

这样一来,资本主义的一切矛盾,已经尖锐到极点。民众不满意的情绪,日益增高。在许多国家里面,劳资斗争,曾经转变为公开的内战。中欧各国,都燃起了内战的火焰。在 1920 年到 1921 年,资本主义各国都发生了深刻的经济危机,更使一切矛盾尖锐化了。

(二)第二时期

第二时期是资本主义诸关系相对安定的时期。从 1923 年下半年起,资本主义开始从生产、贸易和金融的混乱中解脱出来,生产和贸易,一天天恢复起来,渐渐追上并超过了战前的水准。譬如美国的工业生产,在 1925 年,已经比战前超过 45%,到 1926 年,则超过 60%。法国的工业生产力,在 1925 年,已达战前水准的 108%,至 1928 年,则达到 130% 了。德国到 1927—1928 年间,才稍稍超过战前水准的 5%。在各大资本主义国家中,只有英国未能超过战前的水准。然而整个说来,资本主义世界的总生产量,是比战前增大了,无疑的超过了战前的水准。

各国货币体系的恢复,在 1924 年德国废止通货膨胀一事上表现出来。稳定币制工作的开始,尚远在 1921 年。当时英国缩减了一部分的纸币流通量,想借此以稳定币价。然而这只是局部的、临时的救济办法,它并没有彻底实行改良币制。后来到 1925 年,才彻底改良币制,这时银行券就可以和现金相兑换了。法国在第二时期开首几年,法郎的购买力依然大跌,从 1926 年起,它采取了各种必要的整理步骤,才把币制确立起来。

这一切事实,证明在第一期以后,资本主义有过一时的相对安定。然而我们要知道,这种安定,是站在总危机之上的安定,它是暂时的、飘摇不定的、腐败的、极相对的安定。这种安定,只能够在一个极短的时期内,缓和现代资本主义的若干矛盾,但是却不能够解决这些矛盾。相反地,这些矛盾,却一天天地增大并深刻化起来了。

首先,资本主义的安定,必然要加深战胜国与战败国之间的矛盾。我们要知道,战后资本主义第一时期后欧洲各国生产的发展和财政的确立,是在美国资本主义的"援助"之下达到的。这种援助,自然要使欧洲各国在金融上隶属于美国,因而加深战胜各国间的矛盾。德国自依靠美国资本的援助以恢复其经济状态以来,要求重分世界市场,要求分割殖民地。德国的确立,首先使德法关系恶化起来,而一部分也使德英关系恶化起来。

其次,在资本主义的安定时期,资本家间斗争的尖锐化及市场的收缩,不仅引起国内激烈的对立,而且引起宗主国与殖民地或附属国之间矛盾的加深。

再次,资本主义安定的动摇性,在两个体系间矛盾的尖锐化上,极明白地表现出来。资本主义国家的经济,只有相对的安定,而在苏联,则有现实的、极强固的安定。譬如美国的生产,在 1928 年,只增大了战前水准的一倍半,而苏联的生产,在由 1925—1928 年中,却增大了两倍。

最后,资本主义安定的不确定性,更在劳动与资本的矛盾之进一步的发展上表现出来。关于这一层,我们只要看一看第二时期中资本主义"合理化"所引出的结果,如劳动强度的增高、劳动时间的延长、失业人数的加多及工资的减少等,就可以知道了。

总之,各国资产阶级,应用削减劳动大众生活水准的办法,把帝国主义大战的全部重担,转嫁在劳苦大众的肩上,曾经获得了资本主义相对的安定。然而这种安定只是暂时的局部的,它包含着引起本身的崩溃和资本主义经济恐慌的各种矛盾。

(三)第三时期

自 1928 年以来,战后资本主义,便走入它的发展的第三个时期。关于整个第三时期的全世界经济恐慌,我们留在第二节中来详细讨论,现在只是简单的说明第三个时期的一些主要特征。

在第三时期的初期,即从 1928—1929 年世界经济恐慌爆发前的这个时期,确实是战后资本主义的繁荣时期。几个主要的资本主义国家,在这个时期中,生产都有较大的增长。譬如在 1928 年,美国生产额超过战前水准50%,法国超过 30%,德国超过 5%。至 1929 年,各国生产水准仍然继续上升。随着生产的增长,资本集积和集中的过程,也很快地发展起来了。

在第三时期中,有一个显著的特征,就是国家资本主义倾向的发展。国家资本主义的倾向,具体地表现于国有和市有企业的发达、表现于国家对于托拉斯和银行的活动的干涉及国家对于私人独占团体的参与之中。

少数金融贵族独占全部的国家财富,各国发展的不均衡性,及列强夺取市场斗争的激化——这一切事实,使资本主义国家间的矛盾,极端地尖锐化起来了。战后的德国,靠着国际资本(主要的是美国)的帮助,恢复了战前的水准,这样一来,它和其他战胜国家(尤其是法国)的矛盾,就愈加厉害了。同时,战后新兴的美国与日渐衰老的英国,在各处都展开了剧烈的冲突。其他如法意、德意的冲突,也一天天剧烈起来。太平洋上的日美冲突,更已经发展到短兵相接的地步了。

第三时期,不但表现着资本主义体系内部的矛盾百出,而同时它和殖民地及半殖民地的冲突,也一天一天地强烈起来了。不但中国、印度等国的民族解放运动,日益发展,就是加拿大、澳大利亚、爱尔兰等自治殖民地,也要求脱离大不列颠帝国的统辖而独立了。

第三时期资本主义一切内外矛盾的普遍化、深刻化和尖锐化,引起资本主义相对安定的崩溃,引起最严重的世界经济恐慌和第二次帝国主义大战的危险。

总之,"资本主义可以恢复并超过战前的水准,更可以使它的生产合理化;然而这并不是说,资本主义的安定,因此可以牢固不破,资本主义可以恢复到战前的安定性。反之,从这安定本身中,从这工商业日益发展中,从这技术进步和生产可能性日益增加及同时世界市场的划分和各个帝国主义集团的势力范围相当安定等事实中,正生长着最深刻最尖锐的世界资本主义的经济恐慌。这次经济恐慌,充满了第二次世界大战的危险,并威胁着任何安定的存在"。

第二节　世界经济恐慌与特种萧条

一、现代世界经济恐慌的一般情势及特征

(一)世界经济恐慌的发生和发展

资本主义生产的矛盾,使它的发展过程,不能不经过慢性的动摇和周期的经济恐慌。帝国主义最后阶段(即总危机时代)各种矛盾极端发展的结果,经济恐慌的持续性和尖锐性,不但超过产业资本主义时代的恐慌,而且超过战前帝国主义的恐慌。所以,"现在的世界经济恐慌,在历来世界经济恐慌中,是最严重最深刻的恐慌"。

这次的世界经济恐慌,谁都知道是 1929 年秋季在美国爆发的。可是在许多国家里,例如在波兰、罗马尼亚及巴尔干半岛诸国,在 1928 年底,工业恐慌的征兆就已经出现了。

在 1929 年末以前,即在恐慌爆发以前,美国生产的发展,大大地超过了其他资本主义国家。这一个发展,就使美国内部的矛盾很快的增长起来了。这首先在广大的劳动大众购买力激减上表现出来。经济恐慌的前提,实际上在 1929 年上半年就已经存在,可是它被交易所股票价格腾贵及交易所投机的事实隐蔽了,而在表面上生出一种"繁荣"的错觉。

然而这交易所的假繁荣,不但不能阻止恐慌的发生,反而加强它的力量和严重性。1929 年 10 月以后,股票价格就开始惨跌,结果,引起交易所的大恐慌,在几个星期中,交易所股票的时价,跌落到 600 万万到 700 万万美元。

美国的交易所恐慌,立刻就引起欧洲交易所(伦敦、柏林、亚姆斯特丹、巴黎)股票市价的跌落。

随着美国交易所的破产,工业生产也很快地缩减了,结果,在 1930 年年初,美国的生产就落到 1927 年的水准,及至 1930 年末,更加低落了(那时仅及 1928 年的百分之七八)。生产的低减,很快的由美国蔓延到美洲其他各国——加拿大等地。不久更传播到日本、中国及其他殖民地国家。

从 1929 年底起，尤其从 1930 年初以来，欧洲各主要国家的生产，也剧烈地缩减了，不过低落的程度，各国间是极不均衡的。德国的恐慌，是和美国同时开始，在 1929 年 12 月间，生产就降到 1928 年的 96%了；至 1930 年 3 月，降到 93%；但至 1930 年 12 月，更激减到 1928 年的 79%了。英国生产的缩减，开始于 1930 年中，至 1930 年底，它的生产量降到 1928 年的 85%。波兰恐慌的开始，先于美国，它的生产总量，在 1930 年底，比 1928 年低落 18%。

总之，由美国和中欧开始的经济恐慌，在一年期间普遍到全世界，而成为世界经济恐慌了。纵然它的发展，因国别和产业部门的性质而各不均衡，可是，它却是包括全世界各国、包括一切经济部门的普遍的大恐慌。

（二）信用恐慌与破产

到 1931 年春，有许多经济部门多少表现出一些活跃，而一般人都以为恐慌可以缓和了。可是实际上却不然，因为春季的活跃，只是一种春节性市况的表现，等到春季一过，生产仍然要继续缩减，股票市价还是不断跌落，而且不久以后，尖锐的信用恐慌又继续爆发出来，同时使经济恐慌的一般进程，带上更大的破坏性。这个信用恐慌，是在 1931 年中叶爆发的。

信用恐慌的爆发，是始于德奥两国几个大银行的破产，不久就蔓延到英国，结果，英国放弃金本位而实行通货膨胀政策。其他各国继英国之后，也纷纷放弃金本位，于是信用恐慌遂转化为汇兑恐慌，终至于破坏了世界货币体系的统一。于是，放弃金本位的国家与采用金本位的国家间残酷的货币战就开幕了。经济恐慌继续的深化，信用恐慌就随之而愈益严重，结果，美元落跌（1933 年初），而在资本主义世界中被认为最稳固最可靠的美国币制，也就因此宣告崩溃了。

信用恐慌的发展，引起大批新的破产。许多掌握着金融资本之命脉的巨大独占团体，都宣告破产了。例如瑞典的克列格尔康策伦、法国的"国家信托银行"以及德国、奥国、意大利等许多大银行都破产了。独占企业的收入激减，股票的市价狂跌，信用恐慌，摧残了金融资本的命脉，破坏了最大的独占企业，阻碍了信贷的流转，加强了夺取现金及休息货币资本的斗争，以及阻碍了对外贸易的发展，因此，引起了生产更进一步的缩减及经济恐慌更进一步的深化。

（三）生产的减缩与生产力的破坏

经济恐慌,使各种经济部门的生产大跌而特跌。从 1929 年秋季起,到 1932 年止,各国的生产,都空前的缩减下去。根据下表,我们可以看出主要各国生产额低落的情形。

各国生产指数表（以 1929 年为 100）					
国名	1929 年	1930 年	1931 年	1932 年	1933 年
美国	100	80.7	68.1	53.8	64.9
英国	100	92.4	83.8	83.8	86.1
德国	100	88.3	71.7	59.8	66.8
法国	100	100.7	89.2	69.1	77.4

由上表看来,我们可以知道,生产衰落的最低点是 1932 年,该年生产总额和 1929 年比较,竟减低了 $\frac{1}{3}$。到 1933 年,各国的工业,才略有起色,但是该年的产额,比经济恐慌以前的 1929 年,仍低 $\frac{1}{4}$。这个表又可以证明经济恐慌对资本主义诸国的打击,轻重各个不同,对各国的影响,也非常不均衡。

资本主义各国生产的激减,是表示生产力极端的荒废。大部分生产机关,都停止作用（即僵化）。各国基本工业部门,在经济恐慌以前,本来就不能够十足地利用它们巨大的生产可能性;而经济恐慌和生产跌落的结果,生产机关僵化的程度,更是大大地增加了。

譬如在 1932 年 12 月间,美国开工制造汽车的机器,只有 11%,钢铁厂机件使用着的只有 13%。同年同月,德国全部工业的开工率,曾减到 36%,重工业开工率的低落尤其厉害。

美国于 4 年内拆毁熔矿炉,曾有 60 座。在 1931 年,完全拆毁的,每年可产 71 万吨钢的炼钢炉有 12 座,拆毁的展钢机也有 13 架。德国拆毁的熔矿炉有 23 座,炼钢炉有 38 座。由此可见生产力破坏的情形了。

（四）失业增加和大众的穷乏化

各国经济恐慌的重担,都落在劳苦大众的身上。经济恐慌使劳苦大众的生活,空前的恶化,使失业和被剥削程度,空前的增加。

本来,资本主义的总危机,就引起了成千成万人口经常的失业。在 1925

年到 1927 年间,由于各国实行产业合理化的结果,失业人口便一天天增加起来。英国的失业劳动者,在 1927 年六月间,为 8.8%,到 1929 年 2 月,增至 12.2%。同期德国的失业人口,由 6.3% 增至 22.3%。美国的失业人口,在 1927 年为 210 万人,到 1928 年底和 1929 年初,增至 340 万人。

到了 1929 年经济恐慌爆发以后,各国的失业人数,更其庞大地增加了。生产的减缩,把成千累万的劳动者丢在街头上,侥幸的未失业者,在经济恐慌打击之下,其工作更加繁重,被剥削的程度,更加提高。

假若说 1926 年资本主义世界的失业者总数是 1300 万到 1400 万人,那么,到 1932 年底和 1933 年初,便激增到 4500 万人了。局部失业即每周做工一两天的劳动者,以及殖民地国家千百万失业者,都没有算在里面。在经济恐慌期间,全世界的失业人数,增加了四五倍,有些国家,竟超过 5 倍以上。

失业军一经扩大,必然影响到在业劳动者的生活情况。在业劳动者生活情况的恶化,主要地在工资惨落中表现出来。在经济恐慌期间,整个劳动阶级所得的工资总额,都大量的减少了。美国资本家于 1932 年付给劳动者的工资,仅当从前工资总额的 75%。德国劳动者的工资,在经济恐慌的 3 年中,曾减少了 260 万万马克。

在这次大恐慌中,不但产业劳动者的生活状态恶劣到极点,同时农村中的劳动农民大众的生活,也绝对地恶化下去了。因为现代的经济恐慌,是工业恐慌和农业恐慌密切交织着的经济恐慌。在多数国家中,农产物价格的跌落比工业品来得厉害,因此农民大众的收入自然随之低减,他们的生活也就非绝对恶化不可了。据美国官方的统计,美国在世界经济危机发生的前三年中,中等农户的收入,由 1929 年的 847 元减到 1932 年的 187 元。其他国家的农民地位的恶化,也就不难想象而知了。

(五)对外贸易的衰落

生产过剩的恐慌和销货市场的缩小,必然要引起对外贸易的衰落。对外贸易的衰落,削弱了资本主义各国间的经济关系。工业国减少了原料的入口,同样农业国也减少了工业品的入口。因而,生产和劳苦大众的消费,也随之大大的缩减。

兹将主要各国出入口贸易缩减的情形,列表于下,以见一斑。

帝国主义国家对外贸易的衰落（以 1929 年为 100）					
1930 年		1931 年		1932 年	
入口	出口	入口	出口	入口	出口
美国	70	73	48	50	30.1	30.8
德国	77	90	50	73	34.7	42.6
英国	86	78	72	53	57.6	50.1
法国	90	85	72	61	51.2	39.3
意国	80	79	51	66	38.7	45.6

对外贸易的激减,必然要引起夺取市场的斗争空前的尖锐化。事实上,在这次经济恐慌期间,各国间夺取市场的斗争,的确极度地加深了。斗争的方法采取了特别尖锐的方式。各国的资本家,都首先力谋保障国内的市场,阻止国外竞争者的侵入。各国都尽量提高关税率,以实行保护税制,结果,倾销主义,便非常盛行了。

(六)现代世界经济恐慌的特征

以上我们很简单的说明了这次世界经济恐慌的一般情势,现在可以根据上面的叙述,指出经济恐慌的特征。

现代世界经济恐慌的第一个特征,就在它是在资本主义总危机基础上生长起来的经济恐慌。换句话说,这次经济恐慌,是在资本主义体系一切内外矛盾异常尖锐化的条件之下爆发和发展起来的。资本主义总危机时代的一切矛盾,都在这次经济恐慌上明显的表现出来。

第二个特征,就是这次恐慌的普遍性、深刻性和悠久性。前面已经说过,这次经济恐慌,不但普及于世界各国,而且普及于一切经济部门。所以这次恐慌,不但是资本主义国家的恐慌,而且是殖民地国家的恐慌;不但是一切工业部门的恐慌,而且是农业、信用、商业以及国家财政等各方面的恐慌。同时,这次恐慌的程度,也比过去历次恐慌都来得深刻和尖锐,而且时间也来得长久和拖延。根据前面的说明,我们已经知道,在这次恐慌中,全世界资本主义国家的生产,跌落到极点,失业人口由一千多万激增到四五千万。这两点——生产衰落和失业激增,就是这次恐慌的尖锐性和深刻性的最大证据。至于它的悠久性,更是不待言了,自从恐慌发生以来,到现在已经有 8 个年头了,还是一点没有转好的征兆。

第三个特征,是工业恐慌和农业恐慌的交错。"在这次经济恐慌展开的过程中,几个主要资本主义国家的工业危机,不但和农业国家的农业恐慌碰在一起,而且交互错综在一起。它加深了恐慌的困难,并且预先注定了经济活动一般衰落的必然性。"这就是说,农业恐慌的深刻化和普遍化,使农产品价格远低于工业品价格,使广大农民群众的生活绝对恶化,使他们的购买力大跌特跌,因而必然要加强工业恐慌。

第四个特征,就是这次恐慌是在独占资本主义的基础上发展起来的。"现在的资本主义,和旧的资本主义不同,它是独占的资本主义。因此,资本主义团体,不管生产过剩如何,必然要尽力保持商品的独占价格。很显然的,这种情形,只有加强基本消费者的民众因经济恐慌所遭受的痛苦。因之,这必然使经济恐慌拖延下去,使它无法解除。"现代资本主义的独占性,使经济恐慌更加尖锐,更加深刻,更加持久。

二、特种萧条

(一)由衰落最低点到特种萧条

各国的工业生产,在 1932 年,曾经达到了衰落的最低点。以后几年,各国的工业生产,都略有上升的趋势,但是距离经济恐慌以前的水准还是相差很远。

普通以为各国工业生产的上升,是因为各国实行通货膨胀和疯狂备战的政策,然而专以这些理由来解释,也不完全正确。固然,有些国家,例如在日本,军需工业的繁荣,的确刺激了一般工业生产的增长,但是,世界各国,即使在未实行通货膨胀的国家,其工业生产,也都有显著的进步。因此,"很明显的,除了军需扩大和通货膨胀以外,资本主义内在的经济力量,在这里也有相当作用"。

首先由于对劳动大众的加紧剥削,由于农民大众的破产及对殖民地劳苦大众的掠夺,各国工业生产情况,才获得了相当的进步。剥削的加紧,劳动强度的提高,及工资的缩减等,所有这些方法,使得许多资本家在购买力降低和物价跌落的条件下,也能够去进行生产。其次,独占团体,把原料和食物的价格强行减低,牺牲殖民地的农民大众,以减低自己的生产成本。再次,经济恐慌,破坏了大量的生产力。大量制成品的毁灭,结果,使存货大大减少,生产与消费的平衡比例,在多数情形之下,遂得以吻合。最后,由于弱小企业的破产,而市场就可以完全被大企业来操纵了。

(二)目前经济萧条的特征

由于上述种种原因,在几个主要的资本主义国家中,一切工业,便都克服了衰落的最低点,由衰落的最低点而转入经济萧条了。但是,"这种萧条,不是普通的萧条,而是一种特殊的萧条,它不会引起工业的新的繁荣,但是也不会使工业回到过去的衰落最低点"。

在资本主义尚未进入它的没落的时期,当经济恐慌过后,就来一个经济萧条时期,而这经济萧条就是经济重新抬头的开端。但是现在,资本主义已经是垂死的资本主义了。它已经处在总危机时期,而充满着深刻的矛盾,这些矛盾定要使它走向灭亡。这次经济恐慌,就因为它是在资本主义总危机的基础上爆发起来的,所以它的程度才特别深刻,它的范围才特别普遍,它的时期才特别长久,这是我们在前面已经说过的。目前的经济萧条,也是从资本主义总危机中发生的,所以它和以往的经济萧条,也根本不同,它不会再转入繁荣的阶段了。因为一切阻碍资本主义国家工业发展的不利条件仍然存在着的。所以,"尽管好些国家的工业生产,略有发展,金融巨头的利润,大大增加,但是全世界的整个资产阶级,还不能跳出经济恐慌和萧条,更不能阻止资本主义矛盾的极端尖锐化。在有些国家中(如法、比利时等国),经济恐慌还在继续着;在别的国家中,已转入萧条状态;而在生产超出经济恐慌以前的水准的国家中(如英、日等国),却又成熟着新的经济恐慌"。

习题十八

一、资本主义总危机的特征是什么?

二、战后资本主义第一期的特征是什么?

三、何以资本主义的安定只是相对的、暂时的、动摇的?

四、战后资本主义第三期的特征是什么?

五、现代世界经济恐慌是怎样发生和发展的?

六、这次恐慌对于劳动大众地位的影响如何?

七、这次恐慌是特别深刻、特别普遍和特别持久,这是怎样表现出来的?

八、这次恐慌对于各国国外贸易的影响如何?

九、现代世界经济恐慌的特征如何?

十、由恐慌到萧条的转变原因何在?

十一、目前经济特种萧条的特征如何?

责任编辑:张　立　赵圣涛

图书在版编目(CIP)数据

李达全集.第十三卷/汪信砚 主编. —北京:人民出版社,2016.12
ISBN 978-7-01-016732-9

Ⅰ.①李…　Ⅱ.①汪…　Ⅲ.①李达(1890—1966)-全集　Ⅳ.①C52

中国版本图书馆 CIP 数据核字(2016)第 228135 号

李达全集

LIDA QUANJI

第十三卷

汪信砚　主编

人民出版社 出版发行

(100706　北京市东城区隆福寺街 99 号)

北京新华印刷有限公司印刷　新华书店经销

2016 年 12 月第 1 版　2016 年 12 月北京第 1 次印刷
开本:710 毫米×1000 毫米 1/16　印张:25
字数:400 千字

ISBN 978-7-01-016732-9　定价:139.00 元

邮购地址 100706　北京市东城区隆福寺街 99 号
人民东方图书销售中心　电话 (010)65250042　65289539